PAIXÃO

Livros da autora publicados pela Galera Record

Série **Fallen**
Volume 1 – Fallen
Volume 2 – Tormenta
Volume 3 – Paixão
Volume 4 – Êxtase

Apaixonados – Histórias de amor de Fallen
Anjos na escuridão – Contos da série Fallen
O livro de Cam – Um romance da série Fallen

Série **Teardrop**
Volume 1 – Lágrima
Volume 2 – Dilúvio

A traição de Natalie Hargrove

LAUREN KATE

PAIXÃO

Tradução de
Ana Carolina Mesquita

39ª EDIÇÃO

—Galera—
RIO DE JANEIRO
2022

CIP-Brasil. Catalogação-na-fonte
Sindicato Nacional dos Editores de Livros, RJ

K31p
39ª ed

Kate, Lauren
Paixão / Lauren Kate; tradução Ana Carolina
Mesquita. – 39ª ed – Rio de Janeiro: Galera Record,
2022.
(Fallen; 3)

Tradução de: Passion
ISBN 978-85-01-08964-9

1. Romance americano. I. Mesquita, Ana Carolina
II. Título. III. Série.

11-3565.

CDD: 813
CDU: 821.111(73)-3

Título original em inglês:
Passion

Text copyright © 2011 by Lauren Kate, Tinderbox Books, LLC

Publicado originalmente por Delacorte Press, um selo da Random
House Children's Books, divisão da Random House, Inc.

Direitos de tradução negociados com Tinderbox Books,
LLC, e Sandra Bruna Agência Literária, S. L.

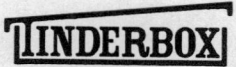

Todos os direitos reservados. Proibida a reprodução, no todo ou em parte,
através de quaisquer meios. Os direitos morais do autor foram assegurados.

Composição de miolo: Abreu's System

Texto revisado segundo o novo Acordo Ortográfico da Língua Portuguesa.

Direitos exclusivos de publicação em língua portuguesa
somente para o Brasil adquiridos pela
EDITORA RECORD LTDA.
Rua Argentina, 171 – Rio de Janeiro, RJ – 20921-380 – Tel.: 2585-2000,
que se reserva a propriedade literária desta tradução.

Impresso no Brasil

ISBN: 978-85-01-08964-9

Seja um leitor preferencial Record.
Cadastre-se e receba informações sobre nossos
lançamentos e nossas promoções.

Atendimento e venda direta ao leitor:
sac@record.com.br

Para M e T,
Mensageiros do céu

AGRADECIMENTOS

Um obrigada apaixonado a Wendy Loggia, que imaginou esse livro louco — seu apoio sensato faz a série acontecer. Para Beverly Horrowitz, por sua sabedoria e estilo. Para Michael Stearns e Ted Malawer, por levarem as coisas às alturas. Para Noreen Herits e Roshan Nozari: meu agradecimento pelo esforço de vocês em cada livro. Um obrigada especial para Krista Vitola, Barbara Perris, Angela Carlino, Judith Haut (nos conheceremos no festival Cheese Dip em Little Rock) — e Chip Gibson e sua política econômica interna, que explica por que todo mundo na Random House é tão legal.

Para os amigos que fiz ao redor do mundo: Becky Stradwick e Lauren Bennett (minha xará!) na Inglaterra, para Rino Balatbat e o pessoal da National Book Store nas Filipinas, para toda a entusiasmada equipe da Random House Austrália, para os blogueiros daqui e de muito longe. Sinto-me honrada em trabalhar com cada um de vocês.

Para minha família extraordinária e afetuosa, com um obrigada bem alto da tia para Jordan, Hailey e David Franklin. Para Anna Carey pelas caminhadas e muito mais. Para OBLC, viva! E para Jason, meu muso, meu mundo — só melhora a cada dia.

Se, a princípio, nos desencontrarmos, não desanimes.
Se não me achares aqui, procura-me ali;
em algum lugar estarei esperando por ti.

※

WALT WHITMAN, *Canção de mim mesmo*

PRÓLOGO

CAVALO NEGRO
Louisville, Kentucky • 27 de novembro de 2009

Um tiro foi disparado. Um grande portão se abriu com um estrondo. O ruído de cascos de cavalos batendo no chão ecoou ao redor da pista de corrida como um enorme trovão.

— E lá vão eles! — gritou alguém.

Sophia Bliss ajeitou a larga aba do seu chapéu Derby, enfeitado com uma pena. Ele tinha um tom violeta esmaecido, quase 70 centímetros de diâmetro e um véu de chiffon. Era amplo o bastante para fazê-la parecer uma verdadeira entusiasta das corridas de cavalos, mas não tão vistoso a ponto de atrair atenções indesejadas.

Três chapéus haviam sido especialmente encomendados no mesmo chapeleiro, em Hilton Head, para a corrida daquele dia.

Um deles — um modelo boneca, amarelo-manteiga — cobria a cabeça branca como a neve de Lyrica Crisp, sentada à esquerda da Srta. Sophia, degustando um sanduíche de carne. O outro — feito de palha verde-água, com uma fita de cetim com poá — coroava a cabeleira negra como a noite de Vivina Sole, que parecia enganadoramente séria com as mãos metidas em luvas brancas e cruzadas sobre o colo, sentada à direita da Srta. Sophia.

— Que dia maravilhoso para uma corrida — disse Lyrica. Aos 136 anos, era a mais jovem entre os Anciãos de Zhsmaelin. Ela limpou um pingo de mostarda em um dos cantos da boca. — Acredita que é minha primeira vez nas pistas?

— Shhh! — sibilou Sophia. Como Lyrica era tonta. O que estava em jogo não eram os cavalos, e sim um encontro clandestino entre grandes mentes. E daí que as outras grandes mentes ainda não houvessem aparecido? Elas viriam. Àquele lugar perfeitamente neutro, destacado em letras douradas no convite que Sophia recebera de um remetente desconhecido. Os outros chegariam, se revelariam e juntos criariam um plano de ataque. A qualquer minuto. Assim ela esperava.

— Um dia adorável, um esporte adorável — comentou, secamente, Vivina. — Pena que *nosso* cavalo não corra em círculos tão fáceis, como essas éguas. Não é, Sophia? É difícil adivinhar em que posição a puro-sangue Lucinda terminará.

— Eu disse *shhh*! — sussurrou Sophia. — Morda essa língua descuidada. Há espiões em todas as partes.

— Você é paranoica — disse Vivina, arrancando um risinho alto de Lyrica.

— Sou o que restou — respondeu Sophia.

Antes, eles eram muitos mais — 24 Anciãos, no auge de Zhsmaelin. Um grupo de mortais, imortais e alguns transeternos, como Sophia. Uma aliança de conhecimento, paixão e fé com um único objetivo: levar o mundo ao seu estado original, àquele momento breve e glorioso antes da Queda dos anjos. Fosse para o bem ou para o mal.

Estava escrito, de maneira clara como o dia, no código que eles criaram juntos e que fora assinado por todos: *Para o bem ou para o mal.*

Porque, sério, a coisa poderia ir para qualquer dos lados.

Todas as moedas têm duas faces. Cara ou coroa. Bem e...

Enfim, o fato de outros Anciãos não haverem se preparado para ambas as opções não era culpa de Sophia. Foi ela, porém, quem precisou aguentar as consequências quando, um por um, eles avisaram sobre suas renúncias. *Os objetivos se tornavam muito sombrios. Os padrões da organização decaíram. Os Anciãos se afastaram demais do código original.* A primeira leva de cartas chegou, como se esperaria, uma semana depois do incidente com aquela garota, Pennyweather. Não poderiam tolerar, argumentaram eles, a morte de uma criança pequena e insignificante. Bastou um momento de descuido com um punhal para que os Anciãos se dispersassem, com medo; todos temerosos da ira da balança.

Covardes.

Sophia não tinha medo da balança. O dever deles era dar liberdade condicional aos caídos, não aos virtuosos. A anjos mundanos como Roland Sparks e Ariane Alter. Desde que não renunciassem ao Céu, todos eram livres para oscilar um pouquinho. Tempos difíceis praticamente pediam por isso.

Ela quase ficara vesga lendo as desculpas sentimentaloides dos outros Anciãos. Porém, mesmo que ela *quisesse* ter novamente os desertores (e ela não queria), não haveria o que fazer. Então, Sophia Bliss, uma bibliotecária escolar que antes servia apenas como secretária do comitê do Zhsmaelin, era agora a mais alta oficial entre os Anciãos. Havia restado apenas 12. E nove não eram confiáveis.

Por isso, as três restantes estavam ali, com seus enormes chapéus em tons pastel, fazendo falsas apostas na corrida de cavalos. E esperando. Era patética a profundeza na qual eles haviam afundado.

A corrida chegou ao fim. Um alto-falante cheio de estática anunciou os vencedores e as probabilidades para a corrida seguinte. Pessoas bem-afortunadas e alguns bêbados ao redor delas comemoraram ou se afundaram ainda mais nos seus assentos.

Uma garota, de mais ou menos 19 anos, com um rabo de cavalo loiro esbranquiçado, trench coat marrom e grossos óculos escuros, subiu vagarosamente os degraus de alumínio, em direção às Anciãs.

Sophia se enrijeceu. Por que *ela* estaria aqui?

Era quase impossível dizer em que direção a garota olhava, e Sophia se esforçava ao máximo para não a encarar. Não que isso importasse; a garota não conseguiria vê-la. Era cega. Mas, então...

A Pária fez um sinal com a cabeça para Sophia. Ah, sim — esses idiotas eram capazes de enxergar a chama de uma alma. Apesar de fraca, a força vital de Sophia fora visível.

A garota se sentou na fileira vazia em frente às Anciãs, encarando a pista e fitando uma folha de apostas de 5 dólares, que seus olhos cegos não poderiam ler.

— Olá.

A voz da Pária era monótona. Ela não se virou.

— Eu realmente não sei por que você está aqui — disse Srta. Sophia. Era um dia úmido de novembro, mas uma película de suor se formou na sua testa. — Nosso acordo terminou quando seus amigos não conseguiram recuperar a garota. Nenhum blá-blá-blá daquele que se autointitula Phillip nos fará mudar de ideia. — Sophia se inclinou para a frente, aproximando-se da garota, e enrugou o nariz. — Todo mundo sabe que não se pode confiar nos Párias...

— Não estamos aqui para negociar — respondeu a Pária, olhando para a frente. — Vocês são apenas um meio para nos aproximarmos de Lucinda. Continuamos não tendo interesse em "colaborar" com vocês.

— Ninguém liga para sua organização atualmente. — Houve um som de passos na arquibancada.

O garoto era alto e magro, com a cabeça raspada e um trench coat parecido com o da garota. Seus óculos escuros eram baratos, de plástico, como os que são vendidos na rua.

Phillip deslizou para o lugar à direita de Lyrica Crisp. Tal como a garota, ele não se virou para encarar as Anciãs ao falar.

— Não estou surpreso em encontrá-la aqui, Sophia — deslizou os óculos escuros sobre o nariz, revelando olhos brancos vazios. — Apenas desapontado por você não saber que poderia me contar sobre ter sido também convidada.

Lyrica engoliu em seco ao ver os horríveis globos brancos atrás daqueles óculos. Até mesmo Vivina perdeu a pose e recuou. Sophia ferveu por dentro.

A garota Pária ergueu um cartão dourado — o mesmo convite que Sophia recebera — entre dois dedos unidos em forma de tesoura.

— Nós recebemos isso.

A única diferença era que aquele parecia ter sido escrito em Braille. Sophia se inclinou na direção dele, para verificá-lo, mas, com um movimento rápido, o convite desapareceu no trench coat da garota.

— Escutem aqui, rebeldes: eu marquei suas setas estelares com o emblema dos Anciãos. Vocês trabalham para *mim*...

— Correção — disse Phillip. — Os Párias não trabalham para ninguém.

Sophia o observou virar levemente o pescoço, fingindo acompanhar um cavalo na pista de corrida. Ela sempre achou assustador o jeito como eles pareciam poder enxergar. Quando todos sabiam que *ele* poderia deixar todos cegos com um estalar de dedos.

— Pena que vocês fizeram um péssimo trabalho em capturá-la. — Sophia sentiu sua voz sair mais alta do que desejava, atraindo os olhares de um casal mais velho, que cruzava a arquibancada. — Deveríamos trabalhar juntos — sibilou ela — para capturá-la, mas... vocês falharam.

— Não teria importância, de qualquer jeito.

— O quê?!

— Ela continuaria perdida no tempo. Sempre foi o destino dela. E os Anciãos continuariam por um fio. Esse é o seu destino.

Ela sentiu vontade de se atirar sobre ele e estrangulá-lo até que aqueles olhos brancos enormes saíssem das órbitas. Teve a sensação de que seu punhal queimava, abrindo um buraco na bolsa de couro sobre seu colo. Ah, se fosse uma seta estelar! Sophia começava a se levantar do banco quando ouviu uma voz atrás dela.

— Por favor, permaneça sentada. Essa reunião se encontra, agora, oficialmente aberta.

A voz. Ela soube imediatamente de quem se tratava. Calma e autoritária. Completamente mortificante. Fez as arquibancadas tremerem.

Os mortais próximos nada notaram, mas uma onda de calor surgiu na nuca de Sophia e atravessou seu corpo, anestesiando-a. Aquilo não era um medo normal. Era um terror incapacitante, capaz de revirar seu estômago. Será que ela ousaria se virar?

A mais sutil das espiadelas, com o canto dos olhos, revelou-lhe um homem em um terno preto bem-cortado. Sob o chapéu preto, seu cabelo escuro parecia curto. O rosto, gentil e atraente, não era particularmente memorável. Barbeado, nariz reto e olhos castanhos que pareciam familiares. A Srta. Sophia, porém, nunca o vira antes. Ainda assim, sabia quem ele era; sabia na medula dos seus ossos.

— Onde está Cam? — perguntou a voz atrás deles. — Ele foi convidado.

— Provavelmente brincando de Deus entre os Anunciadores. Como o restante deles — disse Lyrica. Sophia lhe deu um tapa.

— Brincando de *Deus*, você disse?

Sophia buscou palavras que pudessem consertar uma gafe como aquela.

— Vários seres seguiram Lucinda na sua viagem ao passado — disse ela, por fim. — Inclusive dois Nefilim. Não sabemos ao certo quantos mais.

— Devo ter a ousadia de perguntar — disse a voz, subitamente gélida — o motivo por que nenhum de *vocês* foi atrás dela?

Sophia lutou para engolir, para respirar. Seus movimentos mais instintivos foram bloqueados pelo pânico.

— Não podemos exatamente, bem... Ainda não temos as habilidades para...

A Pária a interrompeu.

— Os Párias estão quase...

— Silêncio — ordenou a voz. — Poupe-me das suas desculpas. Elas não importam, exatamente como vocês.

Por um longo tempo, o grupo ficou quieto. Era aterrorizante não saber como agradar aquele homem. Quando ele finalmente falou, foi com uma voz mais suave, mas não menos letal.

— Há coisas demais em risco. Não posso deixar nada ao acaso.

Uma pausa.

Então, suavemente, ele continuou:

— Chegou a hora de cuidar disso com minhas próprias mãos.

Sophia prendeu a respiração para conter sua exclamação de horror, mas não conseguiu impedir seu corpo de tremer. Ele se envolveria diretamente? Aquela era, verdadeiramente, a mais terrível das perspectivas. Não conseguia se imaginar trabalhando com *ele* para...

— O restante de vocês ficará fora disso — continuou ele. — É tudo.

— Mas... — a palavra escapou dos lábios de Sophia. Não era possível retirá-la. E todas as suas décadas de trabalho? Todos os seus planos? Seus planos!

O que veio a seguir foi um longo rugido, capaz de fazer tremer a terra.

O som reverberou pela arquibancada, parecendo viajar ao redor de toda a pista de corrida em um átimo de segundo.

Sophia se encolheu. O ruído quase parecia estrondar *dentro* dela, atravessando a pele e atingindo o centro mais profundo do seu ser. Ela teve a sensação de que seu coração estivesse se despedaçando.

Lyrica e Vivina se aconchegaram junto a ela, com os olhos fechados. Até mesmo os Párias tremeram.

Justamente quando Sophia achou que aquele ruído jamais terminaria — o que seria a morte para ela —, ele deu lugar a um silêncio absoluto.

Por um instante.

Era o tempo suficiente para olhar ao redor e perceber que as outras pessoas na pista de corrida não haviam ouvido absolutamente nada.

Ao ouvido dela, ele sussurrou:

— Seu tempo nessa empreitada acabou. Nem ouse ficar no meu caminho.

Abaixo, ouviu-se outro tiro. O grande portão se abriu mais uma vez. Porém, o barulho dos cascos dos cavalos contra a terra parecia quase mínimo, como a mais leve das chuvas caindo sobre um bosque.

Antes que os cavalos cruzassem a linha de chegada, a figura atrás deles sumiu, deixando apenas pegadas de cascos, pretas como carvão, na arquibancada.

UM

SOB O FOGO
Moscou · 15 de outubro de 1941

Lucinda!

As vozes chegaram até ela na escuridão turva.

Volte!

Espere!

Ela as ignorou, apressando-se ainda mais. Ecos do seu nome ricochetearam nas paredes sombrias do Anunciador, fazendo com que ondas de calor serpenteassem pela sua pele. Essa voz seria de Daniel ou de Cam? De Ariane ou de Gabbe? Seria Roland, implorando que ela voltasse, ou Miles?

Os chamados se tornaram ainda mais difíceis de discernir, e até Luce não conseguia diferenciá-los entre bons ou maus, inimigos ou amigos. Deveria ser uma identificação simples, mas nada agora era fácil. Tudo o que antes fora branco e preto se mesclava em tons de cinza.

É claro que ambos os lados concordavam em um ponto: todos queriam tirá-la do Anunciador. Para sua própria *proteção*, diziam.

Não, obrigada.

Não agora.

Não após destruírem o quintal dos seus pais, transformando-o em mais um dos seus campos de batalha imundos. Ela era incapaz de pensar nos rostos dos seus pais sem desejar voltar — não que soubesse como fazer isso dentro de um Anunciador, de qualquer maneira. Além disso, era tarde demais. Cam havia tentado *matá-la*. Ou matar aquilo que pensava ser ela. E Miles a salvara, mas nem mesmo isso era simples. Ele só conseguira criar o reflexo dela porque gostava *demais* de Luce.

E Daniel? Será que ele gostava dela o bastante? Ela não saberia dizer.

No fim, quando o Pária se aproximara dela, Daniel e os outros olharam para Luce como se *ela* devesse alguma coisa a *eles*.

Você é nossa entrada no Céu, dissera-lhe o Pária. *O preço*. O que significava aquilo? Até duas semanas atrás, ela nem mesmo sabia da existência dos Párias. Eles, contudo, queriam algo dela — com tanta intensidade que eram capazes de enfrentar Daniel. Provavelmente, tinha algo a ver com a maldição, aquela que fazia com que Luce reencarnasse de vida em vida. Mas o que pensavam que Luce era capaz de fazer?

A resposta estaria enterrada ali, em algum lugar?

O estômago dela se revirava enquanto ela caía, insensatamente, em meio às sombras gélidas, nas profundezas do escuro Anunciador.

Luce...

As vozes começaram a sumir, a diminuir cada vez mais. Logo, mal passavam de sussurros. Era quase como se houvessem desistido. Até que...

Começaram a aumentar novamente. Tornavam-se mais altas e claras.

Luce...

Não. Ela fechou bem os olhos, para tentar não prestar atenção.

Lucinda...

Lucy...

Lucia...

Luschka...

Ela estava com frio, cansada e não queria escutá-las. Ao menos uma vez na vida, queria ser deixada em paz.

Luschka! Luschka! Luschka!

Seus pés bateram em algo, fazendo um "tum".

Algo muito, muito frio.

Ela estava em solo firme. Sabia que já não estava caindo, embora nada pudesse ver à sua frente exceto o véu da escuridão. Então, olhou para baixo, para seus tênis All Star.

E engoliu em seco.

Eles estavam mergulhados em um cobertor de neve que lhe chegava até a metade das canelas. O frio úmido ao qual ela estava acostumada — o túnel sombrio pelo qual viajara, afastando-se do seu quintal, até o passado — começava a dar lugar a outra coisa. Algo tempestuoso e absolutamente gelado.

Na primeira vez em que Luce havia atravessado um Anunciador (do seu quarto, em Shoreline, para Las Vegas), estava com seus amigos Shelby e Miles. No final da passagem, eles haviam encontrado uma barreira: uma cortina escura e sombria entre eles e a cidade. Por ser o único que lera os textos sobre travessias no tempo, Miles golpeara o Anunciador com movimentos circulares até que a sombra negra e turva se soltasse dali. Até aquele momento, Luce não percebera que ele estava resolvendo um problema.

Dessa vez, não havia barreira. Talvez porque viajasse sozinha, através de um Anunciador convocado por sua própria e feroz força de vontade. Porém, a saída era fácil. Quase fácil demais. O véu da escuridão simplesmente se abriu.

Uma onda de frio atacou-a com grande violência, fazendo com que seus joelhos travassem. Suas costelas se enrijeceram e ela lacrimejou contra o vento repentino e cortante.

Onde ela estava?

Luce já estava arrependida do seu salto amedrontado para o passado. Sim, precisava de uma escapatória e, sim, queria rastrear seu passado para poupar seus "eus" anteriores de toda a dor e para entender que tipo de amor vivera com Daniel em todas as outras vezes. Para *senti-lo*, em vez de ouvir falar sobre ele por outras pessoas. Para compreender — e consertar — a maldição que fora lançada sobre ela e Daniel.

Mas não assim. Com frio, sozinha e completamente despreparada para fosse lá o lugar e a época em que ela se encontrava.

Viu uma rua coberta de neve à sua frente e um céu cinza-chumbo sobre prédios brancos. Ouviu algo se movendo à distância, mas não queria pensar no que tudo aquilo significava.

— Espere — sussurrou ela para o Anunciador.

A sombra se moveu de maneira incerta a uns 30 centímetros da ponta dos dedos de Luce. Ela tentou agarrá-la, mas o Anunciador a enganou, brilhando para longe. Ela pulou para apanhá-lo e agarrou um minúsculo pedacinho úmido dele entre os dedos...

Então, em um instante, o Anunciador se despedaçou em fragmentos negros e macios sobre a neve. Eles desbotaram e desapareceram.

— Que ótimo — murmurou ela. — E agora?

À distância, a rua estreita se curvava para a esquerda e levava a um cruzamento ensombreado. As calçadas tinham pilhas altas de neve que havia sido removida das ruas com uma pá e amontoada contra dois longos conjuntos de edifícios de pedra branca. Eles eram impressionantes, diferentes de tudo o que Luce já havia visto, com poucos andares e fachadas inteiramente esculpidas em fileiras de arcos brancos e colunas elaboradas.

Todas as janelas estavam escuras. Luce teve a impressão de que a cidade inteira estava mergulhada na escuridão. A única luz vinha de um solitário poste com um lampião a gás. Se havia lua, estava escondida por um lençol espesso de nuvens. Algo voltou a se mover no céu. Um trovão?

Luce enlaçou seus braços ao redor do peito. Ela estava congelando.

— Luschka!

Era uma voz feminina. Rouca e áspera, como a de alguém que passou a vida inteira dando ordens. Todavia, estava trêmula também.

— Luschka, sua idiota. Cadê você?

Parecia mais perto. Estava falando com Luce? Havia algo mais naquela voz, algo estranho, que Luce não conseguia definir muito bem.

Quando a mulher virou lentamente a esquina cheia de neve, Luce olhou em sua direção, tentando localizá-la. Era muito baixa, um pouco encurvada e tinha, talvez, uns 70 anos. Suas roupas pesadas pareciam grandes demais para seu corpo. Os cabelos estavam enfiados embaixo de um lenço grosso e negro.

Quando ela viu Luce, seu rosto se contorceu em uma careta complexa.

— Onde você estava?

Luce olhou ao redor. Era a única pessoa na rua. A velha estava falando com ela.

— Aqui mesmo — ouviu-se dizer.

Em russo.

Ela levou uma das mãos à boca. Então era *isso* o que parecia tão bizarro na voz da mulher: ela falava um idioma que Luce nunca havia aprendido! Porém, Luce não apenas entendia cada palavra como conseguia respondê-la.

— Eu poderia matar você — disse a mulher, respirando pesadamente enquanto se apressava na direção de Luce e a abraçava.

Para uma mulher com aparência tão frágil, seu abraço era forte. O calor de outro corpo contra Luce, depois de um frio tão intenso, quase a fez querer chorar. Ela também a abraçou com força.

— Vovó? — sussurrou, os lábios próximos da orelha da mulher, de algum modo sabendo que era sua avó.

— Justo nessa noite, saio do trabalho e descubro que você sumiu — disse a mulher. — E agora você está saltitando por aí, no meio da rua, como uma maluca? Chegou a ir ao trabalho hoje? Cadê sua irmã?

Mais uma vez, aquele barulho no céu. Parecia que uma tempestade se aproximava. Rapidamente. Luce tremeu e balançou a cabeça. Não sabia.

— Rá — disse a mulher. — Não está mais tão tranquila. — Ela piscou ao olhar para Luce e afastou-a para examiná-la melhor. — Meu Deus, o que você está vestindo?

Luce se remexeu, inquieta, enquanto sua avó da vida passada olhava, boquiaberta, seus jeans e corria os dedos calejados pelos botões da sua camisa de flanela. Agarrou o rabo de cavalo curto e emaranhado de Luce.

— Às vezes, acho que você é tão maluca quanto seu pai; que ele descanse em paz.

— Eu só... — Os dentes de Luce batiam. — Não sabia que faria tanto frio.

A mulher cuspiu na neve para mostrar sua desaprovação e tirou o casaco.

— Tome isso, antes que encontre a morte — disse, enrolando o casaco rudemente ao redor de Luce, cujos dedos meio congelados lutaram para abotoá-lo. Depois sua avó desamarrou seu lenço do pescoço e enrolou-o na cabeça de Luce.

Um estrondo gigantesco vindo do céu assustou a ambas. Agora, Luce sabia que não era um trovão.

— O que foi isso? — sussurrou.

A velha a encarou.

— A guerra — balbuciou. — Perdeu o juízo junto com suas roupas? Venha. Precisamos ir.

Enquanto caminhavam com dificuldade sobre o calçamento de pedra e os trilhos da rua coberta por neve, Luce percebeu que a cidade não estava vazia, afinal. Poucos carros estavam estacionados ao longo da via, mas, ocasionalmente, vindo das escuras ruas paralelas, ela ouvia o relinchar suave de cavalos de carruagem aguardando ordens, sua respiração fria enchendo o ar. Silhuetas de corpos corriam sobre os telhados. Em um beco, um homem vestindo um casaco rasgado ajudava três crianças pequenas a atravessarem as portas em escotilha de um porão.

No final, a rua estreita se abria em uma avenida larga, ladeada por árvores e com uma visão ampla da cidade. Os únicos carros estacionados ali eram veículos militares. Tinham uma aparência antiquada, quase absurda, como relíquias de um museu de guerra: jipes com capotas de lona, para-choques gigantescos, volantes finos e o símbolo soviético, da foice e do martelo, pintado nas portas. Contudo, fora Luce e sua avó, não havia ninguém naquela rua. Tudo — exceto pelo horroroso barulho trovejante vindo do céu — era fantasmagórico, assustadoramente silencioso.

À distância, ela viu um rio, e, na outra margem, um enorme edifício. Mesmo na escuridão, ela conseguiu distinguir suas torres elaboradas e seus domos ornados e em formato de cebola, que pareciam ao mesmo tempo familiares e míticos. Aquilo levou um tempo para fazer sentido — e, então, o medo perpassou Luce.

Ela estava em Moscou.

E a cidade era uma zona de guerra.

Fumaça negra se erguia no céu cinzento, marcando os bolsões da cidade que haviam sido atingidos: à esquerda do vasto Kremlin, logo atrás dele, e novamente, à distância, na extrema direita. Não havia combates nas ruas ou sinal de que os soldados inimigos houvessem invadido a cidade a pé. Porém, as chamas que lambiam os edifícios carbonizados, o cheiro incendiário da guerra em toda a parte e a ameaça do que estava por vir eram, de certa maneira, ainda piores.

Essa era, de longe, a maior besteira que Luce já fizera — provavelmente em *todas* as suas vidas. Seus pais a *matariam* se soubessem onde ela estava. Talvez Daniel nunca voltasse a falar com ela.

Mas, e se eles nem mesmo tivessem a chance de ficar furiosos com ela? Ela poderia morrer ali mesmo, naquela zona de guerra.

Por que fizera aquilo?

Porque *precisava*. Foi difícil encontrar aquela pontinha de orgulho no meio do seu pânico, mas ela devia estar ali, escondida em algum lugar.

Ela *atravessara*. Sozinha. Para um local distante, em um passado longínquo que ela precisava compreender. Era isso o que ela queria. Fora manipulada como uma peça de xadrez por tempo suficiente.

Entretanto, o que deveria fazer agora?

Acelerou o passo e segurou com força a mão da avó. Estranho; aquela mulher não tinha noção sobre o que Luce estava passando, sequer uma ideia concreta de quem ela era, e, ainda assim, o aperto seco da sua mão era a única coisa que fazia Luce seguir em frente.

— Para onde estamos indo? — perguntou Luce enquanto a avó arrastava-a por mais uma rua escura. O calçamento de pedra terminou e a via se tornou escorregadia. A neve atravessara a lona dos tênis de Luce, e seus dedos começavam a queimar por causa do frio.

— Buscar sua irmã, Kristina. — A velha fez uma carranca. — Aquela que passa as noites cavando trincheiras com as mãos nuas para que você possa descansar sua beleza. Lembra-se dela?

No lugar onde pararam não havia poste para iluminar a estrada. Luce piscou algumas vezes para ajudar seus olhos a se acostumarem. Elas estavam na frente do que parecia uma trincheira muito comprida, no centro da cidade.

Parecia haver umas cem pessoas ali. Todas vestidas até as orelhas. Algumas estavam de joelhos, cavando com pás. Outras cavavam com as mãos. Outras, ainda, estavam paradas, como se estivessem congeladas, observando o céu. Alguns soldados transportavam pesadas cargas de terra e de rocha em precários carrinhos de mão e carroças, para adicionar à barreira no final da rua. Seus corpos estavam escondidos sob pesados casacos militares de lã na altura dos joelhos que inflavam com o vento, mas, sob os capacetes de aço, seus rostos eram tão emagrecidos quanto o de qualquer civil. Lucinda entendeu que todos trabalhavam juntos — os homens de uniforme, as mulheres e as crianças —, para transformar sua cidade em uma fortaleza, fazendo o que podiam, até o último minuto, para impedir a entrada dos tanques inimigos.

— Kristina — chamou a avó, tendo na voz as mesmas notas de amor repleto de pânico que tinha quando estivera procurando por Luce.

Uma garota apareceu ao lado delas quase que instantaneamente.

— Por que demoraram tanto?

Alta e magra, com mechas de cabelos escuros escapando por baixo do chapéu de feltro, Kristina era tão linda que Luce precisou engolir um nó na garganta. Reconheceu imediatamente a garota como parte da família.

Ver Kristina lembrou-lhe de Vera, outra irmã de uma vida passada. Luce teve, possivelmente, cem irmãs ao longo do tempo. Mil. Todos com quem convivera haviam passado por algo parecido — irmãs, irmãos, pais e amigos que Luce deve ter amado e depois perdido. Nenhum deles soubera o que estava por vir. Todos foram deixados para trás para se lamentarem.

Talvez houvesse uma maneira de mudar isso, tornando as coisas mais fáceis para as pessoas que a haviam amado. Talvez isso fizesse parte daquilo que Luce poderia fazer nas suas vidas passadas.

O grande estrondo de uma explosão atravessou a cidade. Perto o bastante para fazer a terra tremer debaixo dos pés de Luce e ela sentir como se o tímpano do seu ouvido direito se partisse em dois. Na esquina, as sirenes do alarme antiaéreo dispararam.

— Baba. — Kristina segurou o braço da avó, e estava à beira das lágrimas. — Os nazistas... Estão aqui, não estão?

Os alemães. Era a primeira vez em que Luce fazia uma travessia no tempo sozinha, e caíra logo no meio da Segunda Guerra Mundial!

— Eles estão atacando Moscou? — a voz tremeu. — Esta noite?

— Deveríamos ter deixado a cidade junto com os outros — disse Kristina, amargamente. — Agora é tarde demais.

— E abandonar sua mãe, seu pai e seu avô? — Baba sacudiu a cabeça. — Deixá-los sozinhos nos seus túmulos?

— Ah, então é melhor nos juntarmos a eles no cemitério? — rebateu Kristina, que depois se esticou na direção de Luce e apertou seu braço. — Você sabia sobre o ataque aéreo? Você e seu amigo *kulak*? Por isso não foi trabalhar hoje pela manhã? Você estava com ele, não estava?

O que sua irmã pensava que Luce poderia saber? Com quem ela teria estado?

Com quem, a não ser Daniel?

É claro. Luschka estaria com ele, agora. E, se os membros da sua própria família confundiam *aquela* Luschka com Luce...

Sentiu um aperto no peito. Quanto tempo ela ainda teria antes de morrer? E se conseguisse encontrar Luschka antes que isso acontecesse?

— *Luschka*.

Sua irmã e sua avó a encaravam.

— O que há de errado com ela esta noite? — perguntou Kristina.

— *Vamos*. — Baba fez uma carranca. — Você acha que os moscovitas deixarão seus porões abertos para sempre?

O longo zumbido das turbinas de um avião de caça soou acima delas. Perto o bastante para que, quando Luce olhasse para o céu, a suástica negra pintada nas laterais das asas fosse visível. Aquilo lhe causou um arrepio. Posteriormente, outro estrondo sacudiu a cidade, e o ar se tornou mais cáustico com a fumaça negra. Eles atingiram algo por perto. Duas explosões ainda maiores fizeram o chão tremer sob os pés dela.

Na rua, havia o caos. A multidão sumia das trincheiras; todos se espalhavam por uma dúzia de ruas estreitas. Alguns desciam correndo as escadas da estação do metrô na esquina para esperar, embaixo da terra, o fim do bombardeio; outros desapareciam por portas escuras.

Luce viu, de relance, a um quarteirão de distância, alguém correndo: uma garota, mais ou menos da sua idade, usando um chapéu vermelho e um longo casaco de lã. Ela virou a cabeça por apenas um segundo antes de continuar correndo. Foi o suficiente para Luce saber.

Lá estava ela.

Luschka.

Ela se desvencilhou do braço de Baba.

— Desculpe. Preciso ir.

Luce respirou fundo e correu rua abaixo em direção à fumaça que se enovelava, rumo ao bombardeio mais pesado.

— Ficou maluca? — berrou Kristina. No entanto, não a seguiram: precisariam ser loucas para isso.

Luce não conseguia sentir os pés enquanto tentava correr pela neve que cobria as calçadas, na altura das suas panturrilhas. Quando chegou à esquina onde vira seu eu do passado, de chapéu vermelho, ela desacelerou. Então, inspirou com força.

Um edifício que ocupava metade do quarteirão, bem na frente dela, havia desmoronado. As pedras brancas estavam manchadas por cinzas negras. Um fogo ardia no fundo da cratera na lateral do edifício.

A explosão cuspiu, de dentro do prédio, pilhas de escombros irreconhecíveis. A neve estava manchada de vermelho. Luce recuou, horrorizada, até perceber que as manchas não eram de sangue, mas de pedaços de seda vermelha. O lugar era, possivelmente, uma alfaiataria. Várias araras de roupas queimadas se espalharam pela rua. Um manequim estava caído na sarjeta, em chamas. Luce precisou cobrir a boca com o lenço da avó para não sufocar com a fumaça. Em todo lugar que pisava havia vidro quebrado e pedaços de pedra.

Ela deveria voltar — encontrar a avó e a irmã, que a ajudariam a conseguir abrigo —, mas não podia. Precisava encontrar Luschka. Nunca estivera tão próxima de um dos seus "eus" do passado. Luschka talvez pudesse ajudá-la a entender por que sua vida atual era diferente. Por que Cam atirara uma seta estelar no reflexo dela, pensando que era realmente ela, e dissera a Daniel: "Foi um fim melhor para Luce." Um fim melhor do que qual?

Ela se virou devagar, procurando um vislumbre do chapéu vermelho na noite.

Ali.

A garota corria morro abaixo, em direção ao rio. Luce começou a correr também.

As duas corriam exatamente no mesmo ritmo. Quando Luce se encolheu ante o som de uma explosão, Luschka fez o mesmo — em um eco esquisito do movimento de Luce. E, quando elas chegaram às margens do rio e a cidade se tornou visível, Luschka parou na exata posição que Luce.

Cinquenta metros à frente de Luce, sua imagem espelhada começou a soluçar.

Uma parte tão grande de Moscou queimava! Tantas casas destruídas! Luce tentou pensar nas outras vidas sendo destroçadas por toda a cidade, mas elas pareciam distantes e inalcançáveis, como algo sobre o que ela houvesse lido em um livro de história.

A garota voltou a se movimentar. Corria tão rápido que Luce não conseguiria alcançá-la, se desejasse. Elas correram ao redor de crateras gigantes abertas na estrada pavimentada. Passaram rapidamente por edifícios em chamas que estalavam, fazendo o terrível barulho que o fogo faz quando atinge um novo alvo. Passaram correndo por caminhões militares destruídos e capotados, com braços enegrecidos saindo das laterais.

Então, Luschka virou à esquerda em uma rua e Luce perdeu-a de vista.

A adrenalina aumentou. Luce continuou em frente, os pés batendo com mais força e mais rápido na rua cheia de neve. As pessoas correm nessa velocidade apenas quando estão desesperadas. Quando algo maior que elas as incita.

Luschka só poderia estar correndo em direção a uma coisa.

— Luschka...

A voz dele.

Onde ele estava? Por um momento, Luce esqueceu-se do seu eu do passado, esqueceu-se da garota russa cuja vida corria o risco de acabar a qualquer instante, e esqueceu-se de que esse Daniel não era o *seu* Daniel, porém...

É claro que era.

Ele nunca morreu. Sempre esteve ali. Sempre foi dela, e ela sempre foi dele. Tudo o que queria era encontrar seus braços, enterrar se no abraço dele. Ele saberia o que ela deveria fazer. seria capaz de ajudá-la. Por que duvidara dele?

Correu, atraída pela sua voz. No entanto, não conseguia ver Daniel em parte alguma. Nem Luschka. A um quarteirão do rio, Luce parou em um cruzamento.

Sua respiração parecia presa nos pulmões congelados. Uma dor fria e latejante descia pelos seus ouvidos, e feridas lhe machucavam tanto os pés que se manter em pé era algo quase insuportável.

Em qual direção deveria ir?

À sua frente, havia uma área vasta e cheia de entulhos, isolada da rua por andaimes e por uma cerca de ferro. Porém, mesmo na escuridão, Luce podia perceber que se tratava de uma demolição antiga, não de algo que foi destruído por uma bomba aérea.

Não parecia grande coisa; apenas uma dolina feia e abandonada. Luce não sabia por que continuava ali, por que parara de correr atrás da voz de Daniel...

Até que ela segurou a cerca, piscou e percebeu o reflexo de algo brilhante.

Uma igreja. Uma igreja branca e majestosa preenchendo aquele buraco. Um tríptico gigantesco de arcadas de mármore na fachada frontal. Cinco torres douradas que se erguiam alto, na direção do céu. E, dentro, fileiras de bancos de madeira encerada que iam até onde os olhos podiam ver. Um altar em cima de um lance de escadas brancas. E todas as paredes e abóbadas altas cobertas por afrescos maravilhosamente ornados. Anjos por toda a parte.

A Igreja de Cristo, o Salvador.

Como Luce sabia daquilo? Por que sentia com cada fibra do seu ser que aquele nada fora um dia uma formidável igreja branca?

Porque estivera ali, momentos antes. Viu as impressões digitais de alguém sobre as cinzas: Luschka também parara ali, olhara as ruínas da igreja e sentira algo.

Luce segurou a cerca, piscou novamente e viu a si mesma — ou a Luschka — quando menina.

Estava sentada na igreja, em um dos bancos, usando um vestido de renda branca. Um órgão tocava enquanto as pessoas enchiam o local antes da missa. O belo homem à sua esquerda devia ser seu pai; e a mulher perto dele, sua mãe. Ali estavam a avó que Luce acabara de ver e Kristina. Ambas pareciam mais jovens, mais bem alimentadas. Luce lembrou-se da avó dizendo que seu pai e sua mãe estavam mortos, mas ali eles pareciam tão vivos. Pareciam conhecer todo mundo e cumprimentavam cada família que passava pelo seu banco. Luce estudou seu eu, observando o pai apertando a mão de um jovem loiro bonito. O jovem se inclinou na direção do banco e sorriu para ela. Ele tinha lindos olhos cor de violeta.

Ela piscou novamente, e a visão desapareceu. O local voltou a ser nada mais que entulho. Ela congelava. E estava sozinha. Outra bomba explodiu, do outro lado do rio, e o choque fez Luce cair de joelhos. Ela cobriu o rosto com as mãos...

Então, ouviu alguém chorando baixinho. Ergueu a cabeça e olhou, piscando, para a escuridão mais profunda das ruínas, então o viu.

— Daniel — sussurrou. Ele parecia igual. Quase irradiava luz, mesmo naquela escuridão congelante. Os cabelos loiros pelos quais ela nunca se cansava de correr os dedos; os olhos violeta-cinzentos que pareciam feitos para prender o olhar dela. Aquele rosto formidável, com traços bem definidos, e aqueles lábios. Seu coração bateu fortemente, e ela precisou se segurar ainda mais na cerca para não correr até ele.

Porque ele não estava sozinho.

Estava com Luschka. Consolando-a, afagando-lhe a face e beijando-lhe as lágrimas para que não chorasse mais. Seus braços estavam enlaçados, com as cabeças inclinadas para a frente em um beijo infinito. Estavam tão perdidos naquele abraço que pareceram não sentir a rua ondular e estremecer por causa de mais uma explosão. Davam a impressão de que somente eles existiam.

Não havia espaço entre seus corpos. A penumbra era intensa demais para ver onde um começava e o outro terminava.

Lucinda levantou e se arrastou para a frente, movendo-se de uma pilha de entulho para outra, simplesmente porque desejava estar mais perto dele.

— Achei que nunca mais o encontraria — Luce ouviu seu eu do passado dizer.

— Sempre nos encontraremos — respondeu Daniel, erguendo-a do chão e abraçando-a, trazendo-a ainda mais para perto. — Sempre.

— Ei, vocês dois! — gritou uma voz, de uma porta em um edifício próximo. — Estão vindo?

Do outro lado da praça vazia, um pequeno grupo de pessoas era levado para dentro de um prédio de pedra, por um homem cujo rosto Luce não conseguiu ver. Era para onde Luschka e Daniel se dirigiam. Aquele deve ter sido o plano deles desde o início: abrigarem-se dos bombardeios juntos.

— Sim! — gritou Luschka para os outros. Ela olhou para Daniel. — Vamos com eles.

— Não — a voz dele era breve, nervosa. Luce conhecia bem demais aquele tom. — Estaremos mais seguros na rua. Não foi por isso que concordamos em nos encontrar aqui?

Daniel se virou para olhar para trás; seus olhos passaram pelo local onde Luce estava escondida. Quando o céu se acendeu com outra rodada de explosões vermelhas e douradas, Luschka gritou e enterrou o rosto no peito de Daniel. Portanto, Luce foi a única que pôde ver a expressão dele.

Algo o agoniava. Algo maior que o medo das bombas.

Oh, não.

— Daniil! — O garoto próximo ao edifício continuava segurando a porta aberta do abrigo. — Luschka! Daniil!

Todos os outros estavam dentro do prédio.

Foi quando Daniil virou Luschka e aproximou seus lábios do ouvido dela. No seu esconderijo, Luce morreu de vontade de saber o que ele sussurrava, e se era alguma das coisas que Daniel dizia a *ela* quando estava chateada ou devastada. Quis correr até eles e afastar Luschka, mas não podia. Algo dentro dela não permitia que ela se movesse.

Ela se fixou na expressão de Luschka, como se sua vida dependesse disso.

Talvez dependesse mesmo.

Luschka assentia enquanto Daniil falava, e seu rosto, antes aterrorizado, parecia calmo, quase tranquilo. Ela fechou os olhos. Assentiu mais uma vez. Depois inclinou a cabeça para trás, e um sorriso se formou lentamente nos seus lábios.

Um sorriso?

Mas, por quê? Como? Era quase como se ela soubesse o que estava prestes a acontecer.

Daniil abraçou-a e inclinou-a para baixo. Depois, inclinou-se para dar-lhe mais um beijo, pressionando os lábios firmemente contra os dela e correndo as mãos pelos seus cabelos e, então, pelos lados do seu corpo, por cada centímetro dela.

Era algo tão apaixonado que Luce corou; tão íntimo que ela não pôde respirar; tão lindo que não conseguiu desviar o olhar. Nem por um segundo.

Nem mesmo quando Luschka gritou.

E explodiu em uma coluna de chamas brancas.

O ciclone de chamas era algo sobrenatural, fluido e quase elegante de um modo amedrontador, como uma longa echarpe de seda que se retorcesse contra aquele corpo claro. Luschka foi engolfada pelo ciclone, que fluiu ao redor dela, iluminando o espetáculo dos seus membros em chamas, debatendo-se, debatendo-se — e depois não mais. Daniil não a soltou: nem quando o fogo chamuscou suas roupas, nem quando precisou suportar todo o peso do corpo frouxo e inconsciente de Luschka, nem quando as chamas queimaram a carne dela, com um sibilo feio e pungente, nem quando a pele começou a se carbonizar e enegrecer.

Somente quando a labareda morreu — tão rapidamente quanto o apagar de uma vela — e não havia nada o que segurar, nada além de cinzas, Daniil deixou seus braços penderem ao longo do corpo.

Nem em todos os sonhos mais loucos de Luce sobre reviver suas vidas passadas ela imaginara aquilo: a própria morte. A realidade era mais terrível que o que seus pesadelos mais sombrios poderiam vislumbrar. Ela continuou ali, parada na neve gelada, paralisada por aquela visão, com seu corpo desprovido da capacidade de se mover.

Daniil recuou diante da massa carbonizada sobre a neve e começou a chorar. As lágrimas que corriam pela sua face abriam trilhas claras na fuligem negra, que era tudo o que restara dela. O rosto de Daniil se retorcia. Suas mãos tremiam. Pareciam, aos olhos de Luce, nuas, grandes e vazias, como se (embora o pensamento a fizesse sentir estranhamente ciumenta) o lugar daquelas mãos fosse ao redor da cintura de Luschka, nos seus cabelos, envolvendo seu rosto. O que se poderia fazer com as mãos quando a única coisa que elas desejavam segurar sumira de repente, de maneira tão medonha? Uma garota inteira, uma vida inteira, desaparecera.

A dor no rosto de Daniil tomou conta do coração de Luce e o apertou, esgotando-a completamente. Mesmo com toda a dor e a confusão que ela experimentava, ver a agonia dele era pior.

Ele se sentia assim a cada vida.

A cada morte.

Sempre, sempre e sempre.

Luce errara ao imaginar que Daniel era egoísta. Não é que ele fosse indiferente: ele se importava tanto que aquilo o destroçava. Ela odiava a amargura e os resguardos dele em relação a tudo, mas subitamente as entendeu. Miles talvez a amasse, mas seu amor não era nada em comparação com o de Daniel.

Jamais poderia ser.

— Daniel! — gritou ela, saindo das sombras e correndo até ele.

Desejava retribuir todos os beijos e abraços que vira Daniel dar em seu eu do passado. Sabia que aquilo estava errado, que tudo aquilo estava errado.

Os olhos de Daniil se arregalaram. Um olhar de horror abjeto cruzou seu rosto.

— O que é isso? — disse ele, devagar e acusadoramente. Como se não houvesse acabado de deixar Luschka morrer. Como se o fato de Luce estar ali fosse pior que ver Luschka morrer. Ele ergueu a mão, manchada com as cinzas, e apontou para Luce. — O que está acontecendo?

Que agonia vê-lo a olhar daquele jeito! Ela parou onde estava e piscou para afastar as lágrimas.

— Responda a pergunta — disse alguém, uma voz vinda das sombras. — Como chegou até aqui?

Luce reconheceria aquela voz presunçosa em qualquer lugar. Não precisava ver Cam surgir na porta do abrigo antibombas.

Com um estalo suave e um ruflar como o de uma enorme bandeira sendo desenrolada, ele abriu suas grandes asas. Elas se estenderam atrás dele, tornando-o ainda mais magnificente e intimidador que normalmente. Luce não conseguia desviar o olhar. As asas lançavam um brilho dourado na rua escura.

Luce o observava, tentando entender a cena à sua frente. Havia mais deles, mais figuras escondidas nas sombras. Todas deram um passo à frente.

Gabbe. Roland. Molly. Ariane.

Todos estavam ali, com suas asas ligeiramente arqueadas para a frente. Formavam um mar de dourado e de prateado, que cintilava na rua escura a ponto de cegar uma pessoa. Eles pareciam tensos. As pontas das suas asas tremiam, como se estivessem prontos para entrar em uma batalha.

Pela primeira vez, Luce não se sentiu intimidada pela glória daquelas asas ou pelo peso daqueles olhares. Sentiu-se enojada.

— Vocês assistem *sempre*? — perguntou.

— Luschka — disse Gabbe, com uma voz monótona. — Simplesmente diga a ele o que está acontecendo.

Então, Daniil se aproximou e agarrou-lhe os ombros, sacudindo-a.

— Luschka!

— Não sou Luschka! — berrou Luce, desvencilhando-se dele e recuando alguns passos.

Estava horrorizada. Como eles podiam viver em paz consigo mesmos? Como podiam simplesmente observarem-na morrer?

Era demais. Ela não estava preparada para ver aquilo.

— Por que está me olhando assim? — perguntou Daniil.

— Ela não é quem você pensa, Daniil — disse Gabbe. Luschka está morta. Essa é... Essa é...

— *O que é ela?* — perguntou Daniil. — Como ela está aqui? Quando...

— Olhe as roupas dela. Obviamente...

— Cale a boca, Cam, talvez não seja ela — interrompeu Ariane, mas também parecia ter medo de que Luce fosse aquilo que Cam diria. Ouviu-se outro zumbido no ar e, então, choveu uma artilharia sobre os edifícios do outro lado da rua, ensurdecendo Luce e incendiando um armazém de madeira. Os anjos não tinham qualquer preocupação com a guerra ao seu redor, somente com ela. Havia 6 metros entre Luce e eles, e a desconfiança parecia recíproca. Ninguém se aproximou.

À luz do prédio em chamas, a sombra de Daniil foi projetada para a frente do seu corpo. Luce se concentrou em convocá-la para si. Será que daria certo? Seus olhos se estreitaram e cada músculo do seu corpo se tensionou. Ela ainda era muito desajeitada nisso, e nunca sabia o que precisava fazer para capturar a sombra.

Quando as linhas escuras começaram a se agitar, ela atacou. Agarrou a sombra com as duas mãos e começou a enrolar aquela massa escura em uma bola, como vira seus professores, Steven e Francesca, fazerem com uma sombra em um dos primeiros dias dela em Shoreline. Os Anunciadores recém-chamados eram sempre confusos e amorfos. Precisavam, primeiramente, serem girados para adquirir um contorno distinto; somente então poderiam ser puxados e esticados, para se tornarem uma superfície mais larga. Então, o Anunciador se transformaria em uma tela por meio da qual se poderia vislumbrar o passado ou em um portal que poderia ser atravessado.

O Anunciador estava pegajoso, mas ela rapidamente abriu-o e fez com que adquirisse forma. Inclinou o braço para dentro dele e abriu o portal.

Não podia mais continuar ali. Tinha uma missão: encontrar-se viva em outra época, descobrir a que preço os Párias se referiam e, depois, rastrear a origem da maldição que existia entre ela e Daniel.

Para, então, quebrá-la.

Os outros soltavam exclamações enquanto ela manipulava o Anunciador.

— Quando você aprendeu a fazer isso? — sussurrou Daniil.

Luce balançou a cabeça. Sua explicação apenas desconcertaria Daniil.

— Lucinda! — A última coisa que ouviu foi ele chamando seu verdadeiro nome.

Era estranho; ela olhava para o rosto contorcido dele, mas não viu seus lábios se moverem. Sua mente lhe enganava.

— Lucinda! — gritou ele outra vez, mais alto devido ao pânico, antes de Luce mergulhar na escuridão.

DOIS

ENVIADO PELO CÉU
Moscou · 15 de outubro de 1941

— Lucinda! — gritou novamente Daniel, mas era tarde demais. Naquele instante, ela já havia desaparecido. Ele acabara de emergir na paisagem fria, tomada pela neve. Sentira uma luz brilhar atrás de si e o calor de um incêndio por perto, mas somente conseguia ver Luce. Correu na direção dela, virando a esquina da rua escurecida. Ela parecia minúscula dentro do casaco surrado de outra pessoa. Parecia amedrontada. Ele a observou abrir uma sombra e depois...

— Não!

Um míssil caiu sobre um prédio atrás dele. A terra tremeu. A rua ofereceu resistência, mas depois se abriu. Uma nuvem de vidro, aço e concreto se formou no alto e, em seguida, caiu.

Então a rua mergulhou em um silêncio mortal. Porém, Daniel mal o notou: simplesmente continuou ali, sem acreditar, em meio aos escombros.

— Ela está entrando ainda mais no passado — balbuciou ele, limpando a poeira dos seus ombros.

— Ela está entrando ainda mais no passado — repetiu alguém.

Aquela voz. *Dele*. Seria um eco?

Não, era próxima demais. E clara demais para ter vindo da sua cabeça.

— Quem disse isso? — Ele passou correndo por um emaranhado de andaimes até onde Luce estivera.

Houve duas exclamações.

Daniel encarava a si mesmo. Não exatamente a si, mas a uma versão mais antiga de si próprio, ligeiramente menos cínica. Porém, de quando? Onde ele estava?

— Não se toquem! — berrou Cam para as duas versões de Daniel.

Ele vestia um uniforme militar, com botas, e um pesado casaco preto. Ao ver Daniel, seus olhos cintilaram.

Sem perceber, as duas versões haviam se aproximado, rodeando um ao outro em um círculo cauteloso sobre a neve. Então, recuaram.

— Fique longe de mim — advertiu o mais velho ao outro. — É perigoso.

— Eu sei! — retrucou Daniel. — Pensa que não sei? — Só de ficar assim tão perto do outro, seu estômago se revirou. — Estive aqui antes. Eu sou *você*.

— O que quer?

— Eu... — Daniel olhou ao redor, tentando se localizar. Após milhares de anos de vida, amando e perdendo Luce, o tecido das suas memórias se tornara gasto. A repetição tornava difícil rememorar o passado. Aquele lugar, entretanto, não estava tão distante no tempo; ele se lembrava dali.

Uma cidade desolada. Neve nas ruas. Fogo no céu.

Poderia ter sido qualquer uma entre cem guerras.

Mas, ali...

Havia o local na rua onde a neve derretera. Uma cratera escura naquele mar branco. Daniel caiu de joelhos e estendeu a mão em direção ao círculo de cinzas negras que manchava o chão. Fechou os olhos. E lembrou-se da maneira exata como ela morrera nos seus braços.

Moscou. 1941.

Era isso o que ela estava fazendo: viajando para suas vidas passadas. Na esperança de compreender.

A questão era que não havia sentido algum nas suas mortes. Mais que qualquer um, *isso* Daniel sabia.

Entretanto, em *algumas* vidas passadas ele tentara esclarecer certas coisas para ela, esperando que isso mudasse algo. Certas vezes, teve esperança de mantê-la viva por mais tempo, embora nunca desse muito certo. Outras vezes — como durante o cerco de Moscou — ele escolheu enviá-la mais rapidamente ao seu destino. Para poupá-la. Para que seu beijo fosse a última coisa que ela sentisse naquela vida.

No entanto, aquelas vidas lançaram as mais compridas sombras na eternidade. Foram as que se destacaram e atraíram Luce, como limagens a um ímã, à medida que ela transitava pelos Anunciadores. Aquelas vidas em que ele lhe revelara o que ela precisava saber, mesmo consciente de que isso a destruiria.

Como a morte dela em Moscou. Ele se lembrou daquilo intensamente e se sentiu ridículo. As palavras ousadas que ele lhe sussurrou, o beijo profundo que lhe deu. A compreensão exultante no rosto dela enquanto morria. Nada daquilo mudou alguma coisa. O fim de Luce foi exatamente o mesmo.

E Daniel também continuou exatamente o mesmo: frio. Negro. Vazio. Destroçado. Inconsolável.

Gabbe deu um passo à frente, para chutar um pouco de neve sobre o círculo de cinzas onde Luschka morrera. Suas asas levíssimas cintilaram na noite e uma aura brilhante rodeou seu corpo quando ela se inclinou sobre a neve. Ela chorava.

Os outros também se aproximaram: Cam. Roland. Molly. Ariane.

E Daniil, o Daniel do passado distante, completava aquele grupo diversificado.

— Se você veio para nos advertir de alguma coisa — gritou Ariane –, dê logo seu recado e vá embora. — Suas asas iridescentes se dobraram para a frente, quase de maneira protetora. Ela deu um passo em direção a Daniil, que parecia um pouco esverdeado.

Era contra a lei, além de antinatural, que anjos interagissem com seus "eus" anteriores. Daniel suava frio e sentia-se tonto — se o motivo era ter sido obrigado a reviver a morte de Luce ou estar tão perto do seu antigo eu, ele não saberia dizer.

— Advertir? — zombou Molly, andando em círculo ao redor de Daniel. — Por que Daniel Grigori se daria ao trabalho de nos advertir sobre alguma coisa? — Ela chegou mais perto, provocando-o com suas asas cor de cobre. — Não, eu lembro o que ele está planejando: esse aí viaja pelo passado há séculos. Sempre procurando, mas sempre atrasado.

— Não — sussurrou Daniel. Não poderia ser. Ele estava determinado a encontrá-la, e era o que faria.

— O que ela quis dizer foi: o que o trouxe até aqui? De onde você veio? — perguntou Roland a Daniel.

— Quase me esqueci... — interrompeu Cam, massageando suas têmporas. — Ele está em busca de Lucinda. Ela caiu do tempo. — Ele virou-se para Daniel e ergueu uma das sobrancelhas. — Será que agora você engolirá o orgulho e pedirá nossa ajuda?

— Não preciso de ajuda.

— Está parecendo que sim — zombou Cam.

— Fique fora disso — disparou Daniel. — Você nos dará novos problemas mais tarde.

— Ah, que divertido. — Cam bateu palmas. — Você acaba de me dar algo pelo que esperar ansiosamente.

— Esse jogo é perigoso, Daniel — disse Roland.

— *Eu sei.*

Cam soltou uma gargalhada sombria e sinistra.

— Então, finalmente chegamos ao fim da linha, não é?

Gabbe engoliu em seco.

— Então... algo mudou?

— Ela está descobrindo tudo! — respondeu Ariane. — Está abrindo os Anunciadores, atravessando o tempo, e continua *viva*!

Os olhos violeta de Daniel faiscaram. Ele se virou de costas para todos eles e voltou a olhar para as ruínas da igreja, o primeiro lugar onde vira Luschka.

— Não posso ficar. Preciso encontrá-la.

— Bem, pelo que lembro — disse Cam suavemente —, você jamais conseguirá. O passado já foi escrito, irmão.

— Talvez o seu passado, mas não meu futuro. — Daniel não conseguia pensar corretamente. Suas asas queimavam dentro do seu corpo, ansiando para serem libertadas. Ela se fora. A rua estava vazia. Não havia ninguém com quem se preocupar.

Ele atirou os ombros para trás e deixou que suas asas se abrissem, com um som alto. Pronto. Aquela leveza. Aquela mais profunda liberdade. Agora, conseguiria pensar com mais clareza. O que ele precisava era de um instante sozinho. Consigo. Lançou um olhar ao outro Daniel e alçou voo pelos céus.

Momentos depois, ouviu-se aquele som novamente: o mesmo ruflar de asas se abrindo — era o som de outro par de asas, asas mais jovens, fugindo do chão.

A versão anterior de Daniel encontrou-se com ele no céu.

— Aonde vamos?

Sem uma palavra, eles se abrigaram no peitoril de um prédio de três andares perto do lago do Patriarca, exatamente em frente à janela de Luce, de onde costumavam observá-la dormir. A recordação era mais viva na mente de Daniil, mas mesmo a fraca lembrança de Luce deitada, sonhando sob as cobertas, ainda era capaz de fazer com que uma onda de calor subisse pelas asas de Daniel.

Ambos estavam melancólicos. Na cidade bombardeada, era triste e irônico o fato de o prédio dela ter sido poupado, mas ela não. Ficaram em silêncio na noite fria, tomando cuidado para manter as asas guardadas para que elas não se tocassem sem querer.

— Como são as coisas para ela no futuro?

Daniel suspirou.

— A boa notícia é que algo mudou nessa vida de Luce. De alguma forma, a maldição foi... alterada.

— Como? — Daniil olhou para cima, e a esperança que brilhava intensamente nos seus olhos se escureceu. — Você quer dizer que ela ainda não fez um pacto?

— Acreditamos que não, mas isso é apenas uma parte. Parece que uma brecha se abriu e permitiu que ela vivesse mais do que normalmente...

— Mas isso é muito perigoso — Daniil falava rápido, sem se interromper, cuspindo o mesmo discurso que ocupava a mente de Daniel desde a última noite no Sword & Cross, quando ele percebeu que, dessa vez, seria diferente. — Ela pode morrer e não voltar mais. Seria o fim. Absolutamente tudo está em risco agora.

— *Eu sei.*

Daniil parou de falar e se recompôs.

— Desculpe. É claro que sabe. Mas... A questão é: ela sabe por que sua vida atual é diferente?

Daniel olhou para suas mãos vazias.

— Um dos Anciãos do Zhsmaelin abordou-a e interrogou-a antes de Luce saber algo a respeito do seu passado. Lucinda notou que todo mundo está focado no fato dela não ter sido batizada... Porém, há muito que ela não sabe.

Daniil andou até o peitoril e olhou para a janela escura.

— Então, qual é a má notícia?

— Temo que também haja muito que *eu* não saiba. Não posso prever as consequências da fuga dela para o passado se não a encontrar, e impedi-la, antes que seja tarde demais.

Na rua abaixo, ouviu-se uma sirene. O ataque aéreo havia chegado ao fim. Logo, os russos sairiam dos abrigos para rondar a cidade em busca de sobreviventes.

Daniel vasculhou sua memória. *Luce estava entrando ainda mais no passado... Contudo, para qual vida?* Virou-se para olhar firmemente sua versão anterior.

— Você também se lembra, não é?

— De que ela... está voltando ao passado?

— Sim, mas até onde? — Eles falaram ao mesmo tempo, olhando a rua escura.

— E aonde ela irá parar? — perguntou Daniel abruptamente, recuando da beirada do peitoril. Fechou os olhos e respirou fundo. — Luce está diferente. Está... — Ele quase podia sentir o cheiro dela. Limpo, luz pura, como raios de sol. — Algo fundamental mudou. Finalmente temos uma oportunidade verdadeira. E eu... nunca me senti tão feliz... Nem tão aterrorizado. — Ele abriu os olhos e ficou surpreso ao ver Daniil assentir.

— Daniel?

— Sim?

— O que você está esperando? — perguntou Daniil, com um sorriso. — Vá atrás dela.

Ao ouvir isso, Daniel abriu uma sombra ao longo do peitoril do telhado — um Anunciador — e entrou nela.

TRÊS

OS TOLOS SE APRESSAM PARA CHEGAR
Milão, Itália · 25 de maio de 1918

Luce saiu cambaleando do Anunciador, ao som de explosões. Ela mergulhou para o chão e cobriu os ouvidos.

Explosões violentas faziam o chão tremer. Uma após a outra, cada uma mais estrondosa e paralisante que a anterior, até o som e os tremores reverberarem tanto que parecia não haver intervalos no ataque, nenhuma maneira de escapar do barulho e nenhum final.

Luce caiu na escuridão ensurdecedora, encolhida, tentando proteger o corpo. As explosões ecoavam no seu peito e lançavam terra nos seus olhos e boca.

Tudo antes de ter a chance de perceber aonde havia chegado. A cada explosão, ela vislumbrava campos atravessados por aquedutos e cercas caídas. Porém, o brilho sumia e ela voltava a ficar cega.

Bombas. Elas continuavam explodindo.

Algo estava errado. Luce quisera viajar no tempo, fugir de Moscou e da guerra, mas provavelmente caíra exatamente no mesmo lugar. Roland a advertira sobre isso, sobre os perigos das viagens através dos Anunciadores. No entanto, ela fora teimosa demais para escutar.

Na escuridão negra como breu, Luce tropeçou em algo e caiu com força na terra.

Alguém resmungou. Alguém sobre quem Luce caíra.

Ela soltou uma exclamação e se encolheu, sentindo uma pontada no quadril, sobre onde caíra. Porém, quando viu o homem deitado no chão, esqueceu-se da própria dor.

Ele era jovem, mais ou menos da idade dela. Pequeno, com traços delicados e tímidos olhos castanhos. Seu rosto estava pálido. A respiração vinha em arfadas. A mão em concha sobre a barriga estava coberta por fuligem. E, embaixo daquela mão, seu uniforme estava ensopado de sangue.

Luce não conseguia desviar o olhar daquela ferida.

— Eu não deveria estar aqui — sussurrou para si mesma.

Os lábios do garoto se mexeram. Sua mão ensanguentada tremeu quando ele fez o sinal da cruz sobre o peito.

— Oh, eu morri — disse, fitando Luce com olhos arregalados. — Você é um anjo. Morri e fui parar no... Isso aqui é o Céu?

Ele estendeu a mão trêmula na direção dela. Ela teve vontade de berrar ou de vomitar, mas somente conseguiu cobrir as mãos dele e voltar a apertar, com elas, o buraco no ventre dele. Outra explosão sacudiu o chão e o garoto deitado. Sangue fresco escorreu entre os dedos de Luce.

— Eu me chamo Giovanni — sussurrou ele, fechando os olhos. — Por favor, me ajude. Por favor.

Luce percebeu que não estava em Moscou. O chão sob seus pés era mais quente. Não era coberto por neve, mas por um gramado destruído em alguns trechos, mostrando a terra negra e rica. O ar era seco e empoeirado. O garoto havia falado com ela em italiano, e, do mesmo modo que em Moscou, ela entendeu.

Os olhos dela se acostumaram à luminosidade. À distância, pôde ver holofotes de busca rondando sobre morros em tom púrpura. Para além deles, o céu noturno estava pontilhado por estrelas brancas e brilhantes. Luce virou as costas. Não podia ver estrelas sem pensar em Daniel, e não poderia pensar nele naquele momento. Não quando tinha as mãos pressionadas contra a barriga desse garoto, não quando ele estava prestes a morrer.

Ao menos, ele *ainda* não havia morrido.

Apenas achara que sim.

Ela não podia culpá-lo. Depois que foi atingido, provavelmente entrara em estado de choque. E, então, talvez a houvesse visto sair do Anunciador, um túnel negro que surgira do nada. Deve ter ficado aterrorizado.

— Você vai ficar bem — disse ela, pronunciando as palavras no italiano perfeito que sempre quisera aprender. Soou surpreendentemente natural. A voz dela era mais suave e macia que esperava, o que a fez imaginar como teria sido sua aparência naquela vida.

Uma sequencia de tiros ensurdecedores fez com que ela desse um pulo. Tiros de canhão. Intermináveis, em sucessão rápida; sinalizadores iluminados cruzando o céu, linhas brancas incandescentes, seguidos por uma enorme quantidade de gritos em italiano. E, então, o barulho de passos sobre a terra. Aproximando-se.

— Estamos batendo em retirada — balbuciou o garoto. — Isso não é bom.

Luce olhou em direção aos soldados que corriam na direção deles e percebeu, pela primeira vez, que ela e o soldado ferido não estavam sozinhos. Ao menos mais dez homens estavam caídos ao redor deles, gemendo, tremendo e sangrando sobre a terra negra. Suas roupas estavam chamuscadas e rasgadas por causa de uma mina terrestre que devia tê-los apanhado de surpresa. O forte odor de podridão, suor e sangue pairava pesadamente no ar, cobrindo tudo. Era tão horrível... Luce precisou morder o lábio para não gritar.

Um homem, em um uniforme militar, passou correndo por ela e parou.

— O que *ela* está fazendo aqui? É uma zona de guerra, não um lugar para enfermeiras. Você não nos ajudará em nada estando morta, garota. Ao menos seja útil. Precisamos carregar os mortos.

Ele saiu pisando com força antes que Luce pudesse responder. Abaixo dela, os olhos do garoto começavam a se fechar e seu corpo inteiro tremia. Ela olhou ao redor, desesperada, em busca de ajuda.

À distância de aproximadamente um quilômetro, havia uma estrada de terra estreita, e nela, dois caminhões com aparência de velhos e duas pequenas ambulâncias compactas estacionadas ao meio-fio.

— Volto já — disse Luce ao garoto, pressionando as mãos dele com mais firmeza contra a barriga para conter o sangramento. Ele choramingou quando ela se afastou.

Ela correu em direção aos caminhões, tropeçando quando outra granada caiu ao lado dela e fez a terra ondular.

Um grupo de mulheres em uniformes brancos estava reunido ao redor dos fundos de um caminhão. Enfermeiras. Elas saberiam o que fazer, como ajudar. Porém, quando Luce se aproximou o suficiente para ver seus rostos, seu coração se apertou. Eram meninas. Algumas delas não teriam mais de 14 anos. Seus uniformes mais pareciam fantasias.

Ela examinou seus rostos, procurando a si mesma entre elas. Precisava haver um motivo pelo qual ela parara nesse inferno. Contudo, ninguém lhe parecia familiar. Era difícil entender as expressões calmas e tranquilas das garotas: nenhuma delas demonstrava o terror que Luce sabia estar claro no próprio rosto. Talvez elas houvessem visto o suficiente da guerra para se acostumarem com seus efeitos.

— Água — a voz de uma mulher mais velha surgiu de dentro do caminhão. — Bandagens. Gaze.

Ela distribuía suprimentos pelas garotas, que se equiparam e começaram a montar uma clínica improvisada no canto da estrada. Uma fila de homens feridos em busca de tratamento fora formada atrás do caminhão. E outros mais estavam a caminho. Luce se juntou às enfermeiras para coletar suprimentos. Estava escuro e ninguém lhe disse uma palavra. Agora ela conseguia sentir — o estresse das jovens enfermeiras. Provavelmente foram treinadas para manter uma aparência equilibrada e calma diante dos soldados, mas, quando a garota na frente de Luce se adiantou para pegar a cota de suprimentos, suas mãos tremiam.

Ao redor delas, os soldados se movimentavam rapidamente em duplas, carregando os feridos pelos pés e pelos braços. Alguns dos que eram carregados balbuciavam perguntas sobre a batalha, querendo saber sobre a gravidade dos seus ferimentos. E havia, é claro, os mais gravemente feridos, cujos lábios eram incapazes de formular perguntas por estarem ocupados demais contendo gritos, e que precisavam ser levados pela cintura porque uma ou as duas pernas haviam sido explodidas por alguma mina terrestre.

— Água. — Uma jarra pousou nos braços de Luce. — Bandagens. Gaze.

A enfermeira-chefe despejou a cota de suprimentos mecanicamente, prestes a se ocupar da garota seguinte, mas, então, parou. Fixou os olhos em Luce. Seu olhar seguiu para baixo, e Luce percebeu que ainda vestia o pesado casaco de lã da avó de Luschka, usado em Moscou. O que era bom, pois, sob o casaco, estavam os jeans e a camisa de flanela da sua vida atual.

— Uniforme — disse, por fim, a mulher naquele mesmo tom, atirando para baixo um vestido branco e um chapéu de enfermeira igual ao das outras garotas.

Luce assentiu para lhe agradecer e enfiou-se atrás de um dos caminhões, para se trocar. Era um vestido grande, que lhe chegava até os tornozelos, e tinha um cheiro intenso de água sanitária. Ela tentou limpar o sangue do soldado das suas mãos com o casaco de lã, e depois o atirou atrás de uma árvore. Ainda assim, o uniforme de enfermeira estava completamente coberto por manchas vermelhas claras quando ela terminou de abotoá-lo, de enrolar as mangas para cima e de amarrar o cinto ao redor da cintura.

Apanhou os suprimentos e voltou para a estrada, correndo. A cena à frente dela era terrível. O oficial não havia mentido. Havia ao menos cem homens precisando de ajuda. Ela olhou para os curativos nos seus braços e perguntou-se o que deveria fazer.

— Enfermeira! — gritou um dos homens. Ele deslizava uma maca para dentro de uma ambulância. — Enfermeira! Esse homem precisa de uma enfermeira.

Luce percebeu que ele falava com ela.

— Ah... — disse, fracamente. — Eu? — então olhou para o interior da ambulância, onde era apertado e escuro. O espaço, que parecia ter sido feito para acomodar duas pessoas, abrigava seis. Os soldados feridos estavam estirados em macas presas por correias, três de cada lado, uma sobre a outra. Não havia lugar para Luce, a não ser no chão.

Alguém a empurrou para o lado: um homem, que acomodava mais uma maca em um pequeno espaço vazio no chão. O soldado que a ocupava estava inconsciente, seus cabelos escuros grudados no rosto.

— Ande — disse o soldado para Luce. — O carro partirá agora.

Ao ver que se mantinha parada, ele apontou para um banquinho de madeira preso no interior da porta da ambulância com uma corda. Ele se agachou e fez um estribo com as mãos, para ajudar Luce a subir no banquinho. Outra granada balançou o chão, e Luce não conseguiu conter o grito que escapou dos seus lábios.

Ela olhou para o soldado com ar de desculpas, respirou fundo e se içou para o banquinho minúsculo.

Quando ela estava sentada, o soldado lhe estendeu a jarra de água e a caixa com gazes e bandagens. Depois, começou a fechar a porta.

— Espere — sussurrou Luce. — O que eu faço?

O homem fez uma pausa.

— Você sabe como é longa a viagem até Milão. Cubra as feridas deles e mantenha-os confortáveis. Faça o melhor que puder.

A porta foi batida, deixando Luce ali dentro. Ela precisou se agarrar ao banquinho para não cair sobre o soldado aos seus pés. A ambulância estava quente como uma sauna. O cheiro era terrível. A única luz vinha de uma pequena lanterna pendurada em um prego, preso a um canto. A única janela estava atrás da cabeça dela, na parte interna da porta. Ela não sabia o que acontecera a Giovanni, o garoto com a bala na barriga. Ela voltaria a vê-lo? Ele sobreviveria àquela noite?

O motor deu partida. O motorista engatou a primeira marcha e seguiu em frente. Um soldado, em uma das macas, começou a gemer.

Após atingirem uma velocidade constante, Luce ouviu um tamborilar. Algo pingava. Ela se inclinou para a frente no banquinho, piscando contra a luz fraca da lanterna.

Era o sangue de um soldado de uma maca superior, que pingava através do tecido sobre o soldado na maca abaixo. Os olhos dele estavam abertos. Ele observava o sangue cair no seu peito, mas estava tão ferido que não conseguia se mexer. Ele não fez qualquer ruído. Não até o fio de sangue se tornar uma corrente.

Luce choramingou junto com o soldado. Tentou se levantar do banquinho, mas não havia lugar onde ela pudesse ficar de pé, a menos que fosse sobre o soldado no chão. Cuidadosamente, Luce apoiou um pé de cada lado do peito dele. Enquanto a ambulância balançava pela esburacada estrada de terra, ela agarrou firmemente a lona da maca superior e colocou um punhado de gaze embaixo dela. O sangue encharcou o tecido e os dedos dela em segundos.

— Socorro! — gritou ela para o motorista. Não tinha certeza de que ele conseguiria ouvi-la.

— O que foi?

O motorista tinha um sotaque regional pesado.

— O homem aqui atrás... Está com hemorragia. Acho que está morrendo.

— Todos nós estamos morrendo, linda — respondeu o motorista. Sério, ele estava flertando com ela *ali*? Um segundo depois, ele se virou, olhando-a pela abertura atrás do banco da frente. — Olha, me desculpe, mas não há o que fazer. Preciso levar esses caras pro hospital.

Ele tinha razão. Era tarde demais. Quando Luce tirou a mão, o sangue voltou a jorrar com tanta força que não parecia real.

Luce não tinha palavras de conforto para oferecer ao garoto na maca de baixo, cujos olhos estavam arregalados e petrificados e cujos lábios sussurraram uma ave-maria furiosa. A corrente de sangue caía por ambos os lados, acumulando-se no espaço onde seus quadris tocavam a maca.

Luce queria fechar os olhos e sumir. Queria escapar através das sombras lançadas pela lanterna e encontrar um Anunciador que a levasse a outro lugar. Qualquer lugar.

Como a praia rochosa abaixo do campus de Shoreline. Onde Daniel a levara, dançando, até o oceano, sob as estrelas. Ou a piscina cristalina na qual ela os vira mergulhando, quando usara o maiô amarelo. Ela preferiria a Sword & Cross a essa ambulância, mesmo nos piores momentos, como na noite em que fora encontrar Cam naquele bar. Ou quando ela o beijara. Preferiria até mesmo Moscou. Aquilo era pior. Ela nunca enfrentara algo igual.

Exceto...

É claro que havia enfrentado. Ela devia ter vivido algo quase igual a isso. Por esse motivo parara ali. Em algum lugar desse mundo devastado pela guerra estava a garota que morreu e voltou à vida várias vezes, até se tornar ela. Luce tinha certeza. Ela certamente cobrira feridas, carregara água e contivera sua ânsia de vômito. Pensar sobre isso deu a Luce força para se concentrar na garota que havia passado por aquilo.

A corrente de sangue começou a se transformar em um fio e, depois, em uma goteira bastante lenta. O rapaz na maca inferior desmaiara; portanto, Luce observou aquilo sozinha, durante um longo tempo, em silêncio. Até que os pingos parassem completamente.

Então, ela esticou o braço em busca de uma toalha e do jarro de água, e limpou o soldado da maca abaixo. Fazia tempo que ele não tomava banho. Luce o lavou suavemente e trocou o curativo ao redor da sua cabeça. Quando ele voltou a si, ela lhe deu goles de água. A respiração dele se normalizou, e ele parou de observar a maca superior com terror. Estava mais tranquilo.

Todos os soldados pareceram encontrar algum conforto enquanto ela cuidava deles, até mesmo aquele deitado sobre o chão, que não abria os olhos. Ela limpou o rosto do garoto na maca superior, que havia morrido. Não podia explicar por quê. Queria que ele se sentisse um pouco mais em paz, também.

Era impossível dizer quanto tempo se passara. Tudo o que Luce sabia era que o ambiente estava escuro e fedorento, que suas costas doíam, que sua garganta estava seca e que ela estava exausta — e que sua situação era muito melhor que a de qualquer um dos homens ao seu redor.

Ela deixara o soldado da maca inferior esquerda para o final. Ele fora gravemente ferido no pescoço, e Luce temia que perdesse mais sangue se ela tentasse refazer o curativo. Fez o melhor que pôde, sentada na lateral da maca, limpando seu rosto sujo e parte do sangue nos seus cabelos louros com uma esponja. Ele era bonito mesmo sob toda aquela lama. Muito bonito. Todavia, ela se distraiu com o pescoço dele, que continuava sangrando através da gaze. Sempre que aproximava sua mão daquele ponto, ele soltava um grito de dor.

— Não se preocupe — sussurrou ela. — Você vai sobreviver.

— Eu sei — o sussurro dele era tão baixo, e parecia tão absurdamente triste, que Luce não teve certeza de que ouvira corretamente. Até então, ela achara que ele estava inconsciente, mas algo na voz dela pareceu despertá-lo.

As pálpebras do rapaz tremeram. Depois, lentamente, se abriram.

Os olhos eram violeta.

A jarra de água caiu das mãos dela.

Daniel.

Seu instinto era engatinhar para perto dele e cobrir seus lábios com beijos, fingindo que não estava tão ferido.

Ao vê-la, os olhos de Daniel se arregalaram, e ele tentou se sentar. Porém, o sangue voltou a fluir do pescoço e seu rosto perdeu toda a cor. Luce não teve escolha a não ser conter os movimentos do rapaz.

— *Shhhh* — disse, pressionando os ombros dele contra a maca novamente, tentando fazer com que ele relaxasse.

Ele se remexia ante o toque dela. Sempre que o fazia, mais sangue fluía pelo curativo.

— Daniel, você precisa parar de resistir — implorou ela. — Por favor, pare de resistir. Por mim.

Eles se encararam por um momento longo e intenso — então, abruptamente, a ambulância parou. A porta foi escancarada. Uma surpreendente corrente de ar fresco entrou com força. As ruas estavam quietas, mas o lugar parecia uma grande cidade, mesmo no meio da noite.

Milão. Era para onde o soldado dissera que eles iriam, quando a colocou naquela ambulância. Provavelmente estavam em um hospital em Milão.

Apareceram dois homens em uniformes do exército, que deslizaram as macas para fora da ambulância com precisão e rapidez. Em minutos, os feridos estavam em macas com rodinhas e sendo levados dali. Os homens afastaram Luce do caminho para retirarem a maca de Daniel. As pálpebras dele tremiam novamente, e ela teve a impressão de que ele lhe estendera a mão. Observou a cena, dos fundos da ambulância, até ele desaparecer. Então, começou a tremer.

— Está tudo bem? — Uma garota apareceu na porta do veículo. Era enérgica e bonita, com uma pequena boca vermelha e cabelos escuros compridos, presos em um coque baixo. Seu uniforme de enfermeira era mais justo que o de Luce, e tão branco e limpo que fez Luce se conscientizar do quanto estava suja de sangue e enlameada.

— Estou bem — respondeu, rapidamente. — Eu só...

— Não precisa explicar — disse a garota, boquiaberta ao olhar o interior da ambulância. — Dá pra ver que essa viagem foi das piores.

Luce observou enquanto a garota levantava um balde com água e o colocava dentro do carro, e, em seguida, içava o corpo para entrar na ambulância. A garota começou imediatamente a trabalhar, esfregando as correias ensanguentadas e o chão, lançando pela porta ondas de água avermelhada. Ela substituiu os lençóis imundos por outros limpos e recarregou o gás da lanterna. Não parecia ter mais que 13 anos.

Luce se levantou para ajudá-la, mas a garota a afastou com um gesto.

— Sente. Descanse. Você acabou de ser transferida pra cá, né?

Hesitante, Luce assentiu.

— Você veio sozinha desde o front? — A garota deixou suas atividades por um instante, e, quando olhou para Luce, seus olhos cor de avelã brilharam cheios de compaixão.

Luce a responderia, mas sua boca estava tão seca que não pôde falar. Como demorara tanto para perceber que olhava para si mesma?

— Vim — conseguiu dizer, num sussurro. — Vim sozinha.

A garota sorriu.

— Bem, agora não está mais sozinha. Aqui, no hospital, há várias de nós. As enfermeiras mais legais. E os pacientes mais bonitinhos. Você não se importa de eu dizer isso, né? — Ela estendeu a mão, mas olhou para baixo e percebeu o quanto estava suja. Deu uma risadinha e pegou novamente o esfregão. — Meu nome é Lucia.

"*Eu sei*", Luce conseguiu impedir-se de responder.

— Eu sou...

Sua mente ficou vazia. Tentou pensar em um nome, qualquer nome:

— Sou Doree... Doria — disse, por fim. Quase o nome da sua mãe. — Você sabe... para onde levaram os soldados que estavam aqui?

— Opa! Você não se apaixonou por um deles, certo? — brincou Lucia. — Os novos pacientes são levados para a ala oeste, para a reanimação.

— A ala oeste — repetiu Luce para si mesma.

— Mas você deveria procurar a Srta. Fiero na estação de enfermagem. É ela quem cuida dos registros e da catalogação... — Lucia voltou a rir e abaixou a voz, inclinando-se em direção a Luce — E do médico, nas terças-feiras à tarde!

Tudo o que Luce conseguia fazer era olhar para Lucia. Assim, tão perto, seu eu parecia tão *real*, tão vivo, tão parecido com o tipo de garota com quem Luce faria amizade na mesma hora, se as circunstâncias fossem minimamente normais! Quis estender os braços e abraçar Lucia, mas foi tomada por um medo indescritível. Ela limpara os ferimentos de sete soldados semimortos — incluindo o amor da sua vida —, mas não tinha certeza sobre o que fazer quando se tratava de Lucia. A garota parecia jovem demais para conhecer algum dos segredos que Luce buscava decifrar — sobre a maldição, sobre os Párias. Luce receou amedrontar Lucia falando sobre reencarnações e o Paraíso. Havia algo nos olhos de Lucia, algo na inocência dela... Luce entendeu que Lucia sabia ainda menos que ela.

Ela desceu da ambulância e recuou.

— Foi legal conhecer você, Doria — gritou Lucia.

Porém, Luce já havia ido embora.

※

Depois de seis quartos errados, três soldados estupefatos e um armário de remédios derrubado, Luce o encontrou.

Daniel dividia um quarto na ala oeste com dois outros soldados. Um deles era um homem silencioso, cujo rosto estava coberto por curativos. O outro roncava alto, tinha uma garrafa de uísque não muito bem escondida embaixo do travesseiro e as duas pernas quebradas e erguidas por uma correia.

O quarto era vazio e estéril, mas tinha uma janela que mostrava uma avenida larga, ladeada de laranjeiras.

Ao lado da cama dele, observando-o dormir, Luce pôde ver a forma como o amor deles florescera ali. Pôde visualizar Lucia levando as refeições para Daniel e ele se abrindo para ela, aos poucos. E depois os dois formando um casal inseparável, quando Daniel estivesse recuperado. Isso a fez sentir ciúmes, culpa e confusão, porque não sabia dizer, naquele momento, se aquilo significava que o amor entre eles era algo bonito ou se era mais um exemplo do quanto era extremamente errado.

Se ela era tão jovem quando eles se conheceram, provavelmente viveram um longo relacionamento nessa vida. Ela teria passado anos ao lado dele antes de morrer e reencarnar em outra vida. E deve ter acreditado que ficariam juntos para sempre — sem ter a menor ideia de quanto tempo "para sempre" significava.

Mas Daniel sabia. Ele sempre soube.

Luce se sentou ao lado da cama dele, tentando não o acordar. Talvez ele nem sempre tenha sido tão fechado e tão difícil de alcançar. Ela o vira em Moscou, sussurrando algo a Luschka no momento crítico antes da sua morte. Talvez, se ela conseguisse falar com ele nessa vida, ele a tratasse diferentemente do Daniel que ela conhecia. Talvez ele não escondesse tantas coisas. Talvez a ajudasse a entender; dissesse-lhe a verdade, para variar.

Então, ela poderia voltar ao presente e não precisaria existir qualquer segredo. Era tudo o que ela realmente queria: que eles se amassem abertamente. E que ela não morresse.

Ela estendeu a mão e tocou-lhe a bochecha. Ela amava o rosto de Daniel. Ele estava machucado e provavelmente tinha uma concussão, mas a face era morna e macia e, acima de tudo, era o rosto de Daniel. Ele estava tão lindo quanto sempre. Sua expressão era tão tranquila que Luce poderia encará-lo por horas, de todos os ângulos possíveis, sem jamais se cansar. A seu ver, ele era perfeito. Seus lábios continuavam iguais. Quando ela os tocou com um dedo, sentiu-os tão macios que se inclinou para um beijo. Ele não se mexeu.

Ela seguiu sua linha da mandíbula com os lábios, criando uma trilha de beijos pelo lado do pescoço de Daniel que não estava ferido e ao longo da clavícula. Na parte superior do ombro direito, os lábios dela pararam sobre uma pequena cicatriz branca.

Seria quase imperceptível a qualquer outra pessoa, mas Luce sabia que era o ponto de onde as asas de Daniel saíam. Ela beijou a cicatriz. Como era difícil vê-lo deitado, impotente, naquela cama de hospital quando ela sabia tão bem do que ele era capaz. Quando suas asas envolviam-na, Luce sempre se desligava de tudo. O que ela daria para vê-las se desenrolarem agora, naquele vasto esplendor branco que parecia roubar toda a luz de um ambiente! Ela pousou a cabeça no ombro dele, sentindo a cicatriz quente contra sua pele.

※

Ela levantou a cabeça rapidamente. Não havia percebido que caíra no sono até que uma maca sobre rodinhas, rangendo pelo chão de madeira irregular, acordou-a.

Que horas seriam? A luz do sol entrava pela janela e banhava os lençóis brancos sobre as camas. Ela girou o ombro, tentando aliviar um mau jeito. Daniel continuava dormindo.

A cicatriz sobre o ombro dele parecia ainda mais branca à luz da manhã. Luce teve vontade de ver o outro lado, a cicatriz que fazia par com aquela, mas ela estava coberta com gaze. Ao menos, a ferida parecia ter parado de sangrar.

A porta se abriu e Luce se levantou em um pulo.

Lucia estava na porta, segurando três bandejas cobertas e empilhadas sobre seus braços.

— Ah! Você está aqui. — Parecia surpresa. — Então eles tomaram o café da manhã?

Luce corou e balançou a cabeça.

— Eu... hã...

— Ah. — Os olhos de Lucia se iluminaram. — Conheço esse olhar. Você está *caidinha* por alguém. — Ela colocou as bandejas de café da manhã em um carrinho e se aproximou de Luce. — Não se preocupe, não vou contar para ninguém... Desde que eu aprove. — Ela inclinou a cabeça para olhar para Daniel, e o encarou fixamente durante um longo tempo, sem se mexer ou respirar.

Ao reparar nos olhos da garota se arregalando ao ver Daniel pela primeira vez, Luce não sabia o que sentir. Empatia. Inveja. Tristeza. Tudo estava ali.

— Ele é *celestial* — Lucia parecia prestes a gritar. — Como se chama?

— O nome dele é Daniel.

— Daniel — repetiu a garota mais jovem, fazendo a palavra soar sagrada. — Um dia, vou encontrar um homem assim. Um dia, vou deixar todos eles malucos. Igual a você, Doria.

— Como assim? — perguntou Luce.

— Sabe aquele outro soldado, a dois quartos daqui? — Lucia falava com Luce sem tirar os olhos de Daniel. — Sabe, Giovanni?

Luce balançou a cabeça. Não sabia.

— Aquele que está prestes a ser operado. Não para de perguntar sobre você.

— Giovanni... — O garoto que levara um tiro na barriga. — Ele está bem?

— Claro. — Lucia sorriu. — Não direi a ele que você já tem namorado — e piscou para Luce e apontou para as bandejas com o café da manhã. — Deixarei você servir as refeições — disse ela, saindo. — Me procura mais tarde? Quero saber tudo sobre você e Daniel. A história toda, combinado?

— Claro — mentiu Luce, com o coração um pouco apertado.

Sozinha novamente com Daniel, Luce ficou nervosa. No quintal da casa dos pais, após a batalha com os Párias, Daniel pareceu tão horrorizado quando a viu entrar no Anunciador! Em Moscou, também. O que esse Daniel faria quando abrisse os olhos e descobrisse de onde ela veio?

Se ele chegasse a abrir os olhos.

Ela se inclinou para baixo, sobre a cama dele, mais uma vez. Ele teria de abrir os olhos, certo? Anjos não *morrem*. Logicamente, ela *pensava* que era algo impossível, mas, e se... E se, ao voltar ao passado, ela houvesse atrapalhado alguma coisa? Ela vira o filme *De volta para o futuro* e fizera um teste sobre física quântica na aula de ciências. O que ela estava fazendo provavelmente modificava o contínuo espaço-tempo. E Steven Filmore, o demônio que dava aulas de humanidades em Shoreline, dissera algo sobre alterar o tempo.

Ela não sabia exatamente o que tudo aquilo significava, mas sabia que poderia ser *muito* ruim. Ruim do tipo "apagar toda a sua existência". Ou talvez ruim do tipo "matar seu namorado anjo".

Foi quando Luce entrou em pânico. Ela agarrou os ombros de Daniel e começou a sacudi-los. Levemente, suavemente — afinal, ele esteve em uma guerra, mas com força suficiente para que soubesse que ela precisava de um sinal. Imediatamente.

— Daniel — sussurrou. — Daniel?

Pronto. As pálpebras dele começaram a tremer. Ela soltou o ar. Os olhos dele se abriram lentamente, como fizeram na noite passada. E, novamente, quando registraram a garota na frente deles, se arregalaram. Os lábios dele se abriram.

— Você está... velha.

Luce corou.

— Não — disse, rindo. Ninguém jamais a chamara de velha.

— Sim, está sim. Está muito velha. — Ele parecia quase desapontado. Esfregou a testa. — Quero dizer... Há quanto tempo estou...?

Então ela se lembrou: Lucia era muito mais nova. No entanto, Daniel ainda não conhecera Lucia. Como poderia saber a idade dela?

— Não se preocupe com isso — disse ela. — Preciso lhe contar uma coisa, Daniel. Eu... Eu não sou quem você pensa. Quero dizer, eu sou, acho, sempre sou, mas dessa vez vim do... Hã...

O rosto de Daniel se contorceu.

— É claro. Você atravessou para chegar até aqui.

Ela assentiu.

— Precisei fazer isso.

— Eu havia esquecido — sussurrou ele, confundindo Luce ainda mais. — De quando você vem? Não. Não me diga — fez um gesto para que ela não dissesse nada, recuando na cama como se ela tivesse alguma doença. — Como isso é possível? Não havia brechas na maldição. Você não deveria conseguir chegar até aqui.

— Brechas? — perguntou Luce. — Qual tipo de brechas? Preciso saber...

— Não posso ajudar você — interrompeu ele, e tossiu. — Você precisa descobrir sozinha. Estas são as regras.

— Doria. — Uma mulher que Luce nunca vira estava na porta. Era mais velha, loura e severa, com um chapéu engomado da Cruz Vermelha arrumado de lado. Inicialmente, Luce não percebeu que a mulher se dirigia a ela. — Você é Doria, não é? A nova transferida?

— Sim — respondeu Luce.

— Precisamos cuidar da sua papelada hoje — disse, sem rodeios, a mulher. — Não tenho qualquer registro seu. Porém, antes, me faça um favor.

Luce assentiu. Percebeu que estava em apuros, mas tinha coisas mais importantes com o que se preocupar do que essa mulher e sua papelada.

— O soldado Bruno será operado — disse a enfermeira.

— Certo. — Luce tentou se concentrar na enfermeira, mas tudo o que queria era retomar a conversa com Daniel. Finalmente ela estava chegando a algum lugar, finalmente encontrava mais uma peça do quebra-cabeça que era a vida dela!

— O soldado Giovanni Bruno? Ele solicitou que a enfermeira em ofício fosse removida da sala de cirurgia. Disse que gosta da enfermeira que salvou sua vida. Seu *anjo*? — O olhar da mulher para Luce era frio. — As meninas me disseram que é você.

— Não — respondeu Luce. — Não sou...

— Não importa. É nisso que ele acredita. — A enfermeira apontou a porta. — Vamos.

Luce se levantou do leito de Daniel. Ele olhava para o outro lado, em direção à janela. Ela suspirou.

— *Preciso* falar com você — sussurrou Luce, embora ele evitasse seu olhar. — Volto já.

※

A cirurgia não foi tão terrível quanto poderia ser. Tudo o que Luce precisou fazer foi segurar a pequena e macia mão de Giovanni, sussurrar coisas para ele, passar alguns instrumentos para o médico e tentar não olhar enquanto ele enfiava a mão na massa vermelho-escura do intestino exposto de Giovanni e extraia estilhaços ensanguentados. Se o médico achou estranha a evidente falta de experiência de Luce, não disse nada. Ela não se ausentou mais que uma hora.

O bastante para voltar à cama de Daniel e encontrá-la vazia.

Lucia estava trocando os lençóis. Correu até Luce, que achou que a garota a abraçaria. Em vez disso, ela caiu aos seus pés.

— O que aconteceu? — perguntou Luce. — Para onde ele foi?

— Não sei. — Lucia começou a chorar. — Ele foi embora. Simplesmente foi embora. Não sei para onde. — Ela olhou para Luce, com lágrimas enchendo seus olhos cor de avelã. — Disse para lhe dizer adeus.

— Ele não pode ter ido embora — disse Luce com a voz fraca. Eles nem tiveram a chance de conversar...

É claro que não. Daniel sabia exatamente o que fazia quando foi embora. Não queria contar a ela toda a verdade. Estava escondendo algo. Quais eram as *regras* que ele tinha mencionado? E qual brecha?

O rosto de Lucia estava vermelho, e sua fala cortada pelos soluços.

— Eu sei que não deveria chorar, mas não posso explicar... Sinto como se alguém tivesse *morrido*.

Luce reconheceu aquela sensação. Elas tinham aquilo em comum: quando Daniel partia, ficavam inconsoláveis. Luce fechou os punhos, sentindo raiva e rejeição.

— Não seja infantil — disse Lucia.

Luce piscou, pensando que a garota falara com ela, mas, então, percebeu que Lucia recriminava a si mesma. Luce ajeitou sua postura e ergueu os ombros, como se tentasse recuperar o equilíbrio calmo que as enfermeiras demonstravam.

— Lucia. — Luce estendeu a mão para a garota, fazendo menção de abraçá-la.

No entanto, a garota se afastou, virando o rosto em direção à cama vazia de Daniel.

— Estou bem. — Ela voltou à tarefa de retirar os lençóis. — A única coisa que podemos controlar é nosso trabalho. A enfermeira Fiero sempre diz isso. O restante está fora do nosso alcance.

Não. Lucia estava errada, mas Luce não soube como corrigi-la. Luce não entendia muita coisa, mas entendia *isso* — que sua vida *não* precisava ser algo fora do seu alcance. Ela *poderia* definir o próprio destino. De alguma maneira. Ainda não compreendera tudo, mas sentia que a solução estava próxima. Senão, como poderia ter chegado ali, para começo de conversa? Como poderia saber que era a hora de seguir em frente?

À luz do final da manhã, uma sombra se estendeu do armário de suprimentos, no canto do quarto. Parecia uma sombra possível de ser utilizada, mas ela não confiava completamente nas suas habilidades para convocá-la. Concentrou-se nela por um momento e buscou o local onde ela vacilaria.

Pronto. Ela a observou se retorcer. Lutando contra o desgosto que ainda sentia, Luce a agarrou.

Do outro lado do quarto, Lucia estava concentrada em reunir os lençóis e em não mostrar que ainda chorava.

Luce agiu rapidamente, transformando o Anunciador em uma esfera e, depois, trabalhando-o com os dedos mais rápido do que jamais fizera.

Prendeu a respiração, fez um desejo e desapareceu.

QUATRO

O TEMPO FERE TODAS AS CURAS
Milão, Itália • 25 de maio de 1918

Daniel estava cauteloso e nervoso ao sair do Anunciador.
   Havia perdido a prática de se localizar rapidamente em outras épocas ou lugares. Não sabia exatamente onde estava ou o que deveria fazer — mas sabia que ao menos uma versão de Luce estaria por perto, certamente precisando dele.
   O quarto era branco. Havia lençóis brancos sobre a cama diante dele, uma janela de moldura branca no canto e a luz do sol, forte e branca, batendo na vidraça. Por um momento, tudo ficou em silêncio. Então, a balbúrdia das memórias o adentrou.
   Milão.
   Ele voltara ao hospital onde ela fora sua enfermeira durante a primeira das trágicas guerras mundiais. Ali, na cama ao lado,

estava Traverti, seu companheiro de quarto em Salerno, que pisara em uma mina a caminho da cantina. Suas duas pernas haviam sido queimadas e quebradas, mas ele era tão encantador que fazia todas as enfermeiras lhe trazerem secretamente garrafas de uísque. Sempre tinha uma piada para Daniel. E, do outro lado do quarto, estava Max Porter, o britânico que queimara o rosto e que nunca falara nada, até berrar e perder o controle quando lhe tiraram os curativos.

Naquele momento, os antigos companheiros de quarto de Daniel estavam apagados em sonecas vespertinas induzidas por morfina.

No centro do quarto estava a cama onde ele havia ficado após ser atingido por uma bala no pescoço, perto do front do rio Piave. Fora um ataque estúpido; eles foram em direção ao inimigo. Daniel, porém, somente se alistara na guerra porque Lucia era enfermeira; como ela cuidava dele, estaria tudo bem. Ele esfregou o local onde fora atingido. Podia sentir a dor quase como se tudo houvesse acontecido ontem.

Se Daniel houvesse ficado no hospital tempo o bastante para que a ferida cicatrizasse, os médicos se espantariam com a ausência de uma cicatriz. Hoje, seu pescoço era macio e sem marcas, como se nunca houvesse sido atingido.

Ao longo dos anos, Daniel fora surrado, espancado, atirado de varandas, baleado no pescoço, na barriga e na perna, torturado sobre brasas incandescentes e arrastado ao longo de uma dúzia de ruas. Porém, mesmo um exame detalhado de cada polegada da sua pele somente revelaria duas pequenas cicatrizes: duas linhas brancas e finas acima das escápulas, de onde suas asas saíam.

Todos os anjos caídos adquiriam essas cicatrizes quando assumiam seus corpos humanos. De certa maneira, elas eram tudo o que eles tinham para mostrar de si.

A maioria dos anjos comemorava sua imunidade a cicatrizes. Bem, exceto no caso de Ariane, embora a cicatriz no pescoço dela fosse outra história. No entanto, Cam e até Roland compravam as brigas mais acirradas com praticamente qualquer um na Terra. Claro, nunca perdiam para os mortais, mas pareciam gostar de ficar um pouco quebrados no processo. Em dois dias, sabiam que estariam novos.

Para Daniel, uma existência sem cicatrizes era apenas mais um indício de que seu destino não estava nas suas mãos. Nada do que ele fazia sequer deixava uma marca. O peso da própria futilidade era esmagador — especialmente no que dizia respeito a Luce.

E ele subitamente se lembrou de vê-la ali, em 1918. Luce. E se lembrou de haver fugido do hospital.

Era a única coisa em Daniel *capaz* de manter cicatrizes: sua alma.

Ele ficara confuso ao vê-la ali, tanto quanto estava agora. Na época, achara que não haveria como a mortal Lucinda conseguir atravessar desordenadamente o tempo, visitando seus antigos "eus". Que não haveria como ela estar viva. Atualmente, é claro, Daniel sabia que algo mudara na vida de Lucinda Price, mas o quê? Tudo começara com a ausência do pacto dela com o Céu, mas havia mais coisas...

Por que ele não era capaz de descobrir? Ele conhecia perfeitamente as regras e os parâmetros da maldição. Então como essa pergunta podia enganá-lo?

Luce. *Ela* deve ter mudado o próprio passado. Aquela conclusão fez seu coração palpitar. A mudança deve ter acontecido durante a atual fuga dela através dos Anunciadores. Lógico, ela precisaria mudar algo para tornar tudo isso possível. Mas, quando? Onde? *Como*? Daniel não era capaz de interferir em nada disso.

Ele precisava encontrá-la, tal como sempre prometera. Porém, também tinha de garantir que ela conseguisse fazer o que quer que precisasse, que executasse alguma mudança no seu passado que permitiria que Lucinda Price — a sua Luce — pudesse existir.

Talvez, se ele conseguisse encontrá-la, pudesse ajudar. Poderia guiá-la até o momento em que ela modificou as regras do jogo para todos eles. Ele perdera Luce em Moscou, mas a encontraria nessa vida. Apenas precisava descobrir por que ela aterrissara ali. Sempre havia um motivo, algo escondido nas dobras profundas da memória dela...

Ah.

Sentiu suas asas arderem pela vergonha. Nessa vida, na Itália, ela tivera uma morte horrível. Uma das piores. Ele jamais deixaria de se culpar pela maneira como ela havia partido dessa vida.

No entanto, isso acontecera anos após a época em que ele se encontrava. Esse era o hospital onde eles haviam se conhecido, quando Lucia ainda era muito jovem e adorável; inocente e atrevida ao mesmo tempo. Aqui, ela o amara instantânea e completamente. Embora fosse jovem demais para que Daniel demonstrasse que correspondia ao seu amor, ele nunca desencorajou o afeto dela. Ela costumava deslizar sua mão pela dele quando caminhavam sob as laranjeiras da Piazza della Repubblica, mas, quando ele lhe apertava a mão, ela corava. Aquilo sempre o fazia rir: a forma como ela podia ser tão ousada e, repentinamente, ficar tímida. Ela lhe dizia que queria casar com ele, um dia.

— Você voltou!

Daniel se virou. Não ouvira a porta atrás dele se abrir. Lucia saltou ao vê-lo. Sorria, radiante, mostrando uma fileira perfeita de pequenos dentes brancos. A beleza dela o fez perder o fôlego.

O que ela quis dizer com "você voltou"? Ah, foi quando ele se escondera de Luce, com medo de matá-la sem querer. Ele não estava autorizado a revelar qualquer coisa a ela; ela precisaria descobrir sozinha todos os detalhes. Caso ele lhe desse uma dica sequer, ela simplesmente entraria em combustão. Se ele houvesse ficado, ela poderia o pressionar e, talvez, arrancar a verdade dele à força... Ele não ousou arriscar.

Portanto, seu eu anterior precisara fugir. Provavelmente estava em Bolonha àquela altura.

— Está se sentindo bem? — perguntou Lucia, andando até ele. — Você deveria se deitar. Seu pescoço... — Ela estendeu a mão para tocar o local onde ele fora atingido noventa anos atrás. Os olhos dela se arregalaram, e ela recuou a mão. — Achei que... Eu poderia jurar...

Ela abanou o rosto com a pilha de arquivos que segurava. Daniel pegou-a pela mão e conduziu-a até a beirada da cama, para que ela se sentasse.

— Por favor — pediu ele. — Você pode me dizer se havia aqui uma garota...

Uma garota igual a você.

— Doria? — perguntou Luce. — Sua... amiga? Com cabelos curtos bonitos e sapatos esquisitos?

— Sim. — Daniel expirou. — Pode me dizer onde ela está? É bastante urgente.

Lucia balançou a cabeça. Não conseguia desviar o olhar do pescoço dele.

— Há quanto tempo estou aqui? — perguntou ele.

— Você chegou durante a noite passada — respondeu ela. — Não se lembra?

— As coisas estão um pouco confusas — mentiu Daniel. — Acho que devo ter batido a cabeça.

— Você estava gravemente ferido — disse e assentiu. — A enfermeira Fiero achou que você não sobreviveria até a manhã, quando os médicos chegariam...

— É. — Ele se lembrou. — Ela achou mesmo.

— Mas você sobreviveu, e todos ficamos tão felizes! Acho que Doria ficou com você a noite toda. Você se lembra disso?

— Por que ela faria isso? — interrompeu-a Daniel, rispidamente, assustando Lucia.

Porém, é claro que Luce havia ficado com ele. Daniel teria feito o mesmo.

Ao lado dele, Lucia fungou. Ele a havia chateado, quando, na verdade, era consigo que deveria estar bravo. Envolveu o ombro dela com um dos braços, sentindo-se quase tonto. Como era fácil se apaixonar por cada momento da existência dela! Ele se obrigou a inclinar o corpo para trás, para recuperar a concentração.

— Sabe onde ela está agora?

— Ela foi embora. — Lucia mordeu o lábio, nervosa. — Depois que você partiu, ela ficou chateada e foi embora para algum lugar. Não sei para onde.

Então ela já havia fugido novamente. Que idiota era Daniel, andando como uma tartaruga através do tempo enquanto Luce corria. Ele precisava alcançá-la, porém; talvez conseguisse conduzi-la até o momento em que ela poderia fazer toda a diferença. Então, ele nunca mais sairia do seu lado e nunca deixaria qualquer mal lhe acontecer; somente ficaria com ela e a amaria para sempre.

Ele saltou da cama. Estava na porta quando a mão da jovem o puxou de volta.

— Para onde vai?

— Preciso ir.

— Atrás dela?
— Sim.
— Você deveria ficar um pouco mais. — A palma da mão dela suava dentro da dele. — Os médicos, todos eles, disseram que você precisa descansar — falou ela, suavemente. — Não sei o que me deu. Simplesmente não suportarei se você for embora.

Daniel se sentiu péssimo. Apertou a mãozinha dela contra seu coração.

— Nos encontraremos novamente.
— Não. — Ela balançou a cabeça. — Meu pai disse o mesmo, meu irmão também; todos foram para a guerra e morreram. Não tenho ninguém. Por favor, não vá.

Aquilo era demais para ele. Porém, se quisesse encontrá-la mais uma vez, sua única chance era partir agora.

— Quando a guerra acabar, você e eu nos encontraremos. Você irá para Florença em um verão, e, quando estiver pronta, me encontrará nos jardins di Boboli...

— Eu vou fazer *o quê*?

— Atrás do Palazzo Pitti, no final da Spider Lane, onde as hortênsias florescem. Procure por mim.

— Você deve estar com febre. Isso é uma loucura!

Ele assentiu. Sabia que era verdade. Odiava que não houvesse nenhuma alternativa a não ser deixar essa linda e doce garota seguir em um destino tão horrível. Ela precisaria ir aos jardins no momento certo, tal como Daniel deveria ir atrás de Lucinda agora.

— Estarei lá, esperando por você. Acredite nisso.

Quando ele lhe beijou a testa, os ombros dela tremeram com soluços silenciosos. Contra todos os seus instintos, Daniel se virou, disparando para encontrar um Anunciador capaz de levá-lo ao passado.

CINCO

DESENCAMINHADOS

Helston, Inglaterra • 18 de junho de 1854

Luce entrou como um foguete no Anunciador e por ele viajou como um carro em alta velocidade e fora de controle.

Ela era atirada contra suas laterais escuras, e a sensação era a de ser arremessada por um duto de lixo. Não sabia aonde ia nem o que encontraria ao chegar, apenas que esse Anunciador parecia mais estreito e menos flexível que o anterior, e que estava preenchido por um vento úmido e chicoteante que a conduzia cada vez mais para o fundo daquele túnel escuro.

Sua garganta estava seca e o corpo cansado por não haver dormido no hospital. A cada virada, ela se sentia ainda mais perdida e confusa.

O que estava fazendo naquele Anunciador?

Fechou os olhos e tentou preencher sua mente com pensamentos relacionados a Daniel: o aperto forte das suas mãos, a intensidade ardente dos olhos, a forma como seu rosto mudava quando ela entrava em algum ambiente onde ele estivesse. O conforto suave de se ver envolvida pelas suas asas, voando alto, tendo o mundo e suas preocupações bem distantes.

Que idiota fora ao fugir! Naquela noite, no quintal, entrar no Anunciador parecera o mais certo a se fazer — a única coisa a se fazer. Mas, *por quê*? Por que ela fizera aquilo? Qual ideia estúpida fez aquilo parecer uma manobra inteligente? Agora ela estava longe de Daniel, longe de todos de quem gostava; na verdade, longe de qualquer um. E tudo por sua culpa.

— Como você é idiota! — gritou ela, na escuridão.

— Ei, calma aí — berrou uma voz. Era rouca e brusca, e parecia estar ao lado dela. — Não precisa ofender!

Luce se enrijeceu. Não poderia haver ninguém na escuridão completa do seu Anunciador. Certo? Ela estava ouvindo coisas. Impulsionou o corpo para a frente, para ir mais rápido.

— Dá para ir mais devagar?

Ela prendeu a respiração. De quem quer que fosse a voz, não parecia distorcida ou distante, como se alguém falasse *através* das sombras. Não, alguém estava ali *dentro*. Com ela.

— Olá? — gritou ela, engolindo com dificuldade.

Nenhuma resposta.

O vento dentro do Anunciador se tornou ainda mais barulhento, uivando nos seus ouvidos. Ela seguia para a frente aos trancos, no meio da escuridão, com cada vez mais medo, até que finalmente o ruído do vento morreu e foi substituído por outro — um rugido semelhante à estática. Como se fossem ondas quebrando à distância.

Não, o som era estável demais para ser o barulho de ondas, pensou Luce. Era uma cachoeira.

— Eu disse para ir mais *devagar*.

Luce estremeceu, a voz voltara. Estava a centímetros da sua orelha — havia acompanhado-a em sua corrida. E, agora, parecia irritada.

— Você não aprenderá *nada* se continuar correndo assim!

— Quem é você? O que quer? — berrou Luce. — *Ufff!*

A bochecha dela colidiu contra algo frio e duro. O ruído de uma cachoeira encheu seus ouvidos, perto o bastante para ela sentir gotas frias de água na sua pele.

— Onde estou?

— Você está aqui. Você está... na Pausa. Já ouviu falar em parar para cheirar as peônias?

— Você quer dizer "as rosas". — Luce tateou na escuridão, sentindo um cheiro pungente de mineral que não era desagradável ou estranho, apenas confuso. Percebeu, então, que ainda não saíra do Anunciador e entrara em outra vida, o que só podia significar...

Que ela continuava ali dentro.

Estava muito escuro, mas seus olhos começaram a se acostumar. O Anunciador assumira a forma de algo como uma caverna pequena. Havia uma parede atrás dela, feita da mesma rocha fria que o chão, com uma depressão por onde corria um fio d'água. A cachoeira que ela ouvira estava em algum ponto acima.

E abaixo dela? Havia três metros, mais ou menos, de plataforma rochosa — e, depois, nada. Além daquilo, era tudo escuridão.

— Não sabia que se podia fazer isso — sussurrou Luce para si mesma.

— O quê? — perguntou a voz rouca.

— *Parar* dentro de um Anunciador — respondeu ela. Não tinha falado com ele e continuava não o vendo; e o fato de que terminara parada *sabe-se lá onde* e com *sabe-se lá quem*... Bem, era definitivamente um motivo de alarme. Porém, ainda assim, ela não conseguia deixar de se maravilhar com o ambiente ao seu redor. — Não sabia que existia um lugar assim. Um lugar intermediário.

Ouviu um pigarro de indiferença:

— Eu poderia encher um livro com todas as coisas que você não sabe, garota. Na verdade... Acho que alguém já deve ter escrito esse livro. Mas isso é irrelevante. — Houve uma tosse agitada. — E eu quis dizer "peônias" mesmo.

— Quem *é* você? — Luce se sentou e inclinou-se contra a parede. Esperava que a pessoa não pudesse ver suas pernas tremendo.

— Quem? Eu? — perguntou ele. — Sou apenas... eu. Costumo ficar por aqui.

— Certo... Fazendo o quê?

— Ah, você sabe, andando por aí — pigarreou, e o som parecia de alguém gargarejando com pedras. — Gosto daqui. É legal e tranquilo. Alguns desses Anunciadores são uma confusão, mas não o seu, Luce. Ainda não, ao menos.

— Estou confusa.

Mais do que confusa, Luce sentia medo. Ela sequer deveria falar com esse estranho? Como ele sabia o nome dela?

— Na maior parte do tempo, sou apenas um observador casual, mas, às vezes, fico à espreita por viajantes — a voz estava mais próxima, o que fez Luce estremecer. — Como você. Olha, estou por aqui há algum tempo, e, certas vezes, os viajantes precisam de alguns conselhos. Já foi lá em cima, para a cachoeira? A paisagem é linda. Nota dez, no quesito cachoeiras.

Luce balançou a cabeça.

— Você não disse que... esse é *meu* Anunciador? Uma mensagem do *meu* passado. Então, por que *você* estaria...

— Então tá! Desculpeeee! — a voz se tornou mais alta, indignada. — Farei apenas uma pergunta, se me permite: se os canais para o seu passado são tão preciosos, por que deixou seus Anunciadores escancarados para o mundo inteiro entrar? Hum? Por que simplesmente não os trancou?

— Eu não, hã... — Luce não tinha a menor ideia de que deixara alguma coisa escancarada. Nem a menor ideia de que Anunciadores podiam ser trancados.

Ela ouviu um pequeno *tum*, como o barulho de roupas ou de sapatos sendo atirados em uma mala, mas continuou não enxergando nada.

— Estou vendo que abusei da sua hospitalidade. Não deixarei que desperdice seu tempo — a voz pareceu engasgar subitamente. Depois, soou mais baixa, como se à distância: — Adeus.

Então, sumiu na escuridão. O Anunciador voltou a ser quase silencioso. Havia apenas o murmúrio suave da cascata. Apenas os batimentos desesperados do coração de Luce.

Por um instante, ela não estivera sozinha. Diante daquela voz, ela ficara nervosa, alarmada, com medo... Mas não estava sozinha.

— Espere! — chamou ela, levantando-se.

— Sim? — a voz voltara para o seu lado.

— Não quis te expulsar — disse ela. Por algum motivo, não estava pronta para que a voz simplesmente desaparecesse. Havia algo nele. Ele a conhecia. Ele a chamara pelo nome. — Só queria saber quem você era.

— Ah, bem — disse ele, um pouco eufórico. — Pode me chamar de... Bill.

— Bill — repetiu ela, piscando, tentando ver mais que as paredes sombrias da caverna ao seu redor. — Você é invisível?

— Às vezes. Nem sempre. Certamente não preciso ser. Por quê? Prefere me ver?

— Talvez isso tornasse as coisas um pouquinho menos esquisitas.

— Isso não dependeria da minha aparência?

— Bem... — Luce começou a dizer.

— Então — o dono da voz parecia sorrir —, como quer que eu seja?

— Não sei. — Luce passou o peso do corpo de uma perna para a outra. O lado esquerdo do seu corpo estava úmido, por causa dos borrifos da cachoeira. — Sou eu quem deve escolher? Qual é sua aparência quando você é simplesmente você mesmo?

— Tenho uma variedade de formas. Você provavelmente quer começar com algo bonitinho. Estou certo?

— Acho que sim...

— Tudo bem — murmurou a voz. — *Huminah huminah huminah hummm.*

— O que você está fazendo? — perguntou Luce.

— Colocando meu rosto.

Houve um clarão: uma explosão que teria lançado Luce para longe, caso a parede não estivesse atrás dela. O clarão diminuiu de intensidade e se tornou uma bolinha minúscula de luz fria e branca. Àquela iluminação, ela viu o longo chão de rocha cinzenta abaixo dos seus pés. Uma parede de pedra se estendia atrás dela, com água escorrendo. E havia algo mais...

Ali, à sua frente, estava uma pequena gárgula.

— Tcha-ram! — disse ele.

Tinha aproximadamente 30 centímetros de altura e estava agachado, com os braços cruzados e os cotovelos apoiados sobre os joelhos. A pele era escura, na cor da pedra, mas, quando ele acenou para ela, Luce percebeu que o corpo era flexível o bastante para ser feito de carne e músculos. Ele parecia o tipo de estátua que se vê nos tetos das igrejas católicas. Tipo, as unhas dos dedos eram compridas e pontudas, como pequenas garras. As orelhas também eram pontudas — e furadas com pequenas argolas de pedra. Duas pequenas saliências se destacavam da parte superior da sua testa, que era carnuda e enrugada. Seus lábios estavam apertados em uma careta que o fazia parecer um bebê bastante velho.

— Então, você é o Bill?

— Isso mesmo — respondeu ele. — Sou o Bill.

Bill era uma criatura de aparência estranha, mas certamente incapaz de amedrontar alguém. Luce o rodeou e notou as vértebras protuberantes da sua coluna vertebral. E o pequeno par de asas cinzentas às suas costas, posicionadas de forma que as pontas ficassem retorcidas juntas.

— O que acha? — perguntou ele.

— Ótimo — disse ela, sem rodeios. Bastava apenas um olhar em um par de asas (até mesmo de Bill) para que ela sentisse tanta saudade de Daniel que seu estômago doesse.

Bill se levantou; era estranho ver braços e pernas feitos de pedra se moverem como músculos.

— Você não gostou da minha aparência. Posso melhorar — disse ele, desaparecendo em outro clarão. — Espere aí.

Flash.

Daniel surgiu na frente dela, envolto em uma aura brilhante de luz violeta. Suas asas abertas eram gloriosas e enormes, convidando-a a entrar no círculo que formavam. Ele lhe estendeu a mão, e a respiração de Luce falhou. Sabia que havia algo estranho em Daniel estar ali e que estivera prestes a fazer outra coisa — mas não conseguia lembrar o que ou com quem. Sua mente ficou nublada; sua memória, obscurecida. Porém, nada daquilo importava. Daniel estava ali. Ela quis gritar de felicidade. Deu um passo na sua direção e colocou sua mão na dele.

— Pronto — disse ele, baixinho. — Era essa a reação que eu queria.

— O quê? — sussurrou Luce, confusa. Algo começou a surgir na sua mente, dizendo-lhe para se afastar. No entanto, os olhos de Daniel superavam aquela hesitação e ela se deixou ser atraída, esquecendo tudo, menos o gosto dos lábios dele.

— Beije-me — a voz era rouca e fanhosa. *Bill*.

Luce gritou e pulou para trás. Sentiu como se sua mente tivesse acordado de um sono profundo. O que havia acontecido? Como ela achara ter visto Daniel em...

Bill. Ele a enganara. Ela puxou a mão da dele, ou talvez ele tenha soltado a dela durante o clarão, quando se transformou em um enorme sapo enverrugado que coaxou dois *croacs!* e pulou em direção à fonte que descia pela parede da caverna. Sua língua disparou para dentro da água.

Luce respirava com dificuldade e tentava não demonstrar o quanto se sentia arrasada.

— Pare com isso — disse ela, duramente. — Volte a ser a gárgula. *Por favor*.

— Como quiser.

Flash.

Bill voltou; agachado, com os braços cruzados sobre os joelhos. Imóvel como uma pedra.

— Achei que você mudaria de ideia — disse ele.

Luce desviou o olhar, sentindo vergonha por ele conseguir irritá-la e raiva por ele parecer gostar disso.

— Agora que está tudo certo — disse ele, movendo-se rapidamente de maneira a ficar onde ela poderia vê-lo —, o que você gostaria de aprender primeiro?

— De você? Nada. Nem imagino o que você está fazendo aqui, para começo de conversa.

— Eu chateei você — disse Bill, estalando os dedos de pedra. — Desculpe. Apenas tentei aprender seus gostos. Você sabe... Você gosta de Daniel Grigori e de pequenas gárgulas. — Ele enumerou com os dedos. — E não gosta de sapos. Acho que já entendi tudo. Não farei mais coisas esquisitas. — Ele abriu as asas e voou, sentando-se no ombro dela. Era pesado. — São somente os truques da profissão — sussurrou ele.

— Não preciso de truques.

— Ah, por favor! Você nem sabe trancar um Anunciador para que caras maus não o invadam. Não quer nem mesmo aprender isso?

Luce ergueu uma das sobrancelhas para ele.

— Por que me ajudaria?

— Você não é a primeira a viajar para o passado, sabe, e todo mundo precisa de um guia. Sorte sua que topou comigo. Poderia ter se deparado com Virgílio...

— Virgílio? — perguntou Luce, lembrando-se, de repente, das aulas de inglês do segundo ano. — Tipo, o cara que conduziu Dante pelos nove círculos do Inferno?

— O próprio. Ele é *tão* certinho que chega a dar sono. Seja como for, você e eu não estamos passeando pelo Inferno nesse momento — explicou ele, dando de ombros. — É a temporada de turismo.

Luce pensou no momento em que vira Luschka queimar em Moscou e na dor crua que sentira quando Lucia lhe disse que Daniel sumira do hospital em Milão.

— Às vezes, parece o Inferno — disse ela.

— Apenas porque demoramos muito para nos conhecermos. — Bill estendeu sua mãozinha de pedra para cumprimentá-la.

Luce parou.

— Então, de qual, hum, lado você está?

Bill assobiou.

— Ninguém lhe disse que a coisa é mais complicada que isso? Que as fronteiras entre o "bem" e o "mal" se misturaram depois de milênios de prática do livre-arbítrio?

— Eu sei, mas...

— Olha, se isso a faz se sentir melhor, já ouviu falar da balança? — Luce fez que não com a cabeça. — São como monitores que ficam dentro dos Anunciadores para garantir que os viajantes cheguem aos seus destinos. Os membros da balança são imparciais, portanto não existe mancomunação com o Céu ou com o Inferno. Entendeu?

— Entendi — Luce assentiu. — Então, você está na balança?

Bill deu uma piscadela e disse:

— Ah, estamos quase lá, então...

— Quase lá onde?

— Na vida para a qual você está indo, que está lançando essa sombra onde estamos.

Luce correu a mão pela água que descia pela parede.

— Essa sombra... Esse Anunciador... é diferente.

— Se é assim, é apenas porque você quer. Se desejar uma caverna do tipo "momento de descanso" dentro de um Anunciador, ela aparecerá para você.

— Eu não queria um momento de descanso.

— Não, mas *precisava* de um. Os Anunciadores são capazes de perceber essas coisas. Além disso, eu estava ajudando, desejando isso para o seu bem. — A pequena gárgula deu de ombros, e Luce ouviu um som como de rochas se chocando. — O interior de um Anunciador não é como qualquer outro lugar. É um não lugar, um eco sombrio lançado por algo do passado. Nenhum deles é igual ao outro; eles se adaptam às necessidades dos seus viajantes durante o tempo em que estão ali dentro.

Havia um quê de loucura na ideia desse eco do passado saber melhor do que Luce o que ela precisava ou necessitava.

— Quanto tempo as pessoas passam dentro deles? Dias? Semanas?

— Tempo nenhum. Não da maneira como você está pensando. Dentro dos Anunciadores, o tempo real não passa. Ainda assim, não é bom ficar aqui por tempo *demais*. Você poderia esquecer para onde está indo e perder-se para sempre. Tornar-se um pairador. E isso é um problema sério. Essas coisas aqui são portais, lembre-se, não destinos.

Luce apoiou a cabeça na parede úmida de pedra. Não sabia o que pensar sobre Bill.

— E esse é seu trabalho... Servir como guia para, hã, viajantes como eu?

— Claro, exatamente. — Bill estalou os dedos, e a fricção fez surgir uma faísca. — Acertou na mosca.

— Como uma gárgula tipo você terminou presa em uma tarefa dessas?

— Com licença, mas tenho orgulho do meu trabalho.

— Eu quis dizer: quem contratou você?

Bill pensou por um momento. Seus olhos de mármore rolaram para a frente e para trás nas órbitas.

— Penso nisso como uma tarefa voluntária. Sou bom em viajar nos Anunciadores, só isso. Não há motivo para não espalhar meus conhecimentos por aí. — Ele se virou para ela, a palma da mão em concha sob o queixo de pedra. — Para quando estamos viajando, afinal?

— Para *quando* estamos...? — Luce o encarou, confusa.

— Você não faz a menor ideia, não é? — Ele deu um tapa na testa. — Está me dizendo que saltou para fora do presente sem ter qualquer conhecimento fundamental sobre como atravessar o tempo? Que a forma como você chega em certa época é um mistério completo para você?

— E como eu poderia saber? — reclamou Luce. — Ninguém me disse nada!

Bill desceu voando do ombro dela e andou ao longo da plataforma de pedra.

— Tem razão, tem razão. Voltemos ao básico. — Ele parou na frente de Luce, as mãozinhas minúsculas sobre os quadris espessos. — Então, vamos lá: o que você quer?

— Eu quero... estar com Daniel — respondeu ela, lentamente. Havia mais do que isso, mas ela não sabia como explicar.

— Hum! — Bill pareceu ainda mais hesitante do que suas sobrancelhas grossas, lábios de pedra e nariz adunco o faziam parecer naturalmente. — O furo nessa sua argumentação, Conselheira, é que Daniel estava ao seu lado quando você fugiu da sua época. Ou não?

Luce deslizou pela parede e se sentou, sentindo outra forte onda de arrependimento.

— Precisei ir embora. Ele não queria me contar sobre nosso passado, por isso precisei tentar descobrir sozinha.

Ela esperava que Bill continuasse a discutir, mas ele simplesmente disse:

— Então você está numa *busca*.

Luce sentiu um sorriso tênue cruzar seus lábios. Uma busca. Gostava dessa ideia.

— Ou seja, você *realmente* deseja algo. Viu? — Bill bateu palmas. — Certo, a primeira coisa que você precisa saber é que os Anunciadores são convocados até você com base no que está acontecendo aqui. — Ele bateu o punho de pedra contra o peito. — Eles são como tubarõezinhos, atraídos pelos seus desejos mais profundos.

— Certo. — Luce se lembrou das sombras em Shoreline, quase como se os Anunciadores a houvessem escolhido, não o contrário.

— Por isso, quando você atravessa um Anunciador que parece vibrar diante de você, implorando para que o apanhe, ele te encaminha ao local onde sua alma deseja estar.

— Então, a garota que fui em Moscou e em Milão... E em todas as vidas que vislumbrei antes de sequer saber como atravessar... Eu desejava visitá-las?

— Exatamente — respondeu Bill. — Você só não sabia disso. Os Anunciadores sabiam no seu lugar. Você vai ficar melhor nisso. Logo se sentirá à vontade, compartilhando o conhecimento deles. Por mais estranho que possa parecer, eles são parte de você.

Cada uma daquelas sombras frias e escuras... Era parte dela? Aquilo subitamente fez um sentido inesperado. Explicava como, desde o começo, mesmo quando isso a amedrontava, Luce não conseguira parar de atravessar os Anunciadores. Ainda que Roland a avisasse sobre serem perigosos e que Daniel ficasse boquiaberto, como se ela houvesse cometido um crime terrível. Os Anunciadores sempre lhe pareciam portas abertas. Seriam mesmo?

Será que seu passado, que um dia parecera impossível de ser conhecido, estaria ali, e tudo o que ela precisaria fazer era atravessar as portas certas? Ela poderia ver como fora, o que atraíra Daniel até ela, por que o amor deles fora amaldiçoado, e como ele cresceu e se modificou através do tempo. E, o mais importante, o que ambos poderiam ser no futuro.

— Estamos quase chegando a algum lugar — informou Bill —, mas, sabendo o que você e seus Anunciadores são capazes, pense no que deseja da próxima vez em que atravessar. E não pense em termos de *lugar* ou de *época*, e sim na *busca* em geral.

— Certo. — Luce se esforçava para colocar em ordem a confusão de emoções dentro de si, para transformá-la em palavras que fizessem algum sentido quando ditas em voz alta.

— Por que não tentamos agora? — propôs Bill. — Para praticar. Podemos encontrar um aviso sobre os possíveis perigos do lugar onde entraremos. Pense no que está buscando.

— Entendimento — disse ela, devagar.

— Ótimo — disse Bill. — O que mais?

Uma energia nervosa a atravessou, como se estivesse na iminência de algo importante.

— Quero descobrir por que Daniel e eu fomos amaldiçoados. E quebrar essa maldição. Quero impedir que o amor me mate, para que finalmente possamos ficar juntos... de verdade.

— Calma, calma, calma. — Bill começou a agitar as mãos, como um homem no acostamento de uma estrada escura. — Não vamos enlouquecer. A maldição que você deseja combater é muito antiga. Você e Daniel são como... Não sei, não dá para simplesmente estalar seus belos dedinhos e, pronto, acabar com isso. Você precisa ir aos poucos.

— Certo — respondeu Luce. — Tudo bem. Então, preciso conhecer um dos meus "eus" do passado. Me aproximar e assistir ao relacionamento dela com Daniel se desenrolar. Descobrir se ela sente o mesmo que eu.

Bill assentiu, com um sorriso amalucado nos lábios volumosos. Ele a levou até a beira da plataforma.

— Acho que está pronta. Vamos.

Vamos? A gárgula iria com ela? Sairia do Anunciador e entraria em algum passado? Sim, um pouco de companhia faria bem a Luce, mas ela mal conhecia esse cara.

— Você está se perguntando se deve confiar em mim, não está? — indagou Bill.

— Não, eu...

— Já entendi — disse ele, pairando na frente dela. — Sou uma criatura peculiar. Especialmente em comparação ao tipo de companhia com o qual você está acostumada. Certamente não sou um anjo — limpou a garganta com desdém —, mas posso ajudá-la a fazer essa viagem valer a pena. Podemos fazer um trato, se quiser. Se você ficar cansada de mim, basta dizer e eu me mando. — Ele lhe estendeu sua longa mão em forma de garra.

Luce estremeceu. A mão de Bill era calejada, com nódulos rochosos e crostas de líquen, como em uma estátua em ruínas. A última coisa que ela desejava era tocá-la. Porém, se não o fizesse, se o dispensasse...

Talvez fosse melhor com ele do que sem.

Ela olhou para baixo. A pequena plataforma úmida abaixo deles terminava no ponto onde ela estava e, então, despencava no vazio. Entre seus sapatos, algo chamou sua atenção; um brilho na pedra, que a fez piscar. O chão estava mudando... Tornando-se mais macio... Balançando sob seus pés.

Luce olhou para trás. O piso de pedra desmoronava completamente, até chegar à parede. Ela tropeçou, se equilibrando na beirada. A plataforma oscilou embaixo dela — com mais intensidade — enquanto as partículas que uniam a rocha se desmembravam. A plataforma sumia à sua volta cada vez mais rapidamente, até que o ar fresco tocou seus calcanhares e ela pulou...

E afundou a mão direita na garra estendida de Bill. Eles sacudiram as mãos em pleno voo.

— Como sairemos daqui? — gritou ela, agarrando com força a mão dele, com medo de cair no abismo que não podia ver.

— Siga seu coração. — Bill sorria, radiante e calmo. — Ele não vai guiá-la para o lugar errado.

Luce fechou os olhos e pensou em Daniel. Uma sensação de leveza a dominou, e ela recuperou o fôlego. Quando abriu os olhos, estava voando, de alguma maneira, por uma escuridão estática. A caverna de pedra se transformou em um pequeno globo de luz dourada, que se encolheu e sumiu.

Luce olhou ao redor. Bill estava ao seu lado.

— Qual foi a primeira coisa que eu disse a você? — perguntou ele.

Luce se lembrou de como a voz dele parecera alcançar completamente o interior dela.

— Você me disse para ir mais devagar. E que eu nunca aprenderia algo se apenas corresse pelo meu passado.

— E?

— Era exatamente o que eu queria fazer, mas não sabia.

— Talvez seja por isso que você me encontrou naquele momento — berrou Bill sobre o barulho da ventania, as asas cinzentas tremulando enquanto eles seguiam a toda a velocidade. — E talvez seja por isso que viemos parar... bem... aqui.

O vento parou. Os estalos da estática se suavizaram até se transformarem em silêncio.

Os pés de Luce bateram no chão. A sensação era como, após saltar rapidamente de um balanço, aterrissar em um gramado.

Eles saíram do Anunciador e estavam em um lugar diferente. O ar era morno e um pouco úmido. A luz ao redor dos pés dela lhe informou que estavam em um fim de tarde.

Ambos estavam afundados em um campo de grama alta e espessa, macia e brilhante, cuja altura chegava às panturrilhas. Em alguns pontos, a grama estava pontilhada de frutinhas em tom vermelho vivo: eram morangos silvestres. À frente, uma estreita fileira de vidoeiros-brancos delimitava o início do bem-cuidado gramado de uma propriedade particular. A alguma distância, havia um grande casarão.

De onde estava, Luce podia ver um pequeno lance de escadas, de pedra branca, que levava à porta dos fundos daquela enorme mansão no estilo Tudor. Um acre de roseiras amarelas limitava os gramados ao norte, e um pequeno labirinto de sebes preenchia a área próxima ao portão de ferro, a leste. No centro havia uma horta abundante, onde pés de feijão subiam ao longo de treliças. Uma trilha de pequenas pedras cortava o jardim ao meio e levava a um grande gazebo branco.

Luce sentiu os pelos dos seus braços se arrepiarem. Era aquele o lugar. Teve a sensação visceral de que estivera ali antes. Não se tratava de um *déjà-vu* comum. Ela olhava para um lugar que significara algo para ela e para Daniel, e, de alguma forma, esperou ver os dois ali, naquele instante, abraçados.

Porém, o gazebo estava vazio, preenchido apenas pela luz alaranjada do sol poente.

Alguém assobiou, fazendo-a pular.

Bill.

Esquecera que ele estava ali. Ele pairou no ar, de maneira que as cabeças deles ficassem no mesmo nível. Fora do Anunciador, ele era ainda mais repulsivo do que parecera inicialmente. Àquela luz, sua pele era seca e escamosa, e ele cheirava a mofo.

Moscas zumbiam ao redor da sua cabeça. Luce se afastou um pouco, quase desejando que ele voltasse a ser invisível.

— Com certeza é melhor que uma zona de guerra — comentou ele, olhando o terreno.

— Como você sabe onde eu estava antes?

— Eu sou... Bill — e deu de ombros. — Sei lá, eu sei das coisas.

— Certo. Então, onde estamos agora?

— Helston, Inglaterra — e apontou uma de suas garras em direção à cabeça e fechou os olhos. — No que você chamaria de 1854. — Então, juntou as mãos em frente ao peito, como uma espécie de garotinho recitando uma poesia na escola. — Trata-se de uma cidade sulina e sonolenta na região da Cornualha, que foi reconhecida pelo rei John em pessoa. As plantações de milho estão com 30 centímetros de altura, então eu diria que estamos no meio do verão. É uma pena perdermos o mês de maio... Eles têm um festival, o Dia da Flora, que você não acreditaria. Ou melhor, acho que acreditaria, sim! Seu eu foi a jovem mais linda do baile nos dois últimos anos. O pai dela é riquíssimo, sabe... Começou por baixo, no comércio de cobre...

— Parece ótimo — Luce o interrompeu e começou a atravessar o gramado. — Vou até a casa. Quero falar com ela.

— Espere aí! — Bill passou por ela voando e então deu uma cambalhota para trás, ficando a alguns centímetros do seu rosto. — Com isso? Não vai rolar de jeito nenhum.

Ele fez um círculo com um dos dedos, e Luce percebeu que ele se referia às suas roupas. Ela continuava usando o uniforme de enfermeira italiana da Primeira Guerra Mundial.

Ele agarrou a barra da sua longa saia branca e ergueu-a até os tornozelos.

— O que você tem aqui embaixo? São tênis *All Star*? Você deve estar brincando comigo! — Bill estalou a língua. — Como você sobreviveu a todas suas vidas sem mim...!

— Eu me virei muito bem, obrigada.

— Você precisará fazer mais que "se virar", se quiser passar algum tempo aqui. — Bill voou novamente até a altura dos olhos de Luce e deu três voltas ao redor dela, bem rápido. Quando ela se virou para olhá-lo, ele já havia ido embora.

Então, um segundo depois, ela ouviu sua voz, embora parecesse vir de muito longe:

— Uau! Brilhante, Bill!

Um ponto cinzento apareceu flutuando perto da casa e começou a aumentar e aumentar, até que as rugas de pedra de Bill se tornaram visíveis. Agora, ele voava em direção a ela, carregando um monte de roupas escuras.

Quando a alcançou, simplesmente puxou com força a lateral das roupas dela, e o uniforme branco e folgado se abriu nas costuras e deslizou para baixo. Luce abraçou seu corpo nu, com vergonha, mas pareceu que, em menos de um segundo, uma série de anáguas e um longo vestido preto foram enfiados pela sua cabeça.

Bill se moveu ao redor dela como uma costureira nervosa, envolvendo sua cintura em um corpete até haver pontas incômodas nas partes mais variadas do seu corpo. Havia tanto tecido nas anáguas que sua roupa emitia ruídos diante da menor brisa.

Ela achou que a roupa estava ótima para a época... Até ver o avental branco amarrado em torno da sua cintura. Levou a mão até os cabelos e arrancou um chapéu branco de serviçal.

— Sou uma *empregada*? — perguntou.

— Sim, Einstein, você é uma empregada.

Luce sabia que era besteira, mas se sentiu um pouco desapontada. Aquela propriedade era tão magnífica, e os jardins, tão adoráveis; ela sabia que estava em uma busca e tudo o mais... Mas será que não poderia simplesmente passear por ali como uma verdadeira dama vitoriana?

— Achei que você havia dito que minha família era rica.

— A família do seu *eu* era rica. Podre de rica. Você descobrirá quando a conhecer. Ela se chama Lucinda e, por falar nisso, acha seu apelido *totalmente abominável*. — Bill empurrou o nariz para cima, em uma imitação bastante risível de um esnobe. — *Ela* é rica, sim, mas *você*, minha querida, é uma intrusa viajante do tempo, que desconhece os costumes da alta sociedade. Então, a menos que queira parecer uma costureira de Manchester e ser colocada para fora antes de conseguir bater um papo com Lucinda, precisa de um bom disfarce. Você é uma copeira. Servente. Alguém que troca os penicos de louça dos quartos. Tanto faz. Não se preocupe, não me intrometerei. Posso desaparecer em um piscar de olhos.

Luce soltou um gemido:

— E eu simplesmente entro e finjo que trabalho na casa?

— Não. — Bill revirou os olhos de pedra. — Apresente-se à dona da casa, a Sra. Constance. Diga a ela que seus últimos patrões se mudaram para a Europa continental e que você está em busca de um novo emprego. Ela é uma velha rabugenta e malvada, que adora referências. Para sua sorte, estou um passo à frente dela. Você encontrará suas indicações no bolso do avental.

Luce deslizou a mão para dentro do bolso do avental de linho branco e puxou um envelope grosso. Ele estava fechado com um selo de cera vermelha; quando ela o virou, leu *Sra. Melville Constance*, rabiscado em tinta preta.

— Você é mesmo uma espécie de sabe-tudo, né?

— Obrigado. — Bill fez uma reverência graciosa; então, quando percebeu que Luce andava em direção à casa, voou até ela, batendo as asas tão rapidamente que pareciam borrões cinzentos nas laterais do seu corpo.

A essa altura, eles haviam passado pelos vidoeiros-brancos e cruzavam o gramado. Luce estava prestes a percorrer a trilha de pedrinhas que levava à mansão, mas parou ao notar duas silhuetas no gazebo. Um homem e uma mulher andando em direção à casa. Em direção a Luce.

— Abaixe-se — sussurrou ela. Não estava preparada para ser vista em Helston, especialmente com Bill zumbindo ao seu lado como uma espécie de inseto gigantesco.

— Abaixe-se *você*! — retrucou ele. — Só porque abri uma exceção à minha invisibilidade em seu benefício não significa que qualquer mortal é capaz de me ver. Estou perfeitamente escondido. Para seu governo, os *únicos* olhos dos quais preciso me esconder são dos... Ei, opa! — As sobrancelhas de pedra de Bill se ergueram repentinamente, fazendo um som alto de atrito. — Fui — disse ele, enfiando-se atrás das trepadeiras de tomates.

Dos anjos, completou Luce. Eram, provavelmente, as únicas almas capazes de enxergar Bill nessa forma. Ela adivinhou porque finalmente conseguira ver o homem e a mulher que levaram Bill a se esconder. Boquiaberta, atrás das folhas espessas e pontiagudas das vinhas de tomates, Luce não conseguiu desviar o olhar de ambos.

De Daniel, na verdade.

O restante do jardim estava bastante silencioso. As canções de fim de tarde dos pássaros silenciaram, e tudo o que ela podia ouvir eram dois pares de pés caminhando vagarosamente pela trilha de pedrinhas. Os últimos raios de sol pareciam incidir sobre Daniel, criando uma auréola dourada ao seu redor. Sua cabeça estava inclinada na direção da mulher, e ele assentia enquanto caminhava. A mulher não era Luce.

Era mais velha do que Lucinda deveria ser — na faixa dos 20 anos, provavelmente, e linda, com cachos escuros e sedosos sob um largo chapéu de palha. Seu longo vestido de musselina era da cor de dentes-de-leão e parecia muito caro.

— O senhor aprecia nosso pequeno vilarejo, Sr. Grigori? — dizia a mulher. Sua voz era aguda, alegre e cheia de uma confiança natural.

— Talvez até demais, Margaret. — O estômago de Luce se apertou de ciúmes enquanto via Daniel sorrir para a mulher. — É difícil acreditar que faz uma semana que cheguei a Helston. Poderia ficar até mais tempo do que havia planejado — fez uma pausa. — Todos aqui têm sido muito amáveis.

Margaret corou, e Luce ferveu por dentro. Até o rubor de Margaret era lindo.

— Nossa esperança é que esse sentimento transpareça no seu trabalho — disse ela. — Minha mãe está felicíssima, é claro, por ter um artista entre nós. Todos estão.

Luce engatinhava para acompanhá-los enquanto caminhavam. Passando da horta, ela se abaixou atrás das roseiras, apoiou as mãos no chão e se inclinou para a frente, tentando ouvir o casal.

Então soltou uma exclamação: ferira o dedo em um espinho e ele sangrava.

Ela levou a ferida à boca e balançou a mão, tentando não manchar o avental com o sangue, mas, quando o sangramento cessou, ela percebeu que perdera parte da conversa. Margaret olhava para Daniel ansiosamente.

— Perguntei se o senhor estará presente nas festividades dessa semana — o tom dela era um pouco carente. — Mamãe sempre exagera nas comemorações.

Daniel murmurou algo parecido com um sim; não deixaria de participar, mas estava obviamente distraído. Não parava de olhar para o outro lado. Seus olhos vasculhavam o gramado, como se sentisse a presença de Luce atrás das roseiras.

Quando seu olhar passou pelo local onde ela estava escondida, eles brilharam no mais intenso tom de violeta.

SEIS

A MULHER DE BRANCO
Helston, Inglaterra · 18 de junho de 1854

Quando Daniel chegou a Helston, estava irritado.

Reconheceu o lugar assim que o Anunciador o ejetou sobre as margens cobertas por pedregulhos do Loe. O lago estava parado, refletindo grandes nuvens rosadas do céu de fim de tarde. Espantado por aquela aparição repentina, um par de martins-pescadores levantou voo e atravessou o campo de trevos, pousando em uma árvore torta na charneca ao lado da estrada principal. Aquela via levava, ele sabia, à pequena cidade onde passara um verão com Lucinda.

Pisar novamente naquela terra verde e fértil tocou algo dentro dele. Por mais que trabalhasse para fechar cada porta do passado, por mais que se esforçasse para superar as dolorosas mortes dela... Algumas coisas significavam mais que outras. Ele se surpreendeu ao notar a clareza com que ainda se lembrava do tempo que passaram juntos no sul da Inglaterra.

Mas Daniel não estava ali para descansar. Nem para se apaixonar pela linda filha de um comerciante de cobre. Seu dever era impedir que uma garota descuidada se perdesse tanto nos momentos negros do seu passado que pudesse morrer. Ele estava ali para ajudá-la a desfazer a maldição sobre eles, de uma vez por todas.

Começou a longa caminhada até a cidade.

Era um fim de tarde quente e ocioso no verão de Helston. Nas ruas, senhoras usando toucas e vestidos com barras de renda falavam em voz baixa e educada com homens em ternos de linho, com os quais andavam de braços dados. Os casais paravam em frente às vitrines das lojas. Demoravam-se conversando com os vizinhos. Paravam novamente nas esquinas e levavam dez minutos para se despedir.

Tudo naquelas pessoas, desde a roupa até o ritmo do caminhar, era irritantemente lento. Daniel não poderia se sentir mais deslocado naquelas ruas.

Suas asas, escondidas sob o casaco, ardiam impacientes enquanto ele passava com dificuldade entre os transeuntes. Ele conhecia um lugar onde, com toda a certeza, poderia encontrar *Lucinda*: ela visitava o gazebo do patrono de Daniel quase todas as tardes, logo antes de escurecer. Porém, onde ele encontraria *Luce* — a que entrava e saía dos Anunciadores, aquela que ele *precisava* encontrar —, era algo que não havia como saber.

As outras vidas às quais Luce chegara faziam algum sentido para Daniel. No quadro geral, elas foram... anomalias. Momentos do passado em que, logo antes de morrer, ela chegara perto de desvendar a verdade sobre a maldição. No entanto, ele não conseguia entender por que o Anunciador a levara até *ali*.

Helston foi uma época bastante tranquila. Nessa vida, o amor deles havia crescido devagar, com naturalidade. Até mesmo a morte dela fora reservada, compartilhada apenas por eles. Certa vez, Gabbe usou a palavra "respeitável" para descrever o fim de Lucinda em Helston. Aquela morte, ao menos, fora um sofrimento apenas dos dois.

Não, não havia sentido em Luce chegar por acaso a essa vida; o que significava que ela poderia estar em qualquer lugar do vilarejo.

— Ora, ora, Sr. Grigori! — chamou uma voz estridente na rua. — Que surpresa maravilhosa encontrá-lo aqui na cidade!

Uma senhora loura, usando um longo vestido azul e estampado, surgiu na frente de Daniel, tomando-o completamente de surpresa. Segurava a mão de um menino de 8 anos, sardento, rechonchudo e parecendo infeliz em um paletó creme com uma mancha embaixo do colarinho.

Finalmente, Daniel se lembrou: era a Sra. Holcombe e seu filho sem talento, Edward, a quem ele dera aulas de desenho por algumas dolorosas semanas durante sua estadia em Helston.

— Olá, Edward. — Daniel se inclinou para baixo para apertar a mão do garotinho e, depois, fez uma reverência para a mãe. — Sra. Holcombe.

Até aquele momento, Daniel dera pouca atenção às suas roupas enquanto viajava pelo tempo. Não se importava com o que alguém na rua pensaria sobre sua calça cinza e moderna ou que o corte da sua camisa social branca parecesse estranho comparado com o de qualquer outro homem na cidade. Porém, ao trombar com pessoas que realmente conhecera há quase duzentos anos, usando as roupas que vestira dois dias atrás, no jantar de Ação de Graças dos pais de Luce, a confusão poderia se espalhar.

Daniel não queria chamar atenção. Nada poderia ser um empecilho para encontrar Luce. Ele simplesmente precisaria encontrar outra roupa. Não que os Holcombe tivessem notado algo. Por sorte, Daniel voltara a uma época em que era conhecido como um artista "excêntrico".

— Edward, mostre ao Sr. Grigori o que mamãe comprou para você — pediu a Sra. Holcombe, alisando os cabelos rebeldes do filho.

Relutante, o menino tirou um pequeno kit de pintura de um saco: cinco potes de vidro com tinta e um pincel de madeira, com o cabo vermelho e comprido.

Daniel fez os elogios necessários — sobre como Edward era um garotinho muito sortudo, cujo talento contava com as ferramentas adequadas — enquanto tentava disfarçar o fato de que procurava a forma mais rápida de escapar daquela conversa.

— Edward é uma criança tão talentosa — insistiu a Sra. Holcombe, segurando o braço de Daniel. — O problema é que ele considera suas aulas de desenho um pouquinho menos empolgantes do que aquilo que um garoto da idade dele esperaria. Por isso imaginei que um kit de pintura o ajudaria a realmente se dedicar. Como um *artiste*. O senhor entende, Sr. Grigori?

— Sim, sim, é claro — Daniel a interrompeu. — Pode lhe dar tudo o que o incentivar a pintar. É um plano brilhante...

Uma onda de frio se espalhou pelo seu corpo e congelou suas palavras na garganta.

Cam saía de um bar, do outro lado da rua.

Por um momento, Daniel bufou, com raiva. Fora bastante claro ao afirmar que não queria a ajuda de ninguém. Fechou os punhos e deu um passo em direção a Cam, mas, então...

Claro. Era o Cam da época de Helston. E, ao que parecia, ele estava se divertindo naquelas calças listradas afuniladas e com aquela capa vitoriana. Seu cabelo negro estava comprido e descia em cascatas até logo abaixo dos ombros. Cam se recostou na porta do bar, conversando animadamente com três outros homens.

Ele retirou um charuto com ponta dourada de uma caixa de metal quadrada. Ainda não vira Daniel. Assim que o visse, pararia de rir. Desde o início, Cam viajara pelos Anunciadores mais que qualquer outro dos anjos caídos. Era especialista, de uma maneira que Daniel jamais poderia ser. Tratava-se de um dom daqueles que decaíram com Lúcifer: eles tinham o talento de viajar pelas sombras do passado.

Bastaria olhar para Daniel para que esse Cam vitoriano soubesse que seu rival era um Anacronismo.

Um homem fora do tempo.

Cam perceberia que algo importante estava acontecendo. E, então, Daniel nunca conseguiria abalá-lo.

— O senhor é tão generoso, Sr. Grigori — a Sra. Holcombe continuava tagarelando e segurando Daniel pela manga da camisa.

A cabeça de Cam virou na direção dele.

— Imagina — as palavras de Daniel saíram se atropelando. — Agora, se me der licença... — soltou os dedos dela do seu braço. — Preciso ir... Comprar roupas novas.

Daniel fez uma reverência apressada e entrou rapidamente pela porta da loja mais próxima.

— Sr. Grigori... — a Sra. Holcombe praticamente gritava o seu nome.

Silenciosamente, Daniel a xingou e fingiu que não podia escutá-la, o que somente fez com que ela gritasse ainda mais alto.

— Mas essa é a loja da modista, Sr. Grigori! — berrou, com as mãos em concha ao redor da boca.

Daniel já havia entrado. A porta de vidro bateu atrás dele, e o sino amarrado às dobradiças soou. Ele poderia se esconder ali, ao menos por alguns minutos, na esperança de que Cam não o houvesse visto ou ouvido a voz estridente da Sra. Holcombe.

A loja estava em silêncio e cheirava a lavanda. Os saltos de muitos sapatos haviam desgastado o assoalho de madeira, e, nas prateleiras ao longo das paredes, havia rolos de tecidos coloridos empilhados até o teto. Daniel abaixou a cortina de renda sobre a janela, de maneira que se tornasse menos visível da rua. Ao se virar, viu através do espelho outra pessoa na loja.

Engoliu um gemido de alívio e de surpresa.

Ele a encontrara.

Luce experimentava um longo vestido de seda branca, cuja gola alta e presa com uma fita amarela destacava o tom incrível dos seus olhos cor de avelã. Seus cabelos estavam presos para o lado com um florido grampo de contas. Ela não parava de arrumar as mangas, ajeitando a forma como caíam sobre seus ombros e examinando-se no máximo de ângulos possíveis. Daniel adorou todos eles.

Ele quis ficar ali, admirando-a para sempre, mas então se lembrou. Foi até ela e segurou-lhe o braço.

— Isso já foi longe demais. — Enquanto falava, Daniel se sentiu tomado pela deliciosa sensação da pele dela contra sua mão. A última vez em que a tocara fora quando pensou que a houvesse perdido para os Párias. — Tem ideia do susto que me deu? Você não está segura sozinha aqui — disse ele.

Luce não discutiu com ele, como Daniel esperava. Em vez disso, gritou e lhe deu um tapa no rosto.

Aquela não era Luce. Era Lucinda.

E, o que é pior, eles ainda não haviam se conhecido naquela vida. Ela provavelmente acabara de voltar de Londres com a família. Lucinda e Daniel estavam prestes a se conhecer na festa do solstício de verão na residência dos Constance.

Ele pôde perceber tudo pelo choque registrado no rosto de Lucinda.

— Que dia é hoje? — perguntou, desesperado.

Ela o consideraria insano. Do outro lado da loja, ele estivera tão tomado pelo amor que não notara a diferença entre a garota que ele havia perdido e aquela que precisava salvar.

— Desculpe — sussurrou ele. Exatamente por isso que Daniel era tão ruim sendo um Anacronismo: perdia-se completamente nos menores detalhes. Um toque da pele dela. Um olhar nos seus profundos olhos cor de avelã. O cheiro do talco perfumado ao longo dos seus cabelos. Uma respiração compartilhada no espaço apertado daquela minúscula loja.

Lucinda estremeceu ao olhar as bochechas dele. No espelho, o lugar onde ela o estapeara tinha um tom vermelho vivo. Seus olhos viajaram para encontrar os dele — e Daniel sentiu o coração se afundar. Os lábios rosados dela se entreabriram, e sua cabeça se inclinou ligeiramente para a direita. Ela o olhava como uma mulher profundamente apaixonada.

Não.

Não era assim que deveria acontecer. A forma como *precisaria* acontecer. Eles tinham que se conhecer apenas na festa. Por mais que Daniel amaldiçoasse o destino de ambos, não interferiria nas vidas anteriores de Luce. Elas a faziam voltar para ele.

Ele tentou parecer o mais desinteressado e carrancudo possível, cruzando os braços sobre o peito, se movendo para criar um espaço maior entre eles, e mantendo o olhar fixo em qualquer outro ponto que não aquele que desejava: ela.

— Perdão — disse Lucinda, pressionando as mãos sobre o coração. — Não sei o que aconteceu comigo. *Nunca* fiz nada parecido...

Daniel não ia discutir, embora ela o houvesse estapeado tantas vezes ao longo dos anos que Ariane mantinha um registro no seu caderninho intitulado *Você é o cara*.

— O erro foi meu — emendou ele, rapidamente. — Eu... Eu achei que você fosse outra pessoa. — Daniel havia interferido demais no passado; primeiro com Lucia em Milão, agora aqui. Ele começou a recuar.

— Espere — estendeu a mão na direção dele. Seus olhos eram adoráveis fontes de luz, em tom de avelã, que o atraíam de volta. — Sinto quase como se nos conhecêssemos, embora eu não consiga me lembrar...

— Receio que não.

Àquela altura, ele havia chegado até a porta e abria a cortina para checar se Cam continuava na rua. Continuava.

Cam estava de costas para a loja e gesticulava animadamente, contando alguma história inventada na qual certamente ele era o herói. Poderia se virar à menor provocação e, então, Daniel seria pego.

— Por favor, senhor... Pare. — Lucinda correu até Daniel. — Quem é o senhor? Acho que o conheço. Por favor, espere.

Ele precisaria se arriscar na rua. Não poderia ficar ali com Lucinda. Não com ela agindo dessa maneira. Não com ela se apaixonando pela versão errada dele. Ele vivera aquela vida, e não era assim que tudo acontecia. Por isso, foi obrigado a fugir.

Ignorá-la matava Daniel por dentro; afastar-se de Lucinda quando tudo na sua alma lhe dizia para se virar e voar em direção ao som da sua voz, para seu abraço, para o calor dos seus lábios e para o poder enfeitiçado do seu amor.

Ele escancarou a porta da loja e fugiu para rua, correndo sob o pôr do sol com todas as suas forças. Não se importava com o que aquilo pareceria às outras pessoas da cidade. Daniel usava todo o fogo das suas asas para correr.

SETE

SOLSTÍCIO

Helston, Inglaterra • 21 de junho de 1854

As mãos de Luce estavam queimadas, cheias de bolhas e doíam até os ossos.

Desde que chegara à mansão dos Constance, três dias antes, ela pouco fizera além de lavar uma pilha interminável de louças. Trabalhava do nascer ao pôr do sol, esfregando pratos, tigelas, tigelinhas para molhos e exércitos de talheres, até que, ao fim do dia, sua nova chefe, a Srta. McGovern, servia o jantar dos empregados da cozinha: um prato triste com carne fria, pedaços secos de queijo e uns poucos pãezinhos duros. A cada noite, após o jantar, Luce caía em um sono profundo e sem sonhos no beliche do sótão que dividia com Henrietta, sua companheira de cozinha, uma garota dentuça e peituda com cabelos cor de palha que viera de Penzance para Helston.

A quantidade de trabalho era surpreendente.

Como um único lar era capaz de sujar louça o suficiente para manter duas garotas trabalhando por 12 horas seguidas? Porém, as bacias de pratos sujos de comida continuavam a chegar, e a Srta. McGovern mantinha seus olhinhos fixos na pia de Luce. Na quarta-feira, todos na mansão tagarelavam sobre a festa de solstício daquela noite, mas, para Luce, aquilo apenas significava mais pratos. Ela encarou a pia de água suja com ódio.

— *Não* é o que eu tinha em mente — murmurou para Bill, que estava sempre pairando na beirada do armário da cozinha, próximo à pia de Luce. Ela ainda não se acostumara em ser a única ali capaz de enxergá-lo. Por isso, ficava nervosa sempre que ele voava em direção a outros serviçais, fazendo piadas sujas que somente Luce podia escutar e das quais ninguém — além de Bill — ria.

— Vocês, filhos do milênio, não têm qualquer ética no trabalho — disse ele. — A propósito, fale baixo.

Luce não aguentou.

— Se esfregar essa sopeira nojenta tivesse alguma coisa a ver com entender meu passado, minha *ética no trabalho* te surpreenderia. Mas isso não faz sentido algum — agitou uma frigideira de ferro, cujo cabo estava escorregadio com banha de porco, diante do rosto de Bill. — Sem falar que é nauseante.

Luce sabia que sua frustração nada tinha a ver com a louça. Provavelmente ela parecia uma menina mimada, mas mal saíra dali desde que começara a trabalhar. Não vira o Daniel de Helston nenhuma vez desde aquele primeiro vislumbre no jardim, e não tinha a menor ideia sobre onde estava seu eu. Estava sozinha, apática e deprimida de uma maneira que não se sentia desde aqueles horríveis primeiros dias na Sword & Cross, antes de ter Daniel ou qualquer pessoa com quem realmente pudesse contar.

Havia abandonado Daniel, Miles e Shelby, Ariane e Gabbe, Callie e seus pais... Tudo isso para quê? Para ser uma copeira? Não, para desfazer essa maldição, algo que ela nem ao menos sabia se era capaz. E daí que Bill pensasse que ela estava choramingando? Ela não podia evitar. Estava à beira de um colapso nervoso.

— Odeio esse emprego. Odeio esse lugar. Odeio essa estúpida festa de solstício e esse suflê de faisão idiota...

— Lucinda estará na festa hoje à noite — disse Bill repentinamente. Sua voz era irritantemente calma. — E, por acaso, ela *adora* o suflê de faisão dos Constance. — Ele voou até o balcão e se sentou de pernas cruzadas sobre ele, girando a cabeça 360 graus ao redor do pescoço de uma forma medonha para se certificar de que estavam sozinhos.

— Lucinda estará na festa? — Luce deixou a frigideira e a escova de lavar a louça caírem na pia cheia de água com sabão. — Eu falarei com ela. Sairei dessa cozinha e falarei com ela.

Bill assentiu, como se esse sempre houvesse sido o plano.

— Apenas se lembre da sua posição. Se uma versão sua vinda do futuro aparecesse em uma festa da escola e lhe dissesse...

— *Eu* preferiria saber — interrompeu-o Luce. — O que quer que fosse, eu insistiria em saber tudo. Morreria para saber.

— Humm. Bem... — Bill deu de ombros. — Lucinda, não. Eu posso lhe garantir.

— Impossível. — Luce balançou a cabeça. — Ela sou... eu.

— Não. Ela é uma versão sua criada por pais completamente diferentes, em um mundo bastante diferente. Vocês compartilham uma *alma*, mas não são nada parecidas. Você verá — e deu um sorrisinho enigmático. — Apenas vá com calma. — Os olhos de Bill se voltaram para a porta da grande cozinha, que se escancarou abruptamente. — Anime-se, Luce!

Ele enfiou os pés na tina e soltou um suspiro rouco e satisfeito justamente enquanto a Srta. McGovern entrava e puxava Henrietta pelo cotovelo. A governanta listava os pratos para o jantar.

— Depois das ameixas ensopadas... — tagarelava ela.

Do outro lado da cozinha, Luce sussurrou para Bill:

— Ainda não terminamos nossa conversa.

Seus pés de pedra chapinharam espuma no avental dela.

— Posso aconselhá-la a parar de conversar com seus amigos invisíveis enquanto trabalha? As pessoas pensarão que você é maluca.

— Estou começando a me perguntar se não sou realmente. — Luce suspirou e ajeitou a postura, sabendo que aquilo era tudo o que conseguiria arrancar de Bill, ao menos até as outras mulheres saírem.

— Espero ver você e Myrtle em ótima forma esta noite — disse a Srta. McGovern em voz alta para Henrietta, dando uma olhadela rápida para trás, na direção de Luce.

Myrtle. O nome que Bill inventara para ela nas cartas de recomendação.

— Sim, senhorita — disse Luce categoricamente.

— Sim, senhorita! — Não havia sarcasmo na resposta de Henrietta. Ela era sempre sincera, sempre gentil. Luce até gostava dela, se relevasse o quanto a garota precisava de um banho.

Mal a Srta. McGovern saiu da cozinha e deixou as duas garotas sozinhas, Henrietta içou-se para a mesa perto de Luce, balançando suas botas pretas para frente e a para trás. Não fazia a menor ideia de que Bill estava sentado ao seu lado, imitando seus movimentos.

— Quer uma ameixa? — perguntou Henrietta, puxando duas frutas cor de rubi do bolso do avental e estendendo uma delas para Luce.

O que Luce mais gostava em Henrietta era que ela nunca fazia um pingo de trabalho a não ser que a chefe estivesse por perto. Elas deram uma mordida nas ameixas, rindo quando o suco doce escapou pelos cantos das suas bocas.

— Achei que havia ouvido você conversando com alguém — disse Henrietta, erguendo uma sobrancelha. — Você tem um amigo, Myrtle? Ah, por favor, não me diga que é Harry, dos estábulos! Ele é um patife, e como!

Nesse instante, a porta da cozinha se abriu novamente, fazendo elas pularem, deixarem cair as frutas e fingirem lavar o prato mais próximo.

Luce esperava que fosse a Srta. McGovern, mas congelou ao ver duas garotas em lindos vestidos de seda branca, que se curvavam de tanto rir enquanto entravam na cozinha imunda.

Uma delas era Ariane.

A outra — Luce demorou um instante para reconhecer — era Annabelle. A garota de cabelo rosa-shocking que Luce vira por um breve instante no Dia dos Pais, na Sword & Cross. Ela se apresentara como irmã de Ariane.

Irmã, tá bom.

Henrietta manteve os olhos baixos, como se aquele pique-pega na cozinha fosse um acontecimento normal, como se fosse estar em apuros caso sequer fingisse ver as duas garotas — que certamente não viram Luce ou Henrietta. Era como se os empregados se misturassem às panelas e às louças imundas.

Porém, Ariane e Annabelle estavam rindo demais. Enquanto passavam pela mesa de abrir massas, Ariane pegou um punhado de farinha sobre a superfície de mármore e jogou no rosto de Annabelle.

Por quase um segundo, Annabelle pareceu furiosa; depois, começou a rir mais ainda, pegou também um pouco de farinha e atirou-o em Ariane.

Ambas estavam sem fôlego quando saíram, aos trancos, pela porta de trás, em direção ao pequeno jardim que levava a outro, grande, onde o sol brilhava, onde Daniel poderia estar e para onde Luce morria de vontade de ir. Luce não conseguiria entender o que estava sentindo, caso tentasse — choque ou constrangimento, espanto ou frustração?

Tudo aquilo provavelmente transparecia no seu rosto, pois Henrietta a olhou com ar de compreensão e se inclinou para sussurrar:

— Chegaram durante a noite passada. São primas de alguém, vindas de Londres para a festa. — Ela caminhou até a mesa de abrir massas. — Quase destruíram a torta de morangos com suas travessuras. Ah, deve ser adorável ser rica! Quem sabe na nossa próxima vida, hein, Myrtle?

— Ahã... — foi tudo o que Luce conseguiu dizer.

— Vou sair para pôr a mesa, infelizmente — disse Henrietta, aninhando uma pilha de louça sob o braço rosado e carnudo. — Por que não ter uma das mãos cheia de farinha, caso aquelas garotas voltem? — Ela piscou para Luce e empurrou a porta com o largo quadril, desaparecendo no corredor.

Outra pessoa surgiu no seu lugar: um garoto, também vestindo um uniforme de empregado, com o rosto escondido atrás de uma enorme caixa com frutas e verduras. Ele abaixou a caixa sobre uma mesa, do outro lado da cozinha.

Ela se espantou ao ver seu rosto. Ao menos, após ter visto Ariane, estava um pouco mais preparada.

— Roland!

Ele estremeceu ao olhar para cima; depois, se recompôs. Enquanto caminhava em direção a ela, Roland não parou de encarar suas roupas. Ele apontou para o avental.

— Por que está vestida assim?

Luce puxou o cordão do avental e o retirou.

— Não sou quem você pensa.

Ele parou na frente dela e a encarou, virando a cabeça ligeiramente para a esquerda e depois para a direita.

— Bem, você é igualzinha a uma garota que conheço. Desde quando os Biscoe se sujam na copa?

— Os Biscoe?

Roland ergueu uma sobrancelha para ela, divertindo-se.

— Ah, entendi. Você está fingindo ser outra pessoa. Qual é o seu nome de mentira?

— Myrtle — respondeu Luce, tristonha.

— E você não é Lucinda Biscoe, para quem servi aquela torta de marmelo no terraço, dois dias atrás?

— Não. — Luce não sabia o que falar ou como convencê-lo. Virou-se para Bill em busca de ajuda, mas ele sumira. É claro. Roland, um anjo caído, teria sido capaz de enxergar Bill.

— O que o pai da Srta. Biscoe diria se visse a filha aqui, enfiada até os cotovelos na gordura? — Roland sorriu. — É uma ótima peça para pregar nele.

— Roland, isso não é...

— O que está escondendo das pessoas da casa, afinal? — Roland virou a cabeça em direção ao jardim.

Um chacoalhar mínimo na despensa revelou a Luce onde Bill se escondera. Ele parecia lhe enviar algum tipo de sinal, mas ela não fazia ideia do que ele queria dizer. Provavelmente desejava que ela mantivesse a boca fechada, mas o que ele faria? Sairia e a impediria de falar?

Uma camada de suor se tornou visível na testa de Roland.

— Estamos sozinhos, Lucinda?

— Certamente.

Ele inclinou a cabeça para ela e esperou.

— Não *sinto* isso.

A única presença ali, além de ambos, era Bill. Como Roland era capaz de senti-la, e Ariane não?

— Olhe, não sou mesmo a garota que você pensa — repetiu Luce. — Sou *uma* Lucinda, mas eu... Vim do futuro... É difícil explicar, na verdade — respirou fundo. — Nasci em Thunderbolt, Geórgia... Em 1992.

— *Ah* — Roland engoliu em seco. — Ora, ora... — Ele fechou os olhos e começou a falar vagarosamente: — As estrelas do céu caíram sobre a terra, como quando a figueira solta de si seus figos verdes, abalada por um vento forte...

Aquelas palavras eram enigmáticas, mas Roland recitou-as verdadeiramente, quase como se repetisse seu trecho favorito de um antigo blues. O tipo de canção que ela o ouvira cantar em um karaokê na Sword & Cross. Naquele momento, ele parecia o Roland que ela conhecera, como se ele deixasse cair, por um breve instante, o disfarce vitoriano.

Porém, havia algo mais nas palavras dele. Luce as reconheceu de algum lugar.

— O que é isso? O que isso significa? — perguntou ela.

O armário se sacudiu mais uma vez. Mais alto.

— Nada. — Os olhos de Roland se abriram e ele voltou ao seu eu vitoriano. Suas mãos eram duras e calejadas; e seus bíceps, mais largos do que normalmente. Suas roupas estavam encharcadas de suor e grudavam na sua pele escura. Uma grande tristeza se abateu sobre Luce.

— Você é um serviçal? — perguntou ela. — Os outros, como Ariane, podem correr por aí... Mas você precisa trabalhar, não é? Só porque você é...

— Negro? — disse Roland, sustentando o olhar de Luce até ela desviá-lo, incomodada. — Não se preocupe comigo, Lucinda. Já sofri coisas piores do que o preconceito humano. Além disso, minha vez chegará.

— Tudo vai melhorar — disse ela, sentindo que qualquer tentativa de conforto seria banal e ínfima, e imaginando se o que dissera era realmente verdade. — As pessoas podem ser horríveis.

— Bem, não podemos nos preocupar muito com elas, não é? — Roland sorriu. — O que a trouxe até aqui, afinal, Lucinda? Daniel sabe sobre isso? E Cam?

— Cam também está aqui? — Contudo, Luce não deveria estar surpresa.

— Caso minha noção de tempo esteja correta, ele acabou de chegar à cidade.

Luce não poderia se preocupar com aquilo naquele momento.

— Daniel não sabe, ainda — admitiu ela. — Preciso encontrar Lucinda e ele. Preciso saber...

— Olhe... — disse Roland, afastando-se de Luce com as mãos para cima, quase como se ela fosse radioativa. — Você não me viu aqui. Não tivemos essa conversa. Mas você não pode simplesmente ir até Daniel e...

— Eu sei — interrompeu-o ela. — Ele surtaria.

— "Surtaria"? — Roland experimentou aquela palavra que lhe parecia estranha, quase fazendo Luce rir. — Se você quer dizer que ele pode se apaixonar por essa *versão* sua — ele apontou para ela —, então, sim. É realmente bastante perigoso. Você é uma turista aqui.

— Tudo bem, sou uma turista, mas posso ao menos conversar com eles.

— Não, não pode. Você não faz parte dessa vida.

— Não quero fazer parte. Quero apenas saber *por que*...

— Você estar aqui é algo perigoso... Para você, para eles, para tudo. Está entendendo?

Luce não compreendia. Como ela poderia ser perigosa?

— Não quero *continuar* aqui, mas quero descobrir por que isso acontece entre Daniel e eu... Quero dizer, entre essa Lucinda e Daniel.

— É exatamente o que eu quis dizer. — Roland passou a mão pelo rosto e olhou-a severamente. — Escute: você pode observá-los à distância. Pode... não sei... olhar pelas janelas. Desde que saiba que não poderá levar nada consigo.

— Por que não posso simplesmente *conversar* com eles?

Ele andou até a porta e trancou-a. Quando se virou, sua expressão era séria.

— Escute, é *possível* que você consiga mudar seu passado, fazendo algo que perdure através do tempo e que o reescreva de maneira que você, a futura Lucinda, se modifique.

— Então tomarei cuidado...

— Não existe "tomar cuidado". Você é um touro na loja de cristais do amor. Não terá como saber o que você destruiu ou o quanto isso seria precioso. Nenhuma alteração será óbvia. Não haverá placas gigantescas dizendo "SE VIRARES PARA A DIREITA, SERÁS UMA PRINCESA" ou "SE VIRARES PARA A ESQUERDA, CONTINUARÁS UMA COPEIRA PARA SEMPRE".

— Ah, por favor, Roland, você não acha que tenho objetivos um pouco mais importantes do que me tornar uma princesa? — interrompeu-o Luce.

— Posso arriscar a suposição de que existe uma maldição que você deseja quebrar?

Luce piscou, sentindo-se idiota.

— Certo. Então, boa sorte! — riu animadamente Roland. — Porém, mesmo que consiga fazer isso, você não saberá, minha querida. Independentemente do *momento* em que você modificar seu passado, ele lhe parecerá *sempre* ter sido dessa forma, assim como tudo o que acontecer depois. O tempo se reorganiza sozinho. E você faz parte dele; portanto, nunca saberá a diferença.

— Eu saberia — retrucou Luce, torcendo para que, ao dizê-lo em voz alta, pudesse tornar seu desejo uma realidade. — Com certeza eu teria alguma noção de que...

Roland balançou a cabeça.

— Não. Todavia, antes de fazer algum bem, você certamente distorceria o futuro, fazendo com que o Daniel dessa época se apaixonasse por *você*, em vez de pela boba e pretensiosa Lucinda Biscoe.

— Preciso conhecê-la. Preciso entender por que eles se amam...

Roland balançou a cabeça novamente.

— Seria *pior* se envolver com seu eu do passado, Lucinda. Daniel ao menos conhece os perigos e pode se prevenir para não alterar drasticamente o tempo. Mas, Lucinda Biscoe? Ela não sabe *nada*.

— Nenhuma de nós sabe, nunca — disse Luce, com um súbito aperto na garganta.

— Essa Lucinda... Ela não tem muito tempo de vida. Deixe que o passe com Daniel. Deixe que seja feliz. Se você entrar no mundo dela e algo se modificar, isso poderá ter reflexos na sua vida. O que poderia ser bastante lamentável.

Roland parecia uma versão mais legal e menos sarcástica de Bill. Luce não queria mais ouvir sobre as coisas que não poderia fazer, que não deveria fazer. Se ela simplesmente pudesse conversar com seu eu do passado...

— E se Lucinda pudesse ter *mais* tempo? — perguntou ela. — E se...

— É impossível. No máximo, você apressaria o fim dela. Você não mudará nada batendo um papo com Lucinda. Apenas bagunçará suas vidas passadas, além da atual.

— Minha vida atual não é uma bagunça. E eu posso consertar as coisas, preciso fazer isso!

— Acho que isso ainda não sabemos. A vida de Lucinda Biscoe está pronta, mas o seu fim ainda será escrito. — Roland limpou as mãos nas calças. — Talvez você *consiga* mudar algo na sua vida, na grande história entre você e Daniel, mas não será aqui.

Quando Luce sentiu seus lábios formarem um biquinho, o rosto de Roland se suavizou.

— Olha... — disse ele. — *Eu*, ao menos, estou feliz por você estar aqui.

— Está?

— Ninguém mais lhe dirá isso, mas todos estamos procurando por você. Não sei o que lhe trouxe aqui ou como essa viagem foi possível, mas preciso acreditar que é um bom sinal. — Ele a estudou até que ela se sentisse ridícula. — Você está se inteirando sobre certas coisas, não está?

— Não sei — respondeu Luce. — Acho que sim. Estou tentando entendê-las.

— Ótimo.

Vozes no corredor fizeram Roland se afastar subitamente de Luce, em direção à porta.

— Nos vemos hoje à noite — disse ele, destrancando a porta e saindo silenciosamente.

Assim que Roland se foi, a porta do armário se abriu e bateu na parte de trás da perna de Luce. Bill saiu, ofegando alto, inspirando como se houvesse prendido a respiração por todo aquele tempo.

— Eu poderia torcer seu pescoço agora mesmo! — exclamou ele, com o peito arfando.

— Não sei por que você está sem ar. Você nem respira.

— É a dramaticidade! Todo o esforço que faço para camuflá-la aqui e você se entrega ao primeiro cara que entra por essa porta.

Luce revirou os olhos.

— Roland não sairá por aí dizendo que me viu. Ele é legal.

— Ah, ele é *tão* legal! — repetiu Bill. — *Tão* esperto. Se ele é tão incrível, por que não lhe disse o que eu sei sobre *não* manter distância do próprio passado? Sobre — fez uma pausa teatral, arregalando os olhos de pedra — *participar*?

Luce se inclinou na direção dele.

— Sobre o que você está falando?

Ele cruzou os braços sobre o peito e colocou a língua de pedra para fora.

— Não vou dizer.

— Bill! — implorou Luce.

— Ainda não, ao menos. Primeiro, vejamos como você se sairá hoje à noite.

Quase no final do dia, Luce conseguiu seu primeiro descanso em Helston. Pouco antes do jantar, a Srta. McGovern anunciou para a cozinha inteira que os empregados da casa precisariam de uma ajuda extra para a festa. Luce e Henrietta, as copeiras mais jovens e mais desesperadas para ver a festa de perto, foram as primeiras a levantar a mão, oferecendo-se.

— Tudo bem, tudo bem. — A Srta. McGovern anotou os nomes das duas, demorando o olhar sobre o cabelo sebento de Henrietta. — Sob a condição de que tomem um banho. As duas. Vocês fedem a cebola.

— Sim, senhorita — entoaram as duas garotas. Porém, assim que a chefe saiu dali, Henrietta se virou para Luce.

— Tomar um banho antes dessa festa? E arriscar que meus dedos fiquem enrugados? Ela está doida!

Luce riu, mas se sentia eufórica enquanto enchia a banheira redonda, de metal, atrás do celeiro. Ela só conseguiu carregar a quantidade de água fervente capaz de tornar seu banho morno, mas, ainda assim, se refestelou na espuma — e na ideia de que, naquela noite, finalmente veria Lucinda. Será que também veria Daniel? Ela pegou emprestado, para a festa, um uniforme limpo de Henrietta. Às 20 horas, os primeiros convidados começaram a chegar, cruzando o grande portão da entrada ao norte da propriedade.

Ao observar, por uma das janelas no corredor da frente, as carruagens iluminadas por lampiões pararem na entrada circular, Luce estremeceu. O foyer estava movimentado. Ao seu redor, os outros empregados se agitavam, mas Luce permanecia imóvel. Era capaz de sentir o tremor no peito que lhe dizia que Daniel estava por perto.

A casa estava linda. Luce dera um breve passeio por ela com a Srta. McGovern na manhã em que começara a trabalhar, mas naquela noite, sob a iluminação de tantos candelabros, ela quase não reconhecia o lugar. Era como se estivesse em um filme de Hollywood. A entrada estava decorada por uma fileira de vasos altos com lírios violeta e a mobília forrada com veludo fora empurrada contra as paredes cobertas por papéis decorativos para abrir espaço para os convidados.

Eles entravam pela porta principal em grupos de dois ou três, e havia convidados tão velhos quanto a grisalha Srta. Constance e tão jovens quanto Luce. Com olhos brilhantes e vestindo capas de verão, as mulheres faziam reverências a homens em ternos e coletes. Garçons em trajes pretos se moviam rapidamente pelo amplo foyer, oferecendo lustrosas taças de cristal com champanhe.

Luce encontrou Henrietta próxima às portas do salão principal, que parecia um canteiro de flores: vestidos extravagantes, de todas as cores e tecidos — organza, tule e seda, com faixas de gorgorão —, enchiam o local. Corsages de cores vivas adornavam os pulsos das jovens, fazendo toda a casa cheirar a verão.

A tarefa de Henrietta era recolher os xales e as bolsas das senhoras que entravam. Luce deveria distribuir os cartões de dança — pequenos livretos de aparência cara, com o brasão familiar dos Constance adornado em joias e costurado à capa; no interior, havia a lista de músicas que seriam executadas pela banda.

— Onde estão todos os homens? — sussurrou Luce a Henrietta.

Henrietta resfolegou:

— Essa é a minha garota! Na sala de fumo, é claro. — Ela agitou a mão para a esquerda, onde um corredor levava às sombras. — Onde, se forem espertos, ficarão até o jantar ser servido. Quem quer ouvir todo aquele blá-blá-blá sobre uma guerra

lá na Crimeia? Não essas damas. Nem eu. E nem você, Myrtle.
— Então, as finas sobrancelhas de Henrietta se ergueram e ela apontou na direção das portas francesas. — Ops, comemorei cedo demais. Parece que um deles escapou.

Luce se virou. Havia um homem no salão cheio de mulheres. Ele estava de costas para elas, mostrando apenas uma cabeleira lisa e negra como breu, e o comprido paletó de um smoking. Conversava com uma mulher loura em um vestido cor-de-rosa claro. Seus brincos de diamante cintilaram quando ela girou a cabeça — e seu olhar encontrou o de Luce.

Gabbe.

A bela anja piscou algumas vezes, como se tentasse decidir se Luce era ou não uma aparição. Depois, ela inclinou a cabeça levemente para o homem com quem conversava, como se tentasse lhe enviar um sinal. Antes dele se virar, Luce já havia reconhecido seu perfil simples e duro.

Cam.

Luce engasgou e derrubou todos os livretos com os cartões de dança. Inclinou-se para a frente e, desastradamente, começou a recolhê-los. Então os enfiou nas mãos de Henrietta e correu dali.

— Myrtle! — exclamou Henrietta.

— Volto já — sussurrou Luce, apressando-se em subir a longa escadaria antes que Henrietta pudesse responder.

A Srta. McGovern demitiria Luce assim que soubesse que ela abandonara seu posto (e os caros cartões de dança) no salão de baile. Porém, esse era o menor dos problemas de Luce. Ela não estava preparada para lidar com Gabbe, não quando ainda precisava se concentrar em encontrar Lucinda.

E não queria topar com Cam de jeito nenhum. Nem na sua vida, nem em qualquer outra. Luce estremeceu, lembrando-se de como ele mirara aquela flecha em direção ao que pensara ser ela na noite em que os Párias tentaram carregar seu reflexo para os céus.

Ah, se Daniel estivesse aqui...

Mas ele não estava. A única coisa que Luce podia fazer era torcer para que ele estivesse esperando por ela — e não bravo demais — quando ela descobrisse o que estava fazendo e voltasse ao presente.

No alto da escadaria, Luce correu para o primeiro cômodo que encontrou. Fechou a porta atrás de si e recostou-se contra ela, tentando recuperar o fôlego.

Estava sozinha em uma saleta. Era um local maravilhoso, com um sofá forrado em veludo marfim e um par de poltronas de couro dispostos ao redor de um piano envernizado. Cortinas em tom vermelho-escuro abraçavam três grandes janelas ao longo da parede à esquerda. A lareira estava acesa, estalando.

Ao lado de Luce, havia uma estante que cobria toda a parede, com fileiras e fileiras cheias de livros encadernados em couro, que iam do chão até o teto. O móvel era tão alto que havia uma daquelas escadas com rodinhas que podia correr ao longo das prateleiras.

Havia um cavalete em um canto, e algo nele chamou a atenção de Luce. Ela nunca havia colocado os pés na mansão dos Constance, porém, bastou pisar no espesso tapete persa para que uma parte da sua memória se despertasse e lhe dissesse que talvez ela já houvesse visto tudo aquilo.

Daniel. Luce lembrou-se da conversa dele com Margaret, no jardim. Eles conversavam sobre suas pinturas. Ele ganhava a vida como artista. O cavalete no canto... Possivelmente era ali onde ele trabalhava.

Ela andou até o objeto. Precisava ver o que ele estava pintando.

Pouco antes de alcançá-lo, um trio de vozes altas a fez pular.

Elas estavam atrás da porta.

Luce congelou, observando a maçaneta ser girada. Não teve escolha a não ser se esconder atrás da pesada cortina de veludo vermelho.

Ela ouviu o som do tafetá farfalhando, de uma porta batendo e de um engasgo em busca de ar. Foram seguidos por risadinhas. Luce colocou uma das mãos em concha sobre a boca e se inclinou levemente, apenas o bastante para espiar.

Lucinda estava a 3 metros de distância, em um vestido branco fantástico com um corpete macio feito de crepe de seda que mostrava parte das costas. Seus cabelos negros estavam presos no alto da cabeça em um conjunto de cachos brilhantes, arrumados de maneira complexa. Seu colar de brilhantes cintilava contra a pele clara, o que lhe dava um ar tão majestoso que Luce quase perdeu o fôlego.

Seu eu era a criatura mais elegante que Luce já havia visto.

— Você está radiante hoje, Lucinda — disse uma voz suave.

— Thomas a cortejou novamente? — brincou outra voz.

Quanto às outras garotas... Uma Luce reconheceu como sendo Margaret, a filha mais velha dos Constance, que havia passeado com Daniel pelo jardim. A outra, uma réplica mais nova de Margaret, devia ser sua irmã caçula. Parecia ter mais ou menos a idade de Lucinda e brincava com ela como uma boa amiga.

E ela tinha razão: Lucinda estava *radiante* mesmo. Provavelmente por causa de Daniel.

Ela desabou no sofá marfim e suspirou de uma forma que Luce jamais suspiraria, em um estilo melodramático que implorava por atenção. Luce soube imediatamente que Bill tinha razão: ela e seu eu do passado não eram nada parecidas.

— *Thomas?* — Lucinda torceu seu pequeno nariz. — O pai dele é um lenhador qualquer...

— Não é, não! — gritou a filha mais nova. — Ele é um lenhador *bastante* incomum! É *rico*.

— Ainda assim, Amélia — disse Lucinda, espalhando a saia ao redor dos seus tornozelos finos. — Ele é praticamente um *operário*.

Margaret se empoleirou no braço do sofá.

— Você não tinha um conceito tão baixo sobre ele na semana passada, quando ele lhe trouxe aquela touca de Londres.

— Bem, as coisas mudam. E eu adoro uma bela touca — Lucinda franziu a testa. — Porém, toucas à parte, direi ao meu pai que não permita que ele me corteje mais.

Assim que parou de falar, sua careta se suavizou em um sorriso sonhador e ela começou a cantarolar. As outras garotas a observaram, incrédulas, enquanto ela cantava baixinho para si, alisando a renda do seu xale e olhando pela janela, em uma direção que estava a centímetros de distância do esconderijo de Luce.

— O que aconteceu com ela? — sussurrou Amélia alto para a irmã.

Margaret desdenhou:

— *Quem* é mais adequado.

Lucinda se levantou e andou até a janela, fazendo Luce se encolher atrás da cortina. Ela sentiu sua pele corar e pôde ouvir o suave cantarolar de Lucinda Biscoe a centímetros dela. Então, ouviu outros passos. Lucinda se afastou da janela e interrompeu sua estranha canção.

Luce arriscou um novo olhar por trás da cortina. Lucinda fora até o cavalete, onde parou, petrificada.

— O que é isso? — Lucinda levantou a tela para mostrá-la às meninas. Luce não pôde ver bem, mas parecia algo bastante comum. Uma espécie de flor.

— É uma obra do Sr. Grigori — respondeu Margaret. — Seus esboços eram muito promissores quando ele chegou, mas receio que algo lhe aconteceu. Há três dias que pinta apenas peônias — deu de ombros, tensa. — Estranho. Os artistas são tão esquisitos.

— Ah, mas ele é *lindo*, Lucinda — disse Amélia tomando-a pela mão. — Precisamos apresentar você ao Sr. Grigori esta noite. Ele tem cabelos louros tão adoráveis, e seus olhos... Ah, seus olhos seriam capazes de fazê-la se derreter!

— Se Lucinda é boa demais para Thomas Kennington e todo o seu dinheiro, duvido muito que um simples pintor estará à sua altura — falou Margaret de uma maneira tão cortante que ficou claro para Luce que ela também nutria sentimentos por Daniel.

— Eu adoraria conhecê-lo — respondeu Lucinda, voltando a cantarolar suavemente.

Luce conteve a respiração. Então Lucinda nem o conhecera? Como era possível, se ela estava tão obviamente apaixonada?

— Vamos, então — disse Amélia, puxando a mão de Lucinda. — Estamos perdendo a festa conversando aqui.

Luce precisava fazer alguma coisa. Porém, segundo o que Bill e Roland disseram, era impossível salvar sua vida do passado. Até mesmo tentar era perigoso demais. Ainda que, de algum modo, ela obtivesse êxito, o ciclo de "Lucindas" que viveram depois dessa poderia ser alterado. A própria Luce poderia ser alterada. Ou, pior.

Eliminada.

Porém, talvez houvesse um jeito de Luce ao menos avisar Lucinda. Para que ela não entrasse nesse relacionamento cega pelo amor. Para que não morresse como punição por uma maldição antiga, sem um grama sequer de compreensão. As garotas estavam quase saindo quando Luce reuniu a coragem para sair de trás da cortina.

— Lucinda!

Seu eu do passado se virou rapidamente, os olhos se estreitando ao cair sobre a roupa de criada de Luce.

— Você estava nos espionando?

Não havia uma faísca sequer de reconhecimento nos seus olhos. Era estranho que Roland houvesse confundido Luce com Lucinda na cozinha enquanto a própria Lucinda parecia não ver semelhança alguma entre elas. O que Roland conseguia ver e essa garota não era capaz de enxergar? Luce respirou fundo e se obrigou a seguir em seu plano frágil.

— N-n-não, espionando, não — gaguejou ela. — Preciso falar com você.

Lucinda gargalhou e olhou para as amigas.

— Eu escutei bem?

— Você não estava distribuindo os cartões de dança? — perguntou Margaret a Luce. — Mamãe não ficará nada feliz ao saber que você está negligenciando suas tarefas. Qual é o seu nome?

— Lucinda — Luce se aproximou, abaixando a voz. — É sobre o artista. O Sr. Grigori.

Lucinda encarou Luce, e algo faiscou entre elas. Lucinda pareceu incapaz de desviar o olhar.

— Continuem sem mim — disse ela às amigas. — Descerei em um instante.

As garotas trocaram olhares confusos, mas obviamente Lucinda era a líder daquele grupo. As amigas saíram sem mais uma palavra.

Na saleta, Luce fechou a porta.

— O que é tão importante? — perguntou Lucinda, antes de se denunciar com um sorriso. — Ele perguntou sobre mim?

— Não se envolva com ele — disse Luce, rapidamente. — Se você o conhecer esta noite, o achará lindo. Desejará se apaixonar por ele. Não faça isso. — Luce se sentiu péssima ao falar sobre Daniel em termos tão duros, mas era a única maneira de salvar a vida de Lucinda.

Lucinda Biscoe bufou, com raiva, e se virou para ir embora.

— Conheci uma garota de, hum, Derbyshire — prosseguiu Luce —, que me contou todos os tipos de história sobre a reputação dele. Ele machucou muitas garotas antes. Ele... Ele as destruiu.

Um ruído de surpresa escapou dos lábios rosados de Lucinda:

— Como se *atreve* a se dirigir a uma dama assim? Quem você pensa que é? Eu gostar ou não desse artista não interessa a você — e apontou um dedo para Luce: — Você está apaixonada por ele, sua prostitutazinha egoísta?

— Não! — Luce recuou como se houvesse recebido um tapa.

Bill a advertira de que aquela Lucinda era muito diferente, mas esse lado feio não poderia ser o único. Senão, como Daniel poderia amá-la? Como poderia ser parte da alma de Luce?

Algo mais profundo *conectava* ambas.

Lucinda estava inclinada sobre o piano, rabiscando um bilhete em um papel. Ela se aprumou, dobrou-o e colocou-o entre as mãos de Luce.

— Não denunciarei seu atrevimento à Sra. Constance — disse ela, olhando Luce com arrogância —, *se* você entregar esse bilhete ao Sr. Grigori. Não perca a chance de salvar seu emprego. — Um segundo depois, ela não era mais do que uma silhueta deslizando pelo corredor, descendo as escadas e voltando à festa.

Luce abriu o bilhete.

Caro Sr. Grigori,
Desde que nos encontramos por acaso na modista, não consigo esquecê-lo. O senhor me encontraria no gazebo esta noite, às 21 horas? Estarei esperando.
Eternamente sua,
Lucinda Biscoe

Luce rasgou a carta em pedacinhos e os atirou na lareira. Se não entregasse o bilhete a Daniel, Lucinda estaria *sozinha* no gazebo. Luce poderia ir até lá, esperar por ela e adverti-la mais uma vez.

Correu até o corredor e virou-se em direção à escada dos serviçais, para descer até a cozinha. Passou pelos cozinheiros, pelos confeiteiros e por Henrietta.

— Você nos encrencou, Myrtle! — gritou a garota para Luce, mas ela já estava saindo.

Luce sentia o ar noturno, frio e seco contra o rosto enquanto corria. Eram quase 21 horas, mas o sol ainda se punha sobre o bosque no lado oeste da propriedade. Ela disparou pela trilha tingida pelo céu cor-de-rosa, passando pelo jardim exuberante, pelo aroma forte e doce das rosas e pelo labirinto de sebes.

Seus olhos alcançaram o local onde ela havia saído do Anunciador e entrado nessa vida. Seus pés percorriam o caminho em direção ao gazebo vazio. Havia parado em um local próximo quando alguém a segurou pelo braço.

Ela se virou.

E ficou cara a cara com Daniel.

Um vento suave soprou os cabelos louros contra a testa dele. Vestindo aquele terno formal e usando um relógio dourado de corrente e uma pequena peônia branca presa à lapela, Daniel estava ainda mais bonito do que ela se lembrava. Sua pele era clara e brilhava contra a luz do sol poente. Seus lábios exibiam o mais leve sorriso. Seus olhos arderam em tom violeta ao vê-la.

Um suspiro suave escapou dos lábios dela. Luce sentiu doer a vontade de se inclinar alguns centímetros e pressionar seus lábios contra os dele. Quis envolver os braços ao redor de Daniel e sentir o local, nos seus ombros largos, onde as asas se desenrolavam. Quis esquecer por que viera até ali e simplesmente abraçá-lo, ser abraçada. Não havia palavras para explicar o quanto sentira falta dele.

Mas, não. Essa visita dizia respeito a Lucinda.

Daniel, o *seu* Daniel, estava distante. Era difícil imaginar o que estaria fazendo ou pensando nesse momento. Era ainda mais difícil imaginar o reencontro deles no final disso tudo. Contudo, não era essa a busca dela? Descobrir o bastante sobre seu passado para realmente poder estar ao lado de Daniel no presente?

— Você não deveria estar aqui — disse ela ao Daniel de Helston. Era impossível que ele soubesse que a Lucinda de Helston queria encontrá-lo ali. Era como se nada pudesse impedir aquele encontro; eles eram atraídos um para o outro, não importava o que acontecesse.

A risada de Daniel era exatamente a mesma, aquela que Luce ouvira pela primeira vez na Sword & Cross, quando ele a beijara; aquela que ela amava. Porém, *esse* Daniel não a conhecia. Não sabia quem ela era, de onde vinha ou o que tentava fazer.

— Você também não deveria estar aqui. — Ele sorriu. — Primeiro, teríamos de dançar no salão, e, depois, quando já nos conhecêssemos, eu a levaria para um passeio ao luar. Mas o sol nem se pôs. O que significa que ainda há muitas danças pela frente. — Ele estendeu a mão. — Meu nome é Daniel Grigori.

Ele sequer percebeu que ela usava um uniforme de criada, não um vestido de baile, e que também não agia como uma garota britânica. Daniel mal a olhara, mas, como Lucinda, estava cego pelo amor.

Assistir a tudo isso desse novo ponto de vista proporcionou uma estranha clareza ao relacionamento deles. Era maravilhoso, mas tragicamente míope. Será que Daniel realmente amava Lucinda, e vice-versa, ou aquilo era apenas um ciclo do qual eles não conseguiam se libertar?

— Não sou eu — disse-lhe Luce com tristeza.

Ele segurou suas mãos. Ela se derreteu um pouco.

— É claro que é você — retrucou ele. — É sempre você.

— Não — replicou Luce. — Não é justo com ela, você não está sendo justo. Além disso, Daniel, ela é *má*.

— Sobre quem você está falando? — Ele parecia não saber se deveria levá-la a sério ou rir.

Com o canto do olho, Luce viu uma figura, em um vestido branco, andando na direção deles, vinda dos fundos da casa.

Lucinda.

Que vinha encontrar Daniel. Chegara cedo. O bilhete dela dizia 21 horas — ao menos antes de Luce atirar seus fragmentos ao fogo.

O coração de Luce começou a bater com força. Não poderia ser pega ali quando Lucinda chegasse. Porém, ao mesmo tempo, ainda não poderia deixar Daniel.

— Por que você a ama? — suas palavras saíram em uma torrente. — O que o faz se apaixonar por ela, Daniel?

Daniel pousou a mão no ombro dela. A sensação foi maravilhosa.

— Calma — pediu ele. — Acabamos de nos conhecer, mas posso prometer que não amo mais ninguém além de...

— Você aí! Sua criada! — Lucinda os vira e, pelo tom da sua voz, não estava nada contente. Ela correu em direção ao gazebo, xingando seu vestido, a grama enlameada e Luce. — O que você fez com meu bilhete, garota?

— A-aquela garota que está vindo... — gaguejou Luce. — Sou eu, de certa maneira. Você nos ama, e eu preciso entender...

Daniel se virou para observar Lucinda, aquela que ele amara, ou que amaria nessa vida. Pôde ver o rosto dela claramente. Pôde ver que havia duas "Lucindas".

Quando se virou para Luce, sua mão, sobre o ombro dela, começou a tremer.

— É você, a outra. O que você fez? Como fez isso?

— Você aí! Garota! — Lucinda vira a mão de Daniel sobre o ombro de Luce. Seu rosto inteiro se contraiu. — Eu sabia! — gritou ela, correndo ainda mais rápido. — Afaste-se dele, sua interesseira!

Luce sentiu o pânico dominá-la. Não tinha escolha além de fugir. No entanto, antes, tocou a face de Daniel.

— É mesmo amor? Ou apenas a maldição o que nos une?

— É amor — disse ele, engasgado. — Não sabe disso?

Ela se libertou do toque dele e fugiu, correndo rápida e furiosamente pelo gramado rumo ao bosque de vidoeiros e à grama alta onde ela chegara àquela vida. Seus pés se prenderam em algo e ela tropeçou, caindo no chão. Tudo doía. E ela estava com raiva. Furiosa. Com Lucinda, por ser tão nojenta. Com Daniel, pelo jeito como simplesmente se apaixonava sem pensar. Consigo mesma, pela sua impotência em fazer algo que pudesse mudar o destino. Lucinda morreria — e o fato de Luce estar ali não importava. Batendo os punhos contra a grama, ela soltou um gemido de frustração.

— Pronto, pronto. — Uma mãozinha minúscula de pedra acariciou suas costas.

Luce a afastou.

— Me deixe em paz, Bill.

— Ei, foi um esforço corajoso. Você realmente chegou às trincheiras dessa vez. Mas... — Bill deu de ombros — Agora, acabou.

Luce se sentou e olhou para ele. Sua expressão convencida fez com que ela quisesse voltar ao gazebo e dizer a Lucinda quem ela realmente era — e como seriam as coisas dali a não muito tempo.

— Não. — Luce se levantou. — Não acabou.

Bill empurrou-a novamente para o chão. Era espantosamente forte para uma criatura tão pequena.

— Ah, acabou, sim. Vamos, entre no Anunciador.

Luce se virou para onde Bill apontava. Sequer havia notado o espesso portal preto que flutuava na frente dela. Seu cheiro de mofo a enojou.

— Não.

— *Sim* — insistiu Bill.

— Foi você quem me disse para ir devagar, para começo de conversa.

— Olhe, vou lhe dar o resumo da ópera: você é uma vaca nessa vida, e Daniel não está nem aí. Que choque! Ele a corteja por algumas semanas e lhe traz flores. Há um grande beijo e, aí, *cabum*. OK? Não há muito mais do que isso.

— Você não entende.

— O quê? Não entendo por que os vitorianos são tão entediantes quanto ter uma insolação e tão chatos quanto assistir a um papel de parede descascar? Ah, por favor, se você vai ziguezaguear pelo passado, faça *valer a pena*. Vamos dar uma volta pelos *melhores momentos*.

Luce não cedeu.

— Existe algum jeito de fazer você desaparecer?

— Será que precisarei enfiar você nesse Anunciador como um gato em uma mala? Vamos embora!

— Preciso saber que ele *me* ama e não apenas a uma *ideia* de mim, por causa de uma maldição à qual está preso. Preciso sentir que algo mais forte nos une. Algo verdadeiro.

Bill sentou-se ao lado de Luce, na grama. Então, pareceu pensar melhor a respeito e foi até o colo dela. Inicialmente, ela quis atirá-lo longe — ele e as moscas que voavam em torno da sua cabeça —, mas, quando Bill a olhou, pareceu sincero.

— Querida, o amor de Daniel por você é a última coisa com a qual deveria se preocupar. Vocês são *almas gêmeas*, caramba! Vocês cunharam essa expressão. Não precisa andar por aí para ver isso. Esse amor está em todas as suas vidas.

— O quê?

— Você quer ver o amor verdadeiro?

Ela assentiu.

— Venha — e puxou a mão dela, para que se levantasse. O Anunciador pairou na frente deles e se metamorfoseou em uma nova forma, até quase parecer uma tenda. Bill pairou no ar, enganchou o dedo em um ferrolho invisível e o puxou. O Anunciador se transformou novamente, abaixando-se como uma ponte levadiça, até que Luce somente pôde ver um túnel escuro.

Ela olhou para trás, na direção de Daniel e Lucinda, mas não conseguiu enxergá-los — apenas suas silhuetas unidas, como borrões coloridos.

Bill gesticulou com a mão livre em direção ao Anunciador.

— Entre aí.

E foi o que ela fez.

OITO

OBSERVANDO À DISTÂNCIA
Helston, Inglaterra · 26 de julho de 1854

As roupas de Daniel estavam desbotadas pelo sol e sua bochecha, suja de areia, quando ele acordou na desolada costa da Cornualha. Poderia ter se passado um dia, uma semana ou um mês desde que começara a vagar sozinho. Não importava quanto tempo fora: ele o gastara punindo a si mesmo por seu erro.

Encontrar Lucinda daquela maneira, na modista, fora um erro tão grave que a alma de Daniel ardia sempre que ele pensava a respeito.

E ele não conseguia não pensar a respeito.

Não pensar nos lábios rosados e fartos dela formando aquelas palavras: *Acho que eu o conheço. Por favor, espere.*

Tão adoráveis e perigosos.

Ah, por que não poderia ter sido algo à toa? Uma breve troca de palavras depois da cortejo entre eles? Então, talvez não importasse tanto. Mas, um primeiro encontro? Lucinda Biscoe o vira primeiro, conhecera o Daniel errado. Ele poderia ter colocado tudo a perder. Poderia ter distorcido o futuro de tal forma que essa Luce talvez já estivesse morta, alterando o destino além da possibilidade de reconhecimento...

Porém: se houvesse sido assim, ele não teria a sua Luce na lembrança. O tempo haveria se consertado e ele não sentiria arrependimento, pois essa Luce seria diferente.

Seu eu do passado deve ter reagido a Lucinda Biscoe de maneira a encobrir o erro do Daniel atual. Ele não conseguia se lembrar exatamente de como tudo começara, somente de como terminara. Todavia, não importava: não se aproximaria do seu eu para avisá-lo, por medo de topar novamente com Lucinda e criar um estrago ainda maior. Tudo o que podia fazer era recuar e esperar.

Estava acostumado à eternidade, mas isso era o Inferno.

Daniel perdeu a noção do tempo, deixou-se vagar ao som das ondas do mar que batiam na praia. Por algum tempo, ao menos.

Ele poderia facilmente continuar sua busca, entrando em um Anunciador e perseguindo Luce até a próxima vida que ela visitasse. No entanto, por algum motivo, continuou em Helston, esperando até que a vida de Lucinda Biscoe terminasse.

Ao acordar naquele fim de tarde, com o céu manchado por nuvens arroxeadas, Daniel sentiu. Estava em meados do verão. Era a noite em que ela morreria. Limpou a areia da pele e teve aquela sensação estranha nas suas asas escondidas. Seu coração pulava a cada batida.

Era a hora.

A morte de Lucinda aconteceria quando a noite caísse.

O eu anterior de Daniel estaria sozinho na saleta dos Constance, desenhando Lucinda Biscoe pela última vez. Suas malas estariam à porta, vazias como sempre a não ser pelo estojo de couro para lápis, uns poucos cadernos de rascunho, seu livro sobre os Guardiões um par extra de sapatos. Ele realmente planejara partir por mar na manhã seguinte. Que mentira.

Nos momentos que antecediam as mortes de Luce, Daniel raramente era honesto consigo. Sempre se perdia no seu amor. Sempre se enganava, embriagava-se com a presença dela e perdia a noção de como tudo deveria acontecer.

Lembrou-se particularmente bem de como tudo terminara naquela vida: com ele negando que ela precisaria morrer até o último momento, no qual a pressionara contra as cortinas de veludo cor de rubi e a beijara até o derradeiro fim.

Então ele amaldiçoara o próprio destino e criara uma cena desagradável. Ainda era capaz de sentir a agonia, recente como uma marca a ferro quente na sua pele. E lembrou-se da visita.

Esperando pelo pôr do sol, ele ficou parado, sozinho na praia, e deixou as águas tocarem seus pés descalços. Fechou os olhos, abriu os braços e permitiu que as asas irrompessem das cicatrizes nos seus ombros. Elas se abriram atrás dele, batendo ao vento e dando-lhe uma sensação de leveza que lhe trouxe uma paz momentânea. Pelo reflexo delas na água, ele pôde perceber como eram brilhantes, como o faziam parecer enorme e feroz.

Às vezes, quando Daniel se sentia extremamente inconsolável, recusava-se a libertar suas asas. Era um castigo que impunha a si mesmo. O alívio profundo e a sensação palpável e incrível de liberdade que desenrolar as asas dava à sua alma parecia falsa, como uma droga. Naquela noite, ele se permitiu esse êxtase.

Dobrou os joelhos na direção da areia e saltou para os ares.

Alguns metros acima da água, ele se virou rapidamente, de forma a ficar de costas para o oceano, com as asas abertas sob o corpo como uma balsa brilhante e magnífica.

Ele deslizou pela superfície, alongando os músculos a cada batida demorada das asas, deslizando sobre as ondas até que a cor das águas mudasse de azul-turquesa para azul-marinho. Então, mergulhou. Suas asas estavam quentes em contraste com o mar, criando um pequeno rastro violeta que o rodeou.

Daniel adorava nadar. A temperatura fria da água, o ritmo imprevisível da corrente, a sincronia entre o oceano e a lua. Era um dos poucos prazeres terrenos que ele realmente compreendia. Acima de tudo, ele adorava nadar com Lucinda.

A cada batida das asas, Daniel imaginava Lucinda com ele, deslizando graciosamente pelas águas como fizera tantas vezes, desfrutando do seu brilho morno.

Quando a lua brilhou no céu escuro e Daniel se encontrava próximo à costa de Reykjavik, ele disparou para fora das águas. Para cima e em linha reta ele se foi, batendo as asas com tanta ferocidade que afastou o frio.

O vento golpeava as laterais do seu corpo, secando-o em segundos enquanto ele subia cada vez mais. Ele irrompeu entre blocos de nuvens cinzentas, virou-se para trás e navegou sob a expansão estrelada do céu.

Suas asas batiam de maneira livre, profunda e forte, cheias de amor, terror e pensamentos sobre Luce, brilhando tanto na superfície das águas que pareciam feitas de diamantes. Ele alcançou uma alta velocidade enquanto voava para as ilhas Faroe e atravessava o mar da Irlanda. Passou pelo canal Saint George e, por fim, chegou novamente a Helston.

Como era contra sua natureza ver a garota que amava aparecer diante dele simplesmente para morrer!

Porém, Daniel deveria enxergar além daquele momento e daquela dor. Precisava pensar em todas as "Lucindas" que viriam após esse sacrifício — e naquela que ele perseguia, a última Luce, que daria um fim a esse ciclo amaldiçoado.

A morte de Lucinda esta noite era a única maneira de vencerem, a única maneira de terem uma chance.

Quando chegou à mansão dos Constance, a casa estava escura e o ar, quente e parado.

Ele fechou as asas contra o corpo, desacelerando durante a descida ao sul da propriedade. Ali estava o teto branco do gazebo, com uma vista privilegiada dos jardins. Ali estava a trilha de pedrinhas banhada pelo luar, pela qual ela caminhara momentos antes, saindo escondida da casa do pai após todos adormecerem. Sua camisola fora coberta por um longo manto negro, a modéstia esquecida na pressa para encontrá-lo.

E ali estava: a luz na saleta, o candelabro que a atraíra até ele. As cortinas estavam entreabertas o bastante para que Daniel espiasse sem arriscar ser visto.

Ele alcançou a janela da saleta, no segundo andar da mansão, e deixou que suas asas batessem levemente, pairando como um espião.

Ela já havia chegado? Ele inspirou vagarosamente, deixando suas asas inflarem, e pressionou o rosto contra o vidro.

Somente Daniel estava ali, desenhando furiosamente em seu bloco de rascunhos, em um canto. Seu eu parecia exausto e arrasado. Ele podia se lembrar perfeitamente daquela sensação — de observar o ponteiro negro do relógio na parede, esperando, a todo o momento, que ela irrompesse pela porta. Ficara tão espantado quando ela o surpreendeu, silenciosamente, quase surgindo por trás das cortinas!

E ficou surpreso mais uma vez quando ela apareceu.

Sua beleza ultrapassou as mais fantasiosas expectativas naquela noite. Todas as noites. Ela sempre tinha a face rosada pelo amor que sentia, mas não compreendia. Os cabelos negros caíam em uma trança longa e lustrosa. E havia a maravilhosa leveza da camisola, como uma teia de aranha flutuando ao redor de toda aquela pele perfeita.

Justo nesse momento, seu eu do passado se levantou e virou-se. Quando percebeu aquela belíssima visão à sua frente, a dor se evidenciou no seu rosto.

Se houvesse algo que Daniel pudesse fazer para ajudá-lo a passar por isso, teria feito. Porém, pôde apenas ler os lábios dele.

O que está fazendo aqui?

Luce se aproximou, e sua face ficou ainda mais corada. Eles se atraíram como ímãs, por uma força maior que eles mesmos, e foram repelidos com quase o mesmo vigor no instante seguinte.

Daniel pairava do lado de fora, agoniado.

Não podia olhar. Precisava olhar.

A forma como eles procuravam um ao outro somente foi hesitante até que a pele dele se conectasse à dela. Então, tornaram-se instantânea e vorazmente apaixonados. Não estavam sequer se beijando; apenas conversavam. Quando seus lábios quase se tocaram, o mesmo aconteceu com suas almas, e uma aura branca, ardente e pura formou-se ao redor deles, da qual não tiveram consciência.

Era algo que Daniel nunca presenciara externamente.

Era isso o que Luce queria ver? Uma prova visual de como o amor deles era verdadeiro? Para Daniel, aquele amor era praticamente uma parte integrante dele, tanto quanto suas asas. Porém, para Luce, era diferente. Ela não tinha acesso ao esplendor do amor deles, apenas ao seu fim incendiário.

Cada momento seria uma completa revelação.

Ele encostou a face contra o vidro, suspirando. Dentro do cômodo, seu eu cedia, perdendo a determinação que desde o início fora, de qualquer modo, uma fachada. Suas malas estavam prontas, mas era Lucinda quem precisaria partir.

O Daniel do passado tomou-a nos braços; mesmo pela janela, Daniel era capaz de sentir o aroma suave e profundo da pele dela. Invejou a si mesmo, que lhe beijava o pescoço e corria as mãos pelas suas costas. Seu desejo era tão intenso que poderia destroçar a janela, se ele não houvesse se forçado a recuar.

Ah, vá com calma, desejou ele ao seu eu. Faça durar um pouco mais. Dê mais um beijo. Mais uma doce carícia antes de toda a sala tremer e os Anunciadores começarem a tremular nas sombras.

O vidro se aqueceu contra sua face. Havia começado.

Ele quis fechar os olhos, mas não pôde. Lucinda se retorceu nos braços de Daniel. Seu rosto se contorceu de dor. Ela olhou para cima e seus olhos se arregalaram ao ver as sombras dançando no teto. Ter *alguma* compreensão já era demais para ela.

Ela gritou.

E explodiu em uma torre fulgurante de chamas.

Na sala, o eu do passado de Daniel foi arremessado contra a parede, caiu e continuou encolhido no chão, parecendo nada mais que um esboço de homem. Ele enterrou o rosto no tapete e tremeu.

Do lado de fora, Daniel observou, com um espanto que nunca sentira, o fogo subir pelos ares e pelas paredes, sibilando como um molho fervendo em uma panela e desaparecendo sem deixar nenhum vestígio dela.

Milagroso. Cada polegada do corpo de Daniel formigava. Se aquilo não houvesse destruído tão completamente seu eu do passado, talvez ele considerasse quase belo o espetáculo da morte de Lucinda.

Seu eu se levantou lentamente. Sua boca se abriu e suas asas irromperam do paletó preto, ocupando quase a sala inteira. Ele ergueu os punhos fechados em direção ao céu e berrou.

Daniel não pôde mais suportar. Jogou uma das asas contra a janela, arremessando cacos de vidro noite afora. Depois, forçou sua passagem pelo buraco cheio de arestas.

— O que está fazendo aqui? — perguntou, engasgado, seu eu anterior, com a face molhada por lágrimas. Com os pares de asas completamente abertas, quase não havia espaço para ambos na grande saleta. Eles giraram os ombros para trás o máximo possível para se afastarem um do outro. Ambos conheciam os perigos de se tocarem.

— Eu estava assistindo — respondeu Daniel.

— Você... O quê? Você voltou para *assistir*? — Seu eu abriu os braços e as asas. — Era isso o que você queria ver? — A profundidade da tristeza dele era dolorosamente evidente.

— Isso precisava acontecer, Daniel.

— Não me venha com essas mentiras! Não se atreva. Você está novamente ouvindo os conselhos de Cam?

— Não! — Daniel quase gritou. — Escute: há uma época, não muito distante, quando teremos uma chance de inverter esse jogo. Algo mudou... As coisas estão diferentes. Teremos a oportunidade de não mais repetir isso. Lucinda talvez finalmente...

— Quebre o ciclo? — sussurrou seu eu do passado.

— Sim. — Daniel começava a ficar tonto. Havia versões demais dele mesmo naquela sala. Era hora de partir. — Levará algum tempo — instruiu ele, voltando a se virar ao chegar perto da janela —, mas mantenha a esperança.

Então, Daniel passou pela janela quebrada. As próprias palavras — *mantenha a esperança* — ecoaram na sua mente enquanto ele alçava voo, mergulhando nas sombras da noite.

NOVE

E ASSIM SEGUIMOS EM FRENTE
Taiti, Polinésia Francesa • 11 de dezembro de 1775

Luce se viu equilibrada sobre uma viga de madeira cheia de farpas.

A peça estalou quando se inclinou um pouco para a esquerda; depois, rangeu novamente ao virar bem devagar para direita. A oscilação era constante e ininterrupta, como se a viga estivesse presa a um pêndulo minúsculo.

Um vento quente fez com que seus cabelos batessem no seu rosto e soprou para longe seu chapéu de criada. A viga aos seus pés balançou mais uma vez, e Luce escorregou. Ela caiu em cima da viga, e mal conseguiu abraçar-se a ela antes de despencar...

Onde ela estava? À sua frente, havia o azul infinito do céu. Um tom de azul mais escuro se formava onde deveria estar o horizonte. Ela olhou para baixo.

Aquilo era incrivelmente alto.

Ela estava no topo de um poste molhado de 30 metros de comprimento, que acabava em um convés de madeira. *Ah!* Era um mastro. Luce estava sentada no alto de um enorme veleiro.

Um enorme veleiro *encalhado*, a poucos metros de uma ilha de areia escura.

O casco fora violentamente esmagado contra rochas vulcânicas afiadas, que o deformaram impiedosamente. A vela principal estava em frangalhos: pedacinhos de lona balançavam livremente ao vento. O ar tinha o aroma de uma manhã após uma grande tempestade, mas o navio estava tão destruído que parecia estar ali havia anos.

Cada vez que as ondas quebravam na praia de areia escura, a água subia alguns de metros sobre as reentrâncias das rochas. As ondas faziam o barco naufragado — e o mastro no qual Luce se segurava — balançar tanto que ela se sentiu enjoada.

Como desceria? Como chegaria até a praia?

— Ahá! Olhe quem aterrissou como um pássaro em um poleiro! — soou a voz de Bill sobre o barulho das ondas se quebrando. Ele surgiu na outra ponta do convés apodrecido, caminhando com os braços abertos como se tentasse se equilibrar sobre uma corda bamba.

— Onde estamos? — Luce estava nervosa demais para fazer qualquer movimento repentino.

Bill inspirou uma enorme quantidade de ar.

— Não consegue sentir o gosto? Na costa norte do Taiti! — Ele desabou perto de Luce, chutou o ar com suas perninhas rechonchudas, esticou os braços cinzentos e curtos para cima e fechou as mãos atrás da cabeça. — É ou não é um paraíso?

— Acho que vou vomitar.

— Besteira. Você só precisa se acostumar.

— Como chegamos...? — Luce olhou ao redor mais uma vez, em busca de um Anunciador. Não viu uma sombra sequer, apenas o azul puro do céu.

— Cuidei da logística para você. Pense em mim como seu agente de viagens; e em você, como alguém de férias!

— Não estamos de férias, Bill.

— Não? Pensei que estivéssemos no Grande Tour do Amor. — esfregou a testa; flocos de pedra caíram como chuva do seu couro cabeludo. — Entendi mal?

— Cadê Lucinda e Daniel?

— Espere aí — pairou no ar, em frente a Luce. — Não quer um pouquinho de história?

Luce o ignorou e tentou descer do mastro. Esticou um pé instável até a estaca mais alta presa às laterais.

— Não quer mesmo uma mãozinha?

Ela prendia a respiração, tentando não olhar para baixo enquanto seu pé deslizava para a estaca de madeira pela terceira vez. Por fim, engoliu em seco e estendeu a mão para a garra fria e áspera que Bill lhe estendia.

Quando a segurou, ele a puxou para frente e arrancou-a do mastro. Ela soltou um gritinho quando o vento úmido bateu no seu rosto, fazendo a saia do vestido inflar ao redor da sua cintura. Fechou os olhos e esperou cair no convés apodrecido.

Mas não caiu.

Ouviu um *fluuush* e sentiu seu corpo ser pego no ar. Abriu os olhos. As asas atarracadas de Bill estavam abertas contra o vento. Ele suportava o peso dela com apenas uma das mãos, levando-a vagarosamente até a praia. Parecia um milagre o quanto ele era ágil e leve. Luce se surpreendeu ao se perceber relaxada — de algum modo, àquela altura, a sensação de voar lhe era natural.

Daniel. Enquanto o vento a rodeava, o desejo de estar com ele dominou-a. Queria ouvir sua voz e sentir o gosto dos seus lábios — Luce não conseguia pensar em mais nada. O que não daria para estar nos braços dele naquele instante!

O Daniel que encontrara em Helston, por mais feliz que tenha ficado ao vê-la, não a *conhecia* verdadeiramente. Não como o seu Daniel a conhecia. Onde ele estaria agora?

— Sente-se melhor? — perguntou Bill.

— Por que estamos aqui? — perguntou ela enquanto voavam sobre as águas. Elas eram tão claras que Luce podia ver sombras escuras se movendo embaixo delas: cardumes enormes, nadando com facilidade e seguindo a linha costeira.

— Vê aquele coqueiro? — Bill apontou para a frente com sua garra livre. — O mais alto, o terceiro a partir do banco de areia?

Luce assentiu, piscando.

— É ali que seu pai dessa vida construiu sua cabana. A melhor da praia! — Bill tossiu. — Na verdade, a *única* da praia. Os britânicos ainda não descobriram essa parte da ilha. Então, quando seu papaizinho sai pra pescar, você e Daniel têm o lugar praticamente para vocês.

— Daniel e eu... moramos aqui... juntos?

De mãos dadas, Luce e Bill tocaram a praia com a elegância suave de bailarinos. Luce se sentia grata (e um pouco chocada) pela facilidade com que ele conseguira tirá-la do mastro do navio, mas, assim que pisou em terra firme, puxou a mão da sua garra pegajosa e limpou-a no avental.

O lugar era impressionantemente lindo. As águas cristalinas quebravam na estranha e adorável praia de areia escura. Árvores cheias de frutos cor de laranja e coqueiros se reclinavam ao longo do litoral. Além das árvores, montes se erguiam desde a névoa da floresta tropical e cachoeiras desciam pelas encostas. O vento não era forte; ainda melhor, era repleto do aroma de hibiscos. Era difícil imaginar passar as férias ali, que dirá uma vida inteira.

— *Você* morou aqui — começou a explicar Bill, caminhando ao longo da praia e deixando pequenas pegadas na areia escura. — Seu pai e os dez outros nativos moravam a uma distância que podia ser transposta por canoa. Eles chamavam você de... Bem, o som era parecido com *Lulu*.

Luce andava rapidamente para acompanhar o ritmo de Bill, enrolando a saia do seu uniforme de criada em Helston para que não se arrastassem pela areia. Ela parou e fez uma careta.

— O que foi? — perguntou Bill. — Eu acho bonitinho, Lulu. *Lululululu*.

— Pare com isso.

— Enfim, Daniel era uma espécie de explorador trapaceiro. Sabe aquele navio? Seu incrível namorado o roubou da frota particular de George III — olhou para trás, em direção ao naufrágio —, mas o capitão Bligh e sua tripulação amotinada ainda levarão dois anos para encontrar Daniel por aqui, e a essa altura... Você sabe.

Luce engoliu em seco. Daniel provavelmente já iria ter partido até lá, pois Lucinda estaria morta haveria muito tempo.

Eles chegaram a uma clareira cercada por palmeiras. Um rio salobro fluía em volteios entre o mar e um pequeno lago de água doce, afastado do oceano. Luce se equilibrou ao longo de algumas pedras achatadas para atravessar as águas. Ela suava por baixo das anáguas e pensou em arrancar aquele vestido sufocante e mergulhar no mar.

— Quanto tempo ainda tenho com Lulu? — perguntou ela. — Antes que tudo aconteça?

Bill levantou as mãos.

— Achei que você somente queria uma prova de que o amor entre você e Daniel é verdadeiro.

— E quero.

— Para isso, não será preciso mais que dez minutos.

Eles chegaram a uma trilha curta, ladeada por orquídeas, que se curvava em outra praia deserta. Havia uma pequena cabana, com teto de palha sobre palafitas, perto das águas azuis claras. Atrás da cabana, um coqueiro tremulava.

Bill se empoleirou no ombro dela, pairando no ar.

— Dê uma olhada nela — disse apertando sua garra de pedra na direção ao coqueiro.

Luce observou, espantada, enquanto um par de pés emergia das folhagens altas do coqueiro tremulante. Então, uma garota vestindo nada além de uma saia trançada e um enorme colar de flores, atirou quatro cocos marrons e peludos na praia antes de descer pelo tronco nodoso até o chão.

Seu cabelo comprido estava solto, e suas mechas escuras refletiam a luz do sol. Luce conhecia perfeitamente a maneira como os cabelos, que desciam em ondas até abaixo da sua cintura, faziam cócegas em nos seus braços. O sol dera à pele de Lulu um tom marrom dourado e profundo — mais escuro do que a pele de Luce jamais ficara, mesmo depois de passar um verão inteiro na casa de praia da sua avó, em Biloxi —, e seu rosto e braços estavam cobertos por tatuagens geométricas escuras. Ela estava em algum ponto entre completamente irreconhecível e absolutamente idêntica a Luce.

— Uau! — sussurrou Luce enquanto Bill a puxava para trás de uma árvore de flores roxas. — Ei... ei! O que está fazendo?

— Levando você a um ponto de observação mais privilegiado. — Bill arrastou-a pelos ares, voando sobre a abóbada de folhas. Depois que as árvores ficaram para trás, levou-a até um galho alto e forte e colocou-a ali, de onde ela podia ver toda a praia.

— Lulu!

A voz penetrou a pele de Luce e atingiu diretamente seu coração. A voz de Daniel. Ele a chamava. Ele a queria; precisava dela. Luce se moveu em direção ao som. Sequer notou que começara a se levantar do galho alto, como se pudesse simplesmente sair andando do topo da árvore e voar até ele, quando Bill a segurou pelo cotovelo.

— Exatamente por isso precisei arrastar seu traseiro de *popa'a** até aqui. Ele não está falando com você, está falando com *ela*.

— Ah... — Luce voltou a sentar-se, pesadamente. — Certo.

Na areia escura, a garota com os cocos, Lulu, corria. E, do outro lado da praia, em direção a ela, vinha Daniel.

Estava sem camisa, maravilhosamente bronzeado e musculoso, vestindo apenas calças azul-marinho desfiadas nas barras. Sua pele brilhava após um recente mergulho. Seus pés descalços chutavam a areia para cima. Luce invejou a água, invejou a areia. Invejou tudo o que podia tocar Daniel enquanto ela estava presa em cima daquela árvore. E, mais do que tudo, invejou Lulu.

Correndo na direção dela, Daniel pareceu mais feliz e natural do que Luce podia lembrar. Sentiu vontade de chorar.

Eles se alcançaram. Lulu atirou os braços ao redor dele e ele a ergueu, rodando-a no ar. Então a colocou novamente no chão e a encheu de beijos, desde as pontas dos seus dedos e seus antebraços até seus ombros, seu pescoço, sua boca.

---

* Palavra taitiana para "europeu". (*N. da T.*)

Bill se recostou no ombro de Luce.

— Olhe, me acorde quando eles chegarem na parte boa — disse ele, bocejando.

— Seu tarado! — Ela desejou dar um tapa nele, mas não queria tocá-lo.

— Eu quis dizer na parte das tatuagens, sua mente suja. Eu curto *tattoos*, tá?

Quando Luce voltou a observar o casal na praia, Lulu levava Daniel até uma esteira estendida na areia, não muito longe da cabana. Daniel puxou um facão curto, preso no seu cinto e pegou um dos cocos. Após alguns golpes, abriu-lhe o topo e entregou-lhe a Lulu. Ela bebeu avidamente, deixando a água escorrer pelos cantos da boca. Daniel beijou seus lábios para limpá-los.

— Não tem nenhuma tatuagem, eles só estão... — Luce se interrompeu quando Lulu sumiu dentro da cabana. Ela reapareceu um momento depois, carregando um pequeno embrulho enrolado em folhas de coqueiro. Desembrulhou uma ferramenta que parecia um pente de madeira. As cerdas brilharam ao sol, como se fossem afiadas. Daniel se deitou na esteira, vendo Lulu mergulhar o pente em uma larga e rasa concha cheia de um pó preto.

Lulu lhe deu um beijo rápido e, então, começou.

Começando pelo osso esterno, ela tocou a pele dele com o pente. Trabalhava rapidamente, pressionando com força e rapidez e deixando manchas do pigmento negro tatuadas na pele de Daniel. Luce começou a vislumbrar um desenho: era um padrão xadrez de pequenos quadrados, que tomaria todo o peitoral.

A única visita de Luce a um estúdio de tatuagem fora em New Hampshire, com Callie, que queria o desenho de um coração minúsculo no quadril. O procedimento levara menos de um minuto, e Callie berrou o tempo inteiro. Ali, porém, Daniel ficou deitado em silêncio, sem emitir nenhum som e sem tirar os olhos de Lulu. Demorou muito, e Luce sentia o suor escorrer pelas suas costas enquanto assistia.

— E aí? Que tal? — Bill a cutucou. — Prometi ou não prometi que lhe mostraria o amor?

— Claro, eles parecem apaixonados — Luce deu de ombros. — Mas...

— Mas o quê? Você tem alguma ideia de como isso dói? Olhe esse cara! Ele faz ser tatuado parecer a carícia de uma brisa suave.

Luce se retorceu sobre o galho.

— É essa a lição? Tipo, dor equivale a amor?

— Diga-me você — retrucou Bill. — Talvez fique surpresa em ouvir isso, mas as garotas não estão exatamente batendo na porta de Bill.

— Quero dizer... Se eu tatuasse o nome de Daniel no meu corpo, isso significaria que eu o amo mais?

— É um símbolo, Luce — Bill soltou um suspiro rouco. — Você está sendo literal demais. Pense da seguinte maneira: Daniel é o primeiro garoto bonito que Lulu viu em toda a sua vida. Até ele naufragar por aqui, meses atrás, o mundo dessa garota era seu pai e alguns nativos gordos.

— Ela é a Miranda — disse Luce, lembrando-se da história de amor de *A tempestade*, que havia lido para um seminário sobre Shakespeare, no primeiro ano do ensino médio.

— Como você é culta! — Bill apertou os lábios em aprovação. — Eles são mesmo como Ferdinando e Miranda: o estrangeiro bonitão que naufraga na terra dela...

— Então, é claro que, para Lulu, foi amor à primeira vista — sussurrou Luce. Era o que ela temia: o mesmo amor irracional e automático que a incomodara em Helston.

— Certo — disse Bill. — Ela não teve escolha além de se apaixonar por ele. Porém, o mais interessante é Daniel. Ele não *precisava* ensinar a ela como fazer uma vela para velejar, conquistar a confiança do seu pai pescando o equivalente a uma temporada inteira de peixes ou, a terceira prova — Bill apontou para os amantes na praia —, concordar em tatuar o corpo inteiro segundo o costume local dela. Teria sido o bastante para Daniel simplesmente aparecer por ali, pois Lulu o amaria do mesmo jeito.

— Ele está fazendo isso porque... — Luce pensou em voz alta. — Porque deseja conquistar o amor dela. Porque, senão, ele somente estaria se aproveitando da maldição. Porque, não importa o tipo de ciclo ao qual eles estão presos, o amor dele por ela é... verdadeiro.

Então, por que Luce não estava completamente convencida?

Na praia, Daniel se sentou. Segurou Lulu pelos ombros e beijou-a ternamente. Seu peito sangrava por causa das tatuagens, mas eles não pareciam notar. Seus lábios mal se abriram; seus olhos não se desgrudavam.

— Quero ir embora — falou Luce, de repente, para Bill.

— Sério? — Bill piscou, levantando-se sobre o galho da árvore como se ela o tivesse assustado.

— Sim, sério. Já consegui aquilo que vim buscar e estou pronta para seguir em frente. Agora. — Ela também tentou se levantar, mas o galho oscilou sob seu peso.

— Hã... Tudo bem. — Bill segurou-lhe o braço para que ela se equilibrasse. — Para onde?

— Não sei, mas vamos logo. — O sol estava se pondo atrás deles, alongando a sombra dos amantes sobre a areia. — Por favor, quero guardar uma boa lembrança. Não quero vê-la morrer.

O rosto de Bill se contraiu e ele parecia confuso, mas não disse nada.

Luce não podia esperar mais. Fechou os olhos e permitiu que seu desejo chamasse um Anunciador. Quando abriu os olhos, viu um tremor na sombra de um pé de maracujá. Concentrou-se, convocando-a com todas as suas forças, até o Anunciador tremular.

— Vamos — disse ela, rangendo os dentes.

Por fim, o Anunciador se libertou e deixou a árvore. Ele atravessou os ares, pairando na frente dela.

— Calma aí — disse Bill, flutuando acima do galho. — Desespero e viagens em Anunciadores não combinam. É tipo picles e chocolate.

Luce o encarou.

— Quero dizer... Não se desespere a ponto de perder de vista aquilo que deseja.

— Eu *desejo* sair daqui — retrucou Luce, mas não conseguia que a sombra assumisse uma forma estável, por mais que tentasse. Ela não observava Daniel e Lulu na praia, porém, podia sentir a escuridão tomando o céu. Não eram nuvens de chuva.

— Bill, você me ajuda?

Ele suspirou, estendendo a mão em direção à massa escura no ar e atraindo-a para si.

— Essa sombra é sua, você sabe. Estou manipulando-a, mas é o *seu* Anunciador e o *seu* passado.

Luce assentiu.

— Isso significa que você não tem ideia de aonde ele a levará, e eu não tenho nenhuma responsabilidade sobre o que pode acontecer.

Ela assentiu mais uma vez.

—Tudo bem, então. — Bill esfregou uma parte do Anunciador até que ela escurecesse; depois, capturou o ponto negro com uma das garras e puxou-o. Ele serviu como uma espécie de maçaneta. Um odor de mofo irrompeu do Anunciador, fazendo Luce tossir.

— É, eu também estou sentindo — comentou Bill. — Esse é dos antigos — gesticulou para que ela entrasse. — Primeiro as damas.

Prússia • 7 de janeiro de 1758

Um floco de neve tocou o nariz de Luce.

Depois outro, e mais outro, e outros mais — até que uma tempestade de flocos enchesse o ar e tudo se tornasse branco e frio. Ela expirou uma grande nuvem de vapor no ar gelado.

De alguma maneira, sabia que eles acabariam parando ali, embora não tivesse muita certeza de *onde* estavam. Sabia apenas que o céu da tarde estava negro graças a uma tempestade furiosa, e que a neve molhada começava a se infiltrar nas suas botas de couro preto, queimando-lhe os dedos dos pés e congelando-a até os ossos.

Ela caminhava em direção ao próprio funeral.

Percebeu assim que atravessou o Anunciador. Havia um frio próximo e implacável, como uma lâmina de gelo. Viu-se diante dos portões de um cemitério, onde tudo estava coberto por neve. Atrás dela havia uma estrada arborizada, onde galhos nus se agarravam a um céu azul-acinzentado. Diante dela podia-se ver um pequeno morro coberto por neve, com túmulos e cruzes que se sobressaíam na brancura como dentes sujos e afiados.

Alguns metros atrás de Luce, alguém assobiou.

— Tem certeza de que está preparada para isso?

Bill. Ele parecia sem fôlego, como se houvesse corrido para alcançá-la.

— Sim — os lábios dela tremiam, mas não se virou até que Bill a girasse pelos ombros.

— Aqui — disse ele, estendendo-lhe um escuro casaco de marta. — Achei que talvez você estivesse com frio.

— Onde você...?

— Eu o roubei de uma grandalhona lá atrás que voltava do mercado para casa. Não se preocupe... Ela já tem um acolchoado natural eficiente.

— Bill!

— Ei, você precisava! — e deu de ombros. — Que lhe traga boa sorte.

Ele enrolou o grosso casaco ao redor dos ombros de Luce, que aproximou a peça contra o corpo. Era inacreditavelmente macio e quentinho. Uma onda de gratidão dominou-a. Ela estendeu a mão e segurou a garra dele, sem se incomodar por estar pegajosa e fria.

— Certo — disse Bill, apertando-lhe a mão. Por um instante, Luce sentiu um calor estranho nas pontas dos dedos. Ele logo desapareceu, e os dedos de pedra de Bill voltaram a ser frios. Ele inspirou profunda e nervosamente. — Hum... Hã... Prússia, meados do século XVIII. Você mora em uma pequena cidade às margens do rio Handel. Muito bem — limpou a garganta profundamente antes de prosseguir. — Ou, melhor dizendo, você *morava*. Você, na verdade, acabou de... Bem...

— Bill? — virou o pescoço para olhá-lo. Ele continuava sentado no ombro dela, curvado para frente. — Está tudo bem — disse Luce, baixinho. — Não precisa explicar. Deixe apenas que eu... você sabe, sinta.

— Provavelmente será melhor.

Enquanto Luce atravessava silenciosamente os portões do cemitério, Bill ficou para trás. Sentou-se com as pernas cruzadas em cima de um mausoléu coberto por musgo, limpando a sujeira com as garras. Luce encobriu ainda mais o rosto com a gola do casaco.

Logo à frente, estava o velório; todas as pessoas vestiam roupas pretas e estavam tristes, tão apertadas umas contra as outras para se aquecerem, que pareciam uma única massa de tristeza. Exceto por um homem, que ficara para trás, em um canto. Sua cabeça loura estava abaixada.

Ninguém falou ou sequer olhou para Daniel. Luce não soube dizer se aquilo o incomodava ou se, na verdade, ele preferia que fosse assim.

Quando ela alcançou o grupo, o enterro chegava ao fim. Um nome fora entalhado numa lápide cinza e lisa: *Lucinda Müller*. Um garoto, que não tinha mais de 12 anos, com cabelos escuros, pele clara e lágrimas escorrendo pela face, ajudava o pai (seria o pai dela naquela vida?) a atirar, com a pá, o primeiro monte de terra sobre o túmulo.

Aqueles homens provavelmente eram parentes de seu eu do passado. Provavelmente a amaram. Havia mulheres e crianças chorando atrás deles; Lucinda Müller também significou algo para elas. Talvez houvesse significado tudo.

Porém, Luce Price não conhecia aquelas pessoas. Sentiu-se insensível e estranha ao perceber que não significavam nada para ela, mesmo percebendo a dor nos seus rostos. Daniel era o único que realmente importava para Luce, a única pessoa em cuja direção desejava correr, o único que ela precisou se segurar para não abordar.

Ele não estava chorando. Nem mesmo olhava para a cova, como todos os outros. Suas mãos estavam entrelaçadas na frente do corpo e seu olhar estava perdido — não no céu, mas na distância. Seus olhos ora ficavam violeta, ora cinzentos.

Depois que os familiares atiraram algumas pás de terra sobre o caixão e o túmulo recebeu algumas flores, as pessoas se separaram e caminharam tremulamente de volta à estrada principal. Havia acabado.

Apenas Daniel permaneceu ali. Tão imóvel quanto os mortos.

Luce também ficou. Escondeu-se atrás de um mausoléu, a alguns jazigos de distância, para observar o que ele faria.

Era quase noite. Estavam somente os dois no cemitério. Daniel se ajoelhou perto do túmulo de Lucinda. A neve caía sobre o cemitério, cobrindo os ombros de Luce; flocos gordos se prendiam nos seus cílios e umedeciam a ponta do seu nariz. Ela inclinou o corpo para fora do esconderijo para observá-lo, sentindo o corpo inteiro tensionado.

Será que ele perderia o controle? Será que agarraria a terra congelada, bateria na lápide e berraria até que não houvesse mais lágrimas para derramar? Ele *não* poderia estar tão calmo quanto aparentava. Era impossível, era uma fachada. Porém, Daniel mal olhava para o túmulo. Ele se deitou na neve e fechou os olhos.

Luce observou. Ele estava tão imóvel e maravilhoso. Com as pálpebras cerradas, parecia absolutamente em paz. Ela se sentiu meio apaixonada, meio confusa, e permaneceu assim por vários minutos — até ficar tão congelada que precisou esfregar os braços e bater os pés para se aquecer.

— O que ele está fazendo? — sussurrou ela, por fim.

Bill apareceu atrás dela e voou ao redor dos seus ombros.

— Parece que está dormindo.

— Mas, por quê? Eu nem sabia que anjos precisavam dormir...

— "Precisar" não é a palavra certa. Eles *podem* dormir, se quiserem. Daniel sempre dorme dias a fio depois que você morre. — Bill agitou a cabeça, parecendo lembrar-se de algo desagradável.

— Tudo bem, nem sempre, mas na maioria das vezes. Deve ser bastante exaustivo perder a única coisa que se ama. Pode culpá-lo?

— M-mais ou menos — gaguejou Luce. — Sou eu quem sempre acaba explodindo em chamas.

— E é ele quem fica sozinho. A velha pergunta: o que é pior?

— Ele nem parece *triste*. Esteve entediado durante todo o funeral. Se fosse eu, iria... iria...

— Você iria o quê?

Luce andou até o túmulo e parou perto da terra fresca, onde começava o jazigo dela. Havia um caixão ali embaixo.

Seu caixão.

Aquele pensamento lhe causou arrepios na espinha. Ela se ajoelhou e colocou as palmas das mãos sobre a terra. Estava úmida, escura e gelada. Enterrou as mãos ali, sentindo-as adormecerem pelo frio quase instantaneamente, mas não se importou, recebendo de braços abertos aquela sensação. Ela queria que Daniel houvesse feito isso, que tentasse sentir seu corpo na terra. Queria que ele ficasse louco por querê-la tanto de volta — viva e nos seus braços.

Porém, ele apenas *dormia*, tão profundamente que sequer sentira ela se ajoelhar ao seu lado. Ela desejou tocá-lo, acordá-lo, mas não saberia o que dizer quando ele abrisse os olhos.

Em vez disso, ela cavou a terra enlameada, até que as flores dispostas tão organizadamente sobre o túmulo estivessem despedaçadas e espalhadas, até que o lindo casaco de marta ficasse sujo, até que seus braços e seu rosto se cobrissem de lama. Ela cavou e cavou, atirando a terra para o lado, chegando cada vez mais no fundo em busca de seu eu morto. A vontade de ter alguma forma de conexão doía.

Finalmente, seus dedos atingiram algo duro: a tampa do caixão de madeira. Ela fechou os olhos e esperou por um flash como o que tivera em Moscou, quando um clarão de lembranças a inundara no momento em que ela tocou o portão da igreja abandonada e *sentiu* a vida de Luschka.

Nada.

Somente o vazio. A solidão. O vento branco uivante.

E Daniel, adormecido e inalcançável.

Ela se sentou sobre os calcanhares e soluçou. Não sabia nada sobre a garota que havia morrido. Teve a impressão de que jamais saberia.

— Alôôô... — disse Bill, atrás do seu ombro. — Você não está aí, sabia?

— O quê?

— Pense só... Você não está aí. Você não passa de um monte de cinzas, se for alguma coisa. Não sobrou corpo para enterrar, Luce.

— Por causa do fogo. Ah. Mas, então, por quê...? — começou ela a perguntar, e então se interrompeu. — Por que minha família quis isso?

— São luteranos ortodoxos — Bill assentiu. — Há centenas de anos os Müller têm uma lápide neste cemitério. Então, Lucinda também tem um túmulo. Porém, não há nada embaixo dele. Ou quase nada. Seu vestido preferido. Uma boneca da infância. Seu exemplar da Bíblia. Esse tipo de coisa.

Luce engoliu em seco. Não era surpreendente que ela se sentisse tão vazia.

— Então, Daniel... Por isso ele não olhava para a cova.

— Ele é o único que aceita que sua alma está em outro lugar. Ele ficou porque esse é o lugar mais próximo onde ele pode estar perto de você. — Bill se aproximou tanto de Daniel que o movimento das suas asas de pedra balançou os cabelos do anjo. Luce quase empurrou Bill para longe. — Ele tentará dormir até que sua alma se abrigue em outro lugar. Até que você encontre sua próxima encarnação.

— Quanto tempo isso leva?

— Às vezes, segundos; outras vezes, anos. No entanto, ele não dormirá anos a fio. Por mais que provavelmente seja o que ele deseja.

Um movimento de Daniel no chão fez Luce pular.

Ele se mexeu no seu cobertor de neve. Um gemido de agonia escapou dos seus lábios.

— O que está acontecendo? — perguntou Luce, caindo de joelhos e estendendo a mão na direção dele.

— Não o acorde! — disse Bill, rapidamente. — O sono dele é pontilhado por pesadelos, mas é melhor do que estar acordado. Até que sua alma se abrigue em uma nova vida, toda a existência de Daniel se torna uma espécie de tortura.

Luce estava dividida entre aliviar a dor de Daniel e tentar entender que o acordar poderia apenas torná-la pior.

— Como eu disse, às vezes ele tem um pouco de insônia... E aí as coisas ficam *realmente* interessantes. Mas você não quer ver isso, quer?

— Quero, sim — retrucou ela, sentando-se. — O que acontece?

As bochechas rechonchudas de Bill se retorceram, como se ele houvesse sido pego no flagra.

— Bem, hã... Muitas vezes outros anjos caídos estão por perto — disse ele, sem olhá-la nos olhos. — Eles vêm e, você sabe, tentam consolá-lo.

— Eu os vi em Moscou. Mas não é sobre isso que você estava falando. Existe alguma coisa que você não está me dizendo. O que acontece quando...

— Você não gostaria de ver essas vidas, Luce. É um lado dele que...

— É um lado dele que também me ama, não é? Mesmo que seja escuro, mau ou perturbador, preciso vê-lo. Senão continuarei sem entender tudo o que ele vive.

Bill suspirou.

— Você me olha como se precisasse da minha permissão. Seu passado pertence a você.

Luce já estava de pé. Ela olhou ao redor do cemitério até seus olhos se depararem com uma pequena sombra que se estendia atrás da sua lápide. *Pronto. É aquela.* Luce ficou espantada com sua certeza. Aquilo nunca havia acontecido antes.

À primeira vista, aquela sombra parecera igual a qualquer outra que ela houvesse convocado, sem jeito, nos bosques de Shoreline. Porém, dessa vez, Luce *viu* algo na sombra. Não era uma imagem que retratava um destino específico, mas um brilho prateado esquisito, sugerindo que aquele Anunciador a levaria onde sua alma precisava estar.

Ele a chamava.

Ela assentiu, buscando sua força interior, atraindo aquele brilho de maneira que ele desprendesse a sombra do chão.

O pedaço de escuridão se soltou da neve branca e tomou forma à medida que se aproximava. Era profundamente negro, mais frio que a neve ao redor dela, e aproximou-se de Luce como uma folha de papel enorme e escura. Os dedos dela estavam rachados e dormentes por causa do frio quando ela o expandiu em uma forma maior e mais controlada. O interior emitiu a familiar rajada de vento com mau cheiro. O portal estava amplo e estável antes de Luce perceber que estava sem fôlego.

— Você está ficando boa nisso — comentou Bill. Havia um tom esquisito na sua voz, que Luce não parou para analisar.

Ela também não perdeu tempo sentindo orgulho de si mesma — embora, de algum modo, reconhecesse que, se Miles ou Shelby estivessem ali, dariam cambalhotas àquela altura. Era a melhor convocação que ela já fizera sozinha.

Eles, porém, não estavam ali. Luce estava só; portanto, a única coisa que podia fazer era seguir até sua vida seguinte, observar Lucinda e Daniel, e absorver tudo aquilo até que algo começasse a fazer sentido. Ela tateou as bordas pegajosas do Anunciador em busca de um ferrolho ou maçaneta, algum modo de entrar. Por fim, o Anunciador se abriu.

Luce inspirou profundamente. Ela olhou para trás em direção a Bill.

— Você vem ou não?

Solenemente, ele pulou no ombro dela, agarrou sua lapela como se fossem as rédeas de um cavalo e eles atravessaram pelo tempo.

LHASA, TIBETE · 30 DE ABRIL DE 1740

Luce arfou em busca de ar.

Saíra da escuridão do Anunciador para um redemoinho de névoa que se movia em alta velocidade. O ar estava rarefeito e frio, e cada respiração lhe doía. Parecia impossível respirar normalmente. O vapor frio da névoa soprou seus cabelos para trás, viajou ao longo dos seus braços abertos, encharcou suas roupas com orvalho e, depois, sumiu.

Luce notou que estava na beira do maior penhasco que já havia visto. Ela oscilou e tropeçou para trás, tonta ao ver seus pés soltarem um pedregulho. Ele rolou por alguns centímetros e caiu no precipício durante o que pareceu uma eternidade.

Ela voltou a arfar, dessa vez por medo da altura.

— Respire — orientou Bill. — Mais pessoas desmaiam aqui em cima pelo pânico de não obter oxigênio suficiente do que por *realmente* não haver oxigênio.

Luce inspirou cuidadosamente. Dessa vez, foi um pouco melhor. Ela abaixou o casaco sujo até os ombros e desfrutou o sol que batia no seu rosto, mas não conseguiu se acostumar com aquela visão.

Além do penhasco havia um vale, pontilhado pelo que pareciam ser fazendas e plantações de arroz inundadas. E, em ambos os lados, erguendo-se do vale enevoado, havia montanhas gigantescas.

A alguma distância, na encosta de uma das montanhas íngremes, havia um palácio formidável. Era majestosamente branco e encimado por telhados de um tom vermelho profundo, com as paredes exteriores enfeitadas por mais escadarias do que ela era capaz de contar. O palácio parecia saído de um antigo conto de fadas.

— O que é esse lugar? Estamos na China? — perguntou ela.

— Sim, se ficarmos aqui por bastante tempo — respondeu ele. — Mas, no momento, é o Tibete, graças ao Dalai Lama. Aquela é sua casinha. — Ele apontou para o monstruoso palácio. — Chique, né?

No entanto, Luce não acompanhou o dedo dele. Ela ouvira uma risada em algum lugar por perto e virou-se.

A risada *dela*. Uma risada suave e feliz que ela não sabia ser sua até conhecer Daniel.

Finalmente identificou duas silhuetas a quase 100 metros do penhasco. Precisaria escalar algumas rochas para se aproximar, mas não seria tão difícil. Ela se curvou no seu casaco enlameado e começou, cuidadosamente, a abrir caminho pela neve, em direção ao som.

— Peraí! — Bill segurou-a pela gola do casaco. — Está vendo algum lugar onde possamos nos esconder?

Luce olhou ao redor, pela paisagem deserta: havia somente rochas aqui e ali. Nada que servisse nem mesmo de abrigo contra o vento.

— Estamos acima da linha das árvores, amiga. E você é pequena, mas não é invisível. Precisará ficar aqui atrás.

— Mas não consigo ver nada...

Dê uma olhada no bolso do casaco — disse Bill. — De nada.

Ela apalpou o bolso do casaco — o mesmo que ela usara no funeral na Prússia — e puxou binóculos de ópera novinhos, com aparência de caros. Não se incomodou em perguntar a Bill onde ou quando ele os conseguira, apenas levou-os aos olhos e ajustou o foco.

Pronto.

Eles estavam de frente um para o outro, a alguns metros de distância. Os cabelos negros do seu eu do passado estavam presos em um coque infantil, e seu vestido de linho tinha um tom cor-de-rosa como uma orquídea. Ela parecia jovem e inocente. Estava sorrindo para Daniel, balançando-se para a frente e para trás como se estivesse nervosa, observando cada movimento dele com uma intensidade sem limites. Os olhos de Daniel tinham algo de provocador; ele levava nos braços um buquê de peônias brancas redondas e entregava-as a ela uma por uma, o que a fazia rir cada vez mais.

Observando melhor com a ajuda dos binóculos, Luce percebeu que os dedos de ambos nunca se tocavam. Eles mantinham certa distância um do outro. Por quê? Era quase espantoso.

Nas outras vidas que visitara, Luce vira tanta paixão e desejo, mas ali era diferente. Luce sentiu seu corpo coçar, ansioso por um momento de contato físico entre eles. Se *ela* não podia tocar Daniel, ao menos seu eu poderia.

Porém, eles estavam simplesmente ali, e agora andavam em círculos, sem se aproximar ou se afastar mais.

Ocasionalmente, a risada deles chegava a Luce.

— E então? — Bill tentava espremer seu rostinho contra o de Luce para olhar através de uma das lentes dos binóculos. — O que está acontecendo?

— Eles estão apenas *conversando*. Estão flertando como se fossem estranhos, mas, ao mesmo tempo, parecem se conhecer perfeitamente. Não entendo.

— Eles estão indo devagar. Qual o problema nisso? — perguntou Bill. — Os jovens de hoje querem tudo muito rápido: bum, bum, BUUM.

— Não há nada errado em ir devagar, eu apenas... — Luce se interrompeu.

Seu eu caiu de joelhos. Ela se balançava para a frente e para trás, segurando a cabeça e, depois, o coração. Um olhar horrorizado cruzou o rosto de Daniel. Ele parecia tão sério naquelas calças brancas e túnica, como uma estátua de si. Daniel balançou a cabeça, olhando para o céu; seus lábios desenhavam a mesma palavra repetidamente: *Não. Não. Não.*

Os olhos cor de avelã da garota pareciam incontroláveis e ferozes, como se algo a possuísse. Um grito agudo ecoou pelas montanhas. Daniel caiu no chão e enterrou o rosto nas mãos. Depois, estendeu uma das mãos na direção dela, mas seu braço pairou no ar, sem tocar a pele dela. O corpo de Daniel se dobrou para a frente e tremeu, e, no momento mais importante, ele desviou o olhar.

Luce foi a única a observar a garota se tornar, subitamente, uma coluna de fogo. Foi muito rápido.

A fumaça acre rodopiou em torno de Daniel; seus olhos estavam fechados. O rosto cintilava — molhado pelas lágrimas. Ele parecia tão arrasado quanto todas as outras vezes em que o vira assistir à morte dela. Porém, dessa vez, ele parecia tomado pelo choque. Algo fora diferente. Algo estava errado.

Quando Daniel contou a ela sobre seu castigo, disse que, em algumas vidas, um único beijo a matara. Pior, algo menor que um beijo. Um simples toque.

Eles não se tocaram. Luce assistira o tempo inteiro. Ele tomara tanto cuidado para não se aproximar dela! Teria acreditado que ficaria com ela por mais tempo caso não tivesse o calor do seu abraço? Ou que poderia enganar a maldição se a mantivesse sempre à distância?

— Ele nem a tocou — sussurrou ela.

— Que droga — comentou Bill.

Ele não a tocara sequer uma vez durante todo o tempo em que estiveram apaixonados. E agora precisaria esperar mais uma vez, sem saber se algo seria diferente na próxima vez. Como a esperança poderia sobreviver a esse tipo de derrota? Nada fazia sentido.

— Se ele não a tocou, o que desencadeou a morte dela? — Luce se virou para Bill, que inclinou a cabeça para trás e olhou para o céu.

— Montanhas — disse ele. — É tão bonito!

— Você sabe de alguma coisa — insistiu Luce. — O que é?

Ele deu de ombros.

— Não sei de nada — disse ele. — Ou, ao menos, nada que eu possa lhe dizer.

Um grito horrível e desolado ecoou pelo vale. O som da agonia de Daniel retornou, multiplicado, como se cem versões dele gritassem juntas. Luce aproximou os binóculos do rosto mais uma vez e o viu atirar no chão as flores que estavam na sua mão.

— Preciso ir até ele! — disse ela.

— É tarde demais — disse Bill. — Lá vai ele.

Daniel se afastou do penhasco. O coração de Luce bateu com força, com medo do que ele estava prestes a fazer. Certamente não dormiria. Daniel correu, ganhando uma velocidade inumana até o momento em que atingiu a beira do penhasco e se atirou no ar.

Luce esperou que suas asas se abrissem. Esperou pelo trovejar suave de quando elas se abrissem completamente e recebessem o vento em uma glória magnífica. Ela já o vira voar daquele jeito e, a cada vez, algo a espantava: o desespero com o qual ela o amava.

Porém, as asas de Daniel não irromperam das suas costas. Quando ele atingiu a beira do penhasco, ocorreu o que aconteceria a qualquer garoto.

Ele caiu.

Luce soltou um grito alto, aterrorizado e longo, até que Bill fechasse sua boca com a mão suja. Ela o atirou para longe, correu até a beira do penhasco e ajoelhou-se ali.

Daniel continuava a cair. Era uma longa queda. Ela observou o corpo dele diminuir cada vez mais.

— Ele abrirá as asas, certo? — disse ela, com dificuldade. — Ele perceberá que cairia sem parar até...

Ela nem era capaz de completar aquela frase.

— Não — respondeu Bill.

— Mas...

— Ele vai se esborrachar no chão, a 700 metros de altura — disse Bill. — Vai quebrar todos os ossos do corpo. Porém, não se preocupe, Daniel não pode se matar. Apenas deseja que pudesse.

— Bill se virou para ela e suspirou. — Agora você acredita no amor dele?

— Sim — sussurrou Luce, porque tudo o que desejava fazer naquele momento era despencar atrás dele. Ela o amava a este ponto.

Mas isso não adiantaria.

— Eles tomaram tanto cuidado — a voz dela estava contida. — Nós vimos o que aconteceu, Bill: *nada*. Ela era tão inocente. Como pode ter morrido?

Bill soltou uma meia risada.

— Você pensa que sabe tudo sobre ela apenas porque a viu, de cima de uma montanha, em seus últimos três minutos de vida?

— Foi você quem me fez usar os binóculos... Ah! — Ela congelou. — Espere um minuto! — Algo a assombrara na maneira como os olhos do seu eu pareceram mudar, por um instante apenas, no final. E, subitamente, Luce entendeu: — O que a matou dessa vez não foi algo que eu pudesse presenciar... — Bill enrolou as garras, esperando que ela terminasse o pensamento. — Porque estava acontecendo dentro dela.

Ele aplaudiu, devagar.

— Acho que talvez você esteja pronta.

— Pronta para o quê?

— Lembra-se do que mencionei a você em Helston? Depois que você conversou com Roland?

— Você discordou dele... Sobre eu me aproximar das minhas versões do passado.

— Você não pode reescrever sua história, Luce. Não pode mudar as narrativas. Se tentar...

— Eu sei... Isso distorcerá o futuro. Não quero mudar o passado. Preciso apenas saber o que acontece... Por que eu sempre morro. Achei que fosse um beijo, um toque ou algo físico, mas parece mais complicado.

Bill puxou a sombra atrás dos pés de Luce, como um toureiro movendo uma capa vermelha. Suas extremidades brilhavam em tons de prateado.

— Está preparada para a prática? — perguntou. — Para a versão 3D?

— Estou pronta. — Luce abriu o Anunciador e envolveu os braços ao redor do corpo para se proteger do vento congelante. — Espere — disse, olhando para Bill, que pairava ao seu lado. — Como assim 3D?

— É a onda do futuro, garota — respondeu ele.

Luce olhou para ele de forma dura.

— Tudo bem... Existe um termo técnico nada sonoro para isso, "clivagem", mas, para mim, "3D" é muito mais divertido. — Bill mergulhou no túnel escuro e chamou-a com um dos dedos tortos. — Confie em mim, você vai *amar*.

DEZ

AS PROFUNDEZAS

Lhasa, Tibete · 30 de abril de 1740

Daniel caiu, correndo, no chão.

O vento cortava-lhe o corpo. Ele sentia o sol próximo à sua pele. Corria sem parar e não tinha ideia de onde estava. Havia irrompido do Anunciador sem o saber e, embora geralmente a sensação fosse daquilo estar *certo*, alguma memória o perturbava. Algo estava errado.

Suas asas.

Elas estavam *ausentes*. Continuavam ali, é claro, mas ele não desejava libertá-las, não sentia aquela coceira ardente de voar. No lugar da ânsia familiar de subir para os céus, o que o atraía era *descer*.

Uma lembrança começou a surgir na sua mente. Ele se aproximava de algo doloroso, quase perigoso. Seus olhos se focaram no espaço à sua frente...

E ele não viu nada.

Ele se atirou para trás, seus braços se agitando enquanto seus pés deslizavam pela rocha. Caiu de costas no chão e conseguiu parar pouco antes de mergulhar em um penhasco inacreditável.

Recuperou o fôlego e, depois, girou o corpo com cuidado para olhar pela beirada.

Abaixo dele havia um abismo tão estranhamente familiar! Ele ajoelhou e analisou a ampla escuridão. Ele continuava lá embaixo? O Anunciador o ejetara ali antes ou depois de tudo acontecer?

Por isso suas asas não se projetaram para a frente. Elas se lembraram da agonia dessa vida e se mantiveram guardadas.

Tibete. Onde apenas as palavras dele a mataram. A Lucinda daquela vida fora educada para ser tão casta que nem o tocava. Embora sentisse arder a vontade de ter a pele dela contra a sua, Daniel respeitara aquele desejo. Secretamente, esperara que a recusa dela pudesse, por fim, ser uma maneira de driblar a maldição. Porém, mais uma vez, ele fora um tolo. Claro, o toque não era o estopim. O castigo era muito mais profundo.

E agora ele estava de volta ao local onde a morte dela o levara a um desespero tão avassalador que ele tentara pôr fim à sua dor.

Como se isso fosse possível.

Durante toda a queda, ele sabia que fracassaria. O suicídio era um luxo dos mortais, não compartilhado pelos anjos.

Seu corpo estremeceu com a lembrança. Não era apenas a agonia de todos os seus ossos quebrados ou a maneira como a queda deixara seu corpo cheio de hematomas negros e azuis. Não, foi o que aconteceu depois. Ele ficara ali deitado durante semanas, com o corpo apoiado no vazio escuro entre duas grandes rochas. Ocasionalmente, voltava a si, mas sua mente estava tão embebida pela tristeza que ele não era capaz de pensar em Lucinda. Não era capaz de pensar em nada.

O que fora justamente o objetivo.

Porém, como ocorria com os anjos, seu corpo se curou de maneira mais rápida e completa do que sua alma jamais seria capaz.

Seus ossos se consolidaram. Suas feridas se fecharam em cicatrizes e, com o tempo, sumiram completamente. Seus órgãos pulverizados voltaram a ser saudáveis. Em menos tempo do que gostaria, seu coração já estava recomposto, batendo fortemente.

Foi Gabbe quem o encontrou mais de um mês depois, quem o ajudou a sair da fenda, quem colocou talas nas suas asas e o carregou para fora daquele lugar. Ela o fez prometer que jamais faria aquilo novamente. Que sempre manteria a esperança.

E ali estava ele novamente. Levantou-se e, uma vez mais, balançou-se na beirada.

— Não, por favor. Ah, *Deus*, não! Eu não suportaria se você pulasse.

Na montanha, não era Gabbe quem falava com ele. Essa voz exalava sarcasmo. Daniel soube a quem ela pertencia antes de se virar.

Cam estava encostado contra uma parede de altas rochas negras. Sobre a terra descolorida, ele estendera um enorme tapete de oração, tecido com listras chamativas em tons vinho e ocre. Em uma das mãos, tinha uma perna de iaque assada. Ele mordeu um pedaço da carne fibrosa.

— Ah, por que não? — Cam deu de ombros, mastigando. — Vá em frente e pule. Quer que eu repasse algumas palavras finais a Luce?

— Onde ela está? — Daniel fez menção de ir até ele, com as mãos fechadas. Seria o Cam dessa época? Ou seria um Anacronismo, alguém que voltara no tempo, do mesmo modo que Daniel fizera?

Cam atirou o osso de iaque pelo penhasco e levantou-se, limpando as mãos engorduradas na calça jeans. Um Anacronismo, confirmou Daniel.

— Por pouco você não a encontra aqui. Mais uma vez. Por que demorou tanto? — Cam lhe estendeu uma pequena bandeja de metal repleta de comida. — Quer um bolinho? Estão divinos.

Daniel atirou a bandeja no chão.

— Por que você não a impediu? — Ele estivera no Taiti, na Prússia e no Tibete em menos tempo do que um mortal levaria para atravessar uma rua. Sempre com a sensação de que estava perto de Luce; porém, ela sempre estava fora do seu alcance. Como conseguia estar sempre à frente dele?

— Você disse que não precisava da minha ajuda.

— Você a viu? — insistiu Daniel.

Cam assentiu.

— Ela viu você?

Cam negou com a cabeça.

— Ótimo. — Daniel vasculhou com os olhos o topo da montanha, tentando imaginar Luce ali. Olhou rapidamente ao redor, em busca de vestígios dela. No entanto, não havia nada. Apenas terra cinzenta, rochas negras e o vento cortante; nenhuma vida. Parecia-lhe o lugar mais solitário do planeta.

— O que aconteceu? — perguntou ele, pressionando Cam. — O que ela fez?

Cam rodeou Daniel casualmente.

— Ela, ao contrário do seu objeto de afeição, tem um *timing* impecável. Chegou exatamente no momento de ver sua morte magnificente; e, dessa vez, ela pareceu bastante grandiosa, contra essa paisagem desolada. Até mesmo *você* deve ser capaz de admitir isso. Não? — Daniel afastou o olhar. — Enfim, onde eu estava? Sobre a morte magnificente eu já falei... Ah, sim! Ela ficou apenas o bastante para assistir você se atirar do penhasco e esquecer de usar as asas. — Daniel abaixou a cabeça. — Não foi muito bonito.

Daniel não conseguiu se controlar e segurou Cam pela garganta.

— Você espera que eu acredite que simplesmente assistiu? Você não falou com ela? Não descobriu para onde iria? Não tentou impedi-la?

Cam grunhiu e torceu a mão de Daniel para se soltar.

— Eu não estava perto dela. Quando cheguei aqui, ela já havia partido. Repito: você disse que não precisava da minha ajuda.

— E não preciso. Cuidarei disso sozinho.

Cam soltou uma risadinha e voltou a se sentar no tapete, cruzando as pernas.

— O negócio, Daniel — disse ele, levando um punhado de balas de goji à boca — é que, mesmo que eu acreditasse que você é capaz de cuidar disso sozinho (o que, com base no seu histórico, não é o caso) — ele balançou um dos dedos —, você não está sozinho nessa. Todos estão atrás dela.

— Como assim, *todos*?

— Quando você partiu atrás de Luce, na noite em que encontramos os Párias, acha que simplesmente ficamos sentados jogando cartas? Gabbe, Roland, Molly, Ariane e até mesmo aqueles dois Nefilim idiotas... Todo estão por aí, procurando por ela.

— E você *deixou*?

— Não sou babá de ninguém, irmão.

— Não me chame de irmão — respondeu Daniel. — Não acredito nisso. Como podem estar atrás dela? É minha responsabilidade...

— Livre-arbítrio — Cam deu de ombros. — Está muito na moda ultimamente.

As asas de Daniel arderam às suas costas, inúteis. O que ele poderia fazer contra meia dúzia de Anacronismos viajando pelo passado? Seus companheiros, anjos caídos, sabiam como o passado era frágil, seriam cuidadosos. Mas, e quanto a Shelby e Miles? Eles eram *garotos*. Seriam imprudentes. Não saberiam tomar cuidado. Poderiam pôr tudo a perder para Luce. Poderiam destruir Luce.

Não. Daniel não daria a nenhum deles a chance de alcançá-la antes dele.

Entretanto... Cam o fizera.

— Como posso acreditar que você não interferiu? — perguntou Daniel, tentando não demonstrar seu desespero.

Cam revirou os olhos.

— *Você* sabe que *eu* sei o quanto é perigoso interferir. Nossos objetivos finais podem ser diferentes, mas ambos precisamos dela para sair dessa vivos.

— Escute aqui, Cam. *Tudo* está em risco nessa história.

— Não me rebaixe. Eu sei muito bem o que está em risco. Você não é o único que já lutou por tempo demais.

— Eu... Estou com medo — admitiu Daniel. — Se ela alterar demais o passado...

— Ela pode mudar quem é quando retornar ao presente — completou Cam. — É, eu também estou com medo.

Daniel fechou os olhos.

— Isso significaria que qualquer chance que ela teve para se libertar dessa maldição...

— Estaria perdida.

Daniel encarou Cam. Eles não conversavam assim, como irmãos, há séculos.

— Ela estava sozinha? Tem certeza de que nenhum deles a alcançou?

Por um instante, Cam olhou além de Daniel, para um espaço na montanha diante deles. Seu olhar pareceu tão vazio quanto Daniel se sentia. A hesitação de Cam fez a nuca de Daniel coçar.

— Nenhum deles a alcançou — respondeu Cam, por fim.

— Tem certeza?

— Fui eu quem a viu aqui. Você nunca chega a tempo. E, além disso, o fato de Luce estar à solta não é culpa de ninguém senão sua.

— Não é verdade. Eu não a ensinei a usar os Anunciadores.

Cam riu amargamente.

— Não estou me referindo aos Anunciadores, seu idiota. Quis dizer que ela pensa que tudo isso diz respeito somente a vocês. Uma briga boba entre namorados.

— E isso diz *mesmo* respeito a nós — a voz de Daniel estava embargada. Ele quis derrubar uma rocha na cabeça de Cam.

— Mentira! — Cam ergueu-se em um salto, com uma fúria intensa brilhando nos seus olhos verdes. — É algo muito maior, e você sabe! — gritou, girando os ombros para trás para libertar suas gigantescas asas marfim. Elas preencheram o ar com uma glória dourada, bloqueando o sol por um momento. Quando se curvaram na direção de Daniel, ele recuou, enojado. — É melhor você encontrá-la antes que ela, ou outra pessoa, chegue e reescreva toda a nossa história. E faça com que você, eu e tudo isso — Cam estalou os dedos — se torne obsoleto.

Daniel cerrou os dentes e soltou suas asas brancas, sentindo-as se estenderem cada vez mais nas laterais e estremecendo quando pulsaram próximas às asas de Cam. Sentiu-se mais aquecido, e capaz de fazer qualquer coisa.

— Eu cuidarei disso... — disse ele.

Porém, Cam havia voado para longe, e sua decolagem fez com que pequenos redemoinhos se espiralassem a partir do chão. Daniel protegeu os olhos contra o sol e olhou para cima enquanto as asas douradas batiam pelo céu, e, em questão de instantes, desapareciam.

ONZE

❦

COUP DE FOUDRE
Versalhes, França • 14 de fevereiro de 1723

*S*plash.

Quando saiu do Anunciador, Luce estava embaixo d'água.

Abriu os olhos, mas a água morna e turva fez com que eles ardessem tanto que Luce fechou-os imediatamente. Suas roupas encharcadas a puxavam para baixo, então ela lutou para se livrar do casaco de pele. Quando ele enfim afundou, Luce bateu as pernas com força em direção à superfície, em busca de ar.

Ele estava apenas alguns centímetros acima da sua cabeça.

Luce engasgou. Depois, seus pés encontraram o chão e ela se levantou. Enxugou a água dos olhos e percebeu que estava em uma banheira.

Tudo bem, era a maior banheira que ela já vira, do tamanho de uma piscina pequena. Tinha o formato de um feijão, era feita da mais lisa porcelana branca e ficava no centro de um cômodo gigante, que parecia uma galeria de museu, cujos tetos altos estavam cobertos por enormes afrescos com retratos de uma família de cabelos escuros, que parecia nobre. Uma corrente de rosas douradas emoldurava cada busto, e querubins rechonchudos pairavam entre eles, tocando trombetas em direção ao céu. Contra uma das paredes (revestidas de um papel com espirais elaboradas em tons turquesa, rosa e dourado) havia um armário enorme e bastante trabalhado.

Luce voltou a afundar na banheira. Onde estaria? Com a mão, alisou a superfície da água, abrindo espaço em uma camada de quase 10 centímetros de espuma e bolhas de consistência de creme chantilly. Uma esponja do tamanho de um travesseiro apareceu, e ela percebeu que não tomava banho desde Helston. Estava imunda. Usou a esponja para esfregar o rosto e, depois, começou a tirar o restante das roupas. Colocou todas as vestimentas encharcadas ao lado da banheira.

Nesse momento, Bill flutuou lentamente para fora da banheira e pairou a 30 centímetros da superfície da água. A parte da banheira de onde ele saiu se tornou escura e turva, com sujeira de gárgula.

— Bill! — gritou ela. — Não dá para perceber que preciso de alguns minutos de privacidade?

Ele cobriu os olhos com uma das mãos.

— Já terminou de se debater aí dentro, Tubarão? — Com a outra mão, ele limpou algumas bolhas da sua careca.

— Você poderia ter me avisado que eu estava prestes a dar um mergulho! — disse Luce.

— Eu avisei! — Ele pulou para a beirada da banheira e andou por ela, equilibrando-se, até estar diante do rosto de Luce. — Assim que saímos do Anunciador. Você não me ouviu porque estava embaixo d'água!

— Isso ajuda muito, obrigada.

— Você precisava mesmo tomar um banho — disse ele. — Essa é uma grande noite para você, querida.

— Por quê? O que vai acontecer?

— O que vai acontecer, pergunta ela! — Bill segurou-a pelo ombro. — Apenas o maior baile desde que o rei Sol apareceu! E eu te digo: e daí que esse *boum* será oferecido pelo seu filho adolescente ensebado? Será no maior e mais espetacular salão de Versalhes; e *todos* estarão lá!

Luce deu de ombros. Um baile parecia ótimo, mas não tinha nada a ver com ela.

— Eu vou esclarecer... — continuou Bill. — Todos estarão lá, incluindo Lys Virgily. A princesa de Savoia? Sacou? — e deu um tapinha no nariz de Luce. — É você.

— Sei... — disse Luce, deslizando a cabeça para trás, querendo apoiá-la contra o encosto ensaboado da banheira. — Parece que será uma grande noite para *ela*. Mas o que eu farei enquanto todos estão no baile?

— Olhe, lembra-se de quando eu lhe disse...

A maçaneta do enorme banheiro foi girada. Bill olhou aquilo e resmungou.

— Continua no próximo capítulo.

Enquanto a porta se abria, ele apertou seu nariz pontudo e sumiu embaixo d'água. Luce se retorceu e chutou-o para o outro lado da banheira. Ele voltou a surgir na superfície, olhou para ela e começou a boiar de costas na espuma.

Bill podia ser invisível para a bela garota com cachos louros que estava à porta, usando um longo vestido laranja, mas Luce não era. Ao ver alguém na banheira, a garota recuou.

— Oh, princesa Lys! Perdão! — disse ela, em francês. — Disseram-me que esse cômodo estava vazio. Eu... Eu vim preparar um banho para a princesa Elizabeth... — apontou para a banheira onde Luce estava. — E estava prestes a dizer a ela que subisse com as damas.

— Bem... — Luce tentou pensar rapidamente, desesperada para parecer mais nobre do que se sentia. — Você não tem permissão para mandá-la subir. Nem às damas. Esse é meu aposento, onde eu planejava me banhar em paz.

— Peço desculpas — disse a garota, fazendo uma reverência. — Mil vezes.

— Tudo bem — disse Luce quando percebeu o desespero sincero da garota. — Deve ter havido apenas um mal-entendido.

A garota fez uma reverência e começou a fechar a porta. Bill tirou sua cabeça chifruda da água e sussurrou:

— Roupas!

Luce usou o pé para empurrá-lo para baixo.

— Espere! — Luce chamou a garota, que lentamente voltou a abrir a porta. — Preciso da sua ajuda. Preciso de roupas para o baile.

— Que tal chamar uma das suas damas de companhia, *mademoiselle*? Agatha ou Eloise...

— Não, não. Nós tivemos uma briga — apressou-se Luce, tentando não se entregar completamente. — Elas escolheram um... hã... vestido horrível para mim. Por isso, eu as dispensei. Esse é um baile importante, como você sabe.

— Sim, *mademoiselle*.

— Poderia encontrar algo para mim? — pediu Luce à garota, gesticulando com a cabeça em direção ao armário.

— Eu? A-ajudá-la a se vestir?

— Você é a única aqui, não é? — disse Luce, esperando que algo naquele armário ficasse bem nela e que parecesse ao menos decente o suficiente para ir a um baile. — Qual é o seu nome?

— Anne-Marie, *mademoiselle*.

— Ótimo — disse Luce, agindo com arrogância em uma tentativa de imitar a Lucinda de Helston. E acrescentou também um pouco da atitude sabe-tudo de Shelby, como garantia. — Rápido, Anne-Marie! Não posso chegar atrasada por causa da sua preguiça. Seja boazinha e busque um vestido para mim.

❦

Dez minutos depois, Luce estava em frente a um caro espelho de três peças, admirando os bordados no corpete do primeiro vestido que Anne-Marie retirara do armário. A peça era de tafetá preto, bastante marcada na cintura, e se abria em uma gloriosa saia que chegava perto do chão. Os cabelos de Luce haviam sido presos em um coque e, depois, colocados sob uma peruca escura e pesada. Seu rosto brilhava sob uma camada de pó de arroz e ruge. Ela usava tantas anáguas que parecia que alguém enrolara 25 quilos de tecido ao redor do seu corpo. Como era possível que as garotas andassem carregando aquelas coisas? Que dirá dançar!

Enquanto Anne-Marie apertava ainda mais o espartilho, Luce ficou sem ar diante do próprio reflexo. Aquela peruca a fazia parecer mais velha. E ela tinha certeza de que nunca tivera tanto peito. Em nenhuma das suas vidas.

Por um brevíssimo instante, permitiu-se esquecer o nervosismo quanto a encontrar seu eu principesco do passado e quanto a não saber se encontraria Daniel novamente antes que atrapalhasse totalmente o amor deles. Luce simplesmente sentiu o que qualquer outra garota que ia ao baile naquela noite devia estar sentindo: conseguir respirar não era nada diante de um vestido tão maravilhoso.

— Está pronta, *mademoiselle* — sussurrou, com reverência, Anne-Marie. — Eu a deixarei, se me der licença.

Assim que Anne-Marie fechou a porta atrás de si, Bill se impulsionou para fora da água, lançando borrifos gelados de bolhas de sabão pelo quarto. Ele voou até o armário e pousou em um banquinho estofado com seda azul-turquesa, próprio para calçar sapatos. Apontou para o vestido de Luce, para sua peruca e, novamente, para o vestido.

— *Uh-lá-lá*! *Muito* chique.

— E você ainda não viu os sapatos — disse erguendo a barra das saias para mostrar um par de sapatos verde-esmeralda altos e pontudos, incrustado com flores-de-jade. Eles combinavam com a renda que adornava o corpete do seu vestido e eram os sapatos mais maravilhosos que ela já havia visto, quanto mais usado.

— Ooooh! — guinchou Bill. — *Super*chique.

— Então, farei isso mesmo? Simplesmente descerei e fingirei que...

— Fingirá, não. — Bill balançou a cabeça. — *Honrará o seu papel*. Orgulhe-se desse decote, garota, você sabe que quer.

— Tudo bem, vou fingir que você não disse isso. — Luce riu e piscou para ele. — Então, descerei e "honrarei o meu papel" ou sei lá o quê. Mas, o que eu faço quando encontrar Lys? Não sei quase nada a respeito dela. Será que eu simplesmente...

— Segure a mão dela — disse Bill, enigmaticamente. — Ela ficará muito *tocada* por esse gesto, tenho certeza.

Bill lhe dava uma pista, era óbvio, mas Luce não entendeu. Então, lembrou-se das palavras dele antes de atravessarem o último Anunciador.

— Conte-me mais sobre essa história de 3D.

— Ahá! — Bill fingiu se apoiar em uma parede invisível. Suas asas pareciam um borrão enquanto ele flutuava à frente de Luce. — Sabe como algumas coisas são extraordinárias demais para serem descritas por palavras sem graça? Tipo a forma como você fraqueja quando Daniel se aproxima para lhe dar um longo beijo ou a sensação de calor que se espalha pelo seu corpo quando as asas dele se abrem em uma noite escura...

— Pare. — A mão de Luce foi involuntariamente ao coração. Não havia palavras que pudessem descrever como Daniel a fazia se sentir. Bill fazia piada dela, mas aquilo não significava que ela sentisse menos dor por estar tanto tempo afastada de Daniel.

— Acontece o mesmo com o 3D. Você simplesmente precisará experimentar para entender.

Assim que Bill abriu a porta para Luce, os sons distantes de música de orquestra e do murmúrio educado de uma multidão encheram o quarto. Ela sentiu algo a atrair para o salão. Talvez fosse Daniel. Talvez Lys.

Bill fez uma reverência no ar.

— Primeiro você, princesa.

Ela seguiu o som ao longo de dois amplos e ondulantes lances dourados de escada, enquanto a música se tornava mais alta a cada passo. Enquanto caminhava, atravessando galerias vazias, sentiu o delicioso cheiro de codorna assada, maçãs ensopadas e batatas gratinadas. E perfumes — tantos perfumes que ela mal conseguia respirar.

— Está feliz por eu ter feito você tomar um banho? — perguntou Bill. — É uma garrafa a menos de *eau de fedorette* abrindo buracos *en l'ozone*.

Luce não respondeu. Havia entrado em um longo salão cujas paredes eram tomadas por espelhos, e, à sua frente, duas mulheres e um homem andavam em direção à entrada de um salão principal. Elas não caminhavam, deslizavam. Seus vestidos, amarelo e azul, praticamente silvavam ao longo do chão. O homem andava entre elas, com uma camisa de babados branca sob o longo paletó cinza e saltos quase tão altos quanto aqueles nos sapatos de Luce. Todos usavam perucas até 30 centímetros mais altas que a de Luce, que já parecia enorme e pesava uma tonelada. Ao observá-los, Luce se sentiu desajeitada pela forma como suas saias balançavam de um lado para o outro enquanto ela andava.

Eles se viraram para olhá-la, estreitando os olhos, como se percebessem instantaneamente que ela não fora criada para frequentar os bailes da alta sociedade.

— Ignore-os — disse Bill. — Existem esnobes em todas as suas vidas. No fim, você é muito melhor do que eles.

Luce assentiu, andando atrás do trio, que passou por um conjunto de portas espelhadas e entrou no salão. O supremo salão de baile. Aquele que superaria todos os outros salões.

Luce não pôde evitar. Parou imediatamente e sussurrou:

— Uau!

Era majestoso: havia uma dúzia de candelabros pendurada no teto, cintilando com velas brancas. Nos lugares em que as paredes não eram cobertas por espelhos, eram tomadas pelo ouro. O piso de madeira nobre parecia se estender até a cidade seguinte, e na pista de dança havia mesas compridas cobertas com toalhas de linho branco, louças de porcelana fina, bandejas com bolos e biscoitos e grandes taças de cristal cheias de vinho tinto. Milhares de lírios brancos saíam de vasos vermelho-escuros dispostos sobre as mesas de jantar.

Na outra extremidade do salão, formava-se uma fileira de jovens bem-vestidas. Havia aproximadamente dez, uma ao lado da outra, sussurrando e rindo em frente a uma grande porta dourada.

Outro grupo se reuniu ao redor de uma enorme tigela de cristal, cheia de ponche, perto da orquestra. Luce foi servida de uma taça.

— Com licença? — disse ela a duas mulheres por perto. Seus cachos cinzentos formavam torres gêmeas sobre suas cabeças. — Por que as garotas estão em fila?

— Ora, para agradar o rei, é claro. — Uma das mulheres soltou uma risadinha. — Essas *demoiselles* tentarão agradá-lo o suficiente para que haja um casamento.

Casamento? Mas parecem tão jovens! Subitamente, a pele de Luce começou a esquentar e coçar. Então, ela entendeu: *Lys está naquela fila.*

Luce engoliu em seco e analisou cada uma das jovens. Ali estava ela, a terceira, magnífica em um vestido preto apenas ligeiramente diferente daquele que Luce vestia. Seus ombros estavam cobertos por uma pequena capa de veludo negro, e seu olhar jamais se erguia do chão. Ela não sorria, como as outras. Parecia tão frustrada quanto Luce.

— Bill — sussurrou Luce.

Porém, a gárgula voou até o rosto dela e mandou-a calar a boca com um dos seus rechonchudos dedos de pedra sobre os lábios.

— Somente malucos conversam com gárgulas invisíveis — silvou ele —, e malucos não são convidados para muitos bailes. Agora, aja rapidamente.

— Mas, e...
— *Rápido*!
O que aconteceria em 3D?
Luce inspirou profundamente. A última orientação que recebera fora de pegar a mão de Lys...
Ela atravessou a pista de dança, passando por serviçais carregando bandejas com *foie gras* e *chambord*. Quase trombou com a garota atrás de Lys, que tentava cortar a fila fingindo sussurrar algo a uma amiga.
— Com licença — disse Luce a Lys, cujos olhos se arregalaram e lábios se abriram, soltando um leve som de confusão.
Porém, Luce não poderia esperar pela reação de Lys. Inclinou-se e segurou sua mão, que se encaixou à sua como peças de um quebra-cabeça. Ela a apertou.
O estômago de Luce se afundou, como se ela houvesse descido a primeira ladeira de uma montanha-russa. Sua pele vibrou e uma sensação de balanço suave e estonteante a dominou. Sentiu suas pálpebras tremerem, mas algum instinto lhe disse para continuar segurando com força a mão de Lys.
Ela piscou, e Lys também; então, as duas piscaram ao mesmo tempo... Do outro lado, Luce pôde ver a si mesma nos olhos de Lys... Depois, pôde ver Lys a partir dos seus próprios olhos... E, então...
Não pôde ver ninguém à sua frente.
— Oh! — gritou. O som da sua voz era perfeitamente normal. Ela olhou para suas mãos, que pareciam iguais. Ergueu uma das mãos e tocou seu rosto, os cabelos, a peruca: tudo parecia igual. Todavia, algo... Algo havia mudado.
Ela ergueu a barra do vestido e olhou para seus sapatos.
Eles eram magenta. Com saltos altos em formato de diamante e amarrados ao tornozelo por um elegante laço prateado.

O que ela havia feito?

Nesse momento, percebeu o que Bill quis dizer com "3D". Ela havia, literalmente, entrado no corpo de Lys.

Luce olhou ao redor, aterrorizada. Para seu horror, as outras garotas estavam paradas. Na verdade, todos estavam congelados. Era como se alguém houvesse pausado a festa inteira.

— Viu? — A voz de Bill surgiu quente ao seu ouvido. — Não existem palavras para isso, existem?

— O que está acontecendo, Bill? — O tom de voz dela aumentava.

— Nesse exato momento, não muito. Precisei frear a festa, caso você surtasse. Depois que você dominar o lance 3D, farei tudo continuar normalmente.

— Então... Ninguém pode nos ver? — perguntou Luce, balançando a mão vagarosamente diante do belo rosto de uma garota morena, que estava na frente de Lys. A moça não se moveu. Nem piscou. Seu rosto estava congelado em um interminável sorriso.

— Não. — Bill demonstrou sua resposta balançando a língua perto da orelha de um homem mais velho, que fora congelado quando tinha um *escargot* entre os dedos, a centímetros da boca. — Não até eu estalar os dedos.

Luce expirou, mais uma vez estranhamente aliviada por contar com a ajuda de Bill. Ela precisava de alguns minutos para se acostumar à ideia de que estava... Será que ela *realmente* estava?

— Estou dentro do meu outro eu — disse ela.

— Sim.

— Então para onde *eu* fui? Cadê o meu corpo?

— Você está por aí — deu um tapinha no ombro dela. — Aparecerá novamente quando... Bem, quando for a hora certa.

Mas, por enquanto, você entrou inteiramente no seu eu do passado. Como uma tartaruguinha linda em um casco emprestado. Com a diferença de que se trata de algo muito maior. Quando você está no corpo de Lys, vocês se conectam. Por isso, muitas coisas boas se manifestam. As lembranças dela, as paixões, os costumes... Sorte sua. É claro que você também precisará lutar contra os defeitos dela. Essa aqui, se bem me lembro, fala o que não deve com alguma frequência. Então, fique atenta.

— Impressionante — sussurrou Luce. — Então, se eu encontrasse Daniel, seria capaz de sentir exatamente o que Lys sente por ele.

— Claro, imagino que sim, mas você entende que, assim que eu estalar os dedos, Lys voltará a ter obrigações nesse baile, que não incluem Daniel. Esse não é exatamente o lugar dele, e com isso eu quero dizer que os guardas jamais deixarão um pobre cocheiro entrar aqui.

Luce não se importou com aquilo. Cocheiro ou não, ela o encontraria. Mal podia esperar. Dentro do corpo de Lys, ela poderia abraçá-lo, talvez beijá-lo. A ansiedade por antecipação era quase avassaladora.

— Oi? — Bill bateu com um dos dedos na têmpora dela. — Você está pronta? Entre, veja o que pode conseguir e saia enquanto for tempo, se entende o que quero dizer.

Luce assentiu. Ela ajeitou o vestido preto de Lys e ergueu a cabeça um pouco mais alto.

— Pode estalar.

— E... *Vai*. — Bill estalou os dedos.

Por um átimo de segundo, a festa andou com a dificuldade de um disco arranhado. Depois, cada sílaba das conversas, cada lufada de perfume transportado pelo ar, cada gota de ponche que deslizava pelas gargantas adornadas por joias, cada nota de música da orquestra se endireitou e prosseguiu como se nada houvesse acontecido.

Somente Luce mudara. Sua mente foi tomada por milhares de palavras e de imagens. *Uma ampla casa com teto de palha na encosta dos Alpes. Um cavalo de pelo castanho chamado Gauche. O cheiro da palha em toda a parte. Uma única peônia branca, de talo comprido, disposta no seu travesseiro. E Daniel. Daniel. Daniel. Voltando do poço com quatro baldes pesados, cheios de água e equilibrados em uma viga disposta sobre os ombros. Arrumando Gauche pela manhã, antes de fazer qualquer outra coisa, para que Lys pudesse cavalgá-lo. Quando se tratava de pequenos e amorosos favores para Luce, não havia o que Daniel não fizesse, mesmo no meio de todo o trabalho para o pai dela. Seus olhos violeta sempre a encontravam. Daniel nos seus sonhos, no seu coração, nos seus braços.* Era como os flashes das lembranças de Luschka que ela tivera em Moscou ao tocar o portão da igreja — porém mais intensos e dominadores, como partes intrínsecas dela.

Daniel estava ali. Nos estábulos ou nos aposentos dos empregados. Estava ali. E ela o encontraria.

Algo farfalhou próximo ao pescoço de Luce, que deu um salto.

— Sou eu. — Bill flutuou sobre a pequena capa dela. — Você está se saindo muito bem.

As grandes portas douradas à frente do salão foram abertas por lacaios, que se mantiveram prostrados e atentos, um de cada lado. As garotas na fila que estavam à frente de Luce soltaram risinhos contidos de empolgação e, então, um silêncio dominou o ambiente. Enquanto isso, Luce procurava o caminho mais rápido entre aquele salão e os braços de Daniel.

— Foco, Luce — disse Bill, como se lesse sua mente. — Daqui a pouco o dever irá chamá-la.

Os instrumentos de corda da orquestra executaram os acordes barrocos da abertura de *Ballet de Jeunesse*, e todo o salão desviou a atenção. Luce acompanhou o olhar das pessoas e soltou uma exclamação: ela *reconheceu* o homem que estava à porta, olhando para a festa e usando um tapa-olho.

Era o duque de Bourbon, primo do rei.

Ele era alto e magricela, tão murcho quanto um feijoeiro numa seca. Seu terno de veludo azul malcortado era ornamentado por uma faixa roxa que combinava com as meias compridas nas suas pernas finas. Sua peruca empoada e ostentosa e seu rosto branco como leite eram excepcionalmente feios.

Ela não reconheceu o duque por causa de alguma fotografia em um livro de história. Conhecia-o até demais. Ela sabia *tudo*. Como o fato das damas de companhia da realeza trocarem piadas sujas sobre seu pequeno cetro e como ele perdera aquele olho (em um acidente de caça durante uma viagem à qual se juntou apenas para agradar ao rei). Luce sabia também que, naquele exato momento, o duque mandaria que as damas pré-selecionadas como apropriadas para casar se encaminhassem até o rei, de 12 anos, que aguardava em outra sala.

E que Luce — não, Lys — era uma das favoritas do duque para a posição. Era esse o motivo da sensação pesada e dolorida no seu peito: Lys não podia se casar com o rei, pois amava Daniel. Amava-o apaixonadamente havia anos. Porém, nessa vida, Daniel era um empregado, e eles foram forçados a esconder seu romance. Luce sentiu o medo paralisante de Lys — de que, se ela agradasse o rei naquela noite, toda a esperança de ter uma vida ao lado de Daniel desapareceria.

Bill a advertira de que entrar nessa percepção 3D seria algo intenso, mas Luce não poderia haver se preparado para um assalto de sentimentos daquele porte: cada medo e dúvida que um dia cruzaram a mente de Lys assolaram Luce. Assim como cada esperança e cada sonho. Era demais.

Ela arfou e olhou ao seu redor — para qualquer um, menos para o duque. E percebeu que sabia tudo sobre essa época e esse lugar. Subitamente entendeu por que o rei estava à procura de uma esposa, embora já estivesse noivo. Reconheceu metade dos rostos que se moviam ao redor dela — conhecia suas histórias e sabia quais pessoas a invejavam. Soube como se acomodar em um espartilho apertado de maneira que conseguisse respirar confortavelmente. E soube, a julgar pelo olhar experiente que lançou aos dançarinos, que Lys fora treinada em danças de salão desde a infância.

Estar no corpo de Lys era uma sensação esquisita, como se Luce fosse, ao mesmo tempo, a assombração e o assombrado.

A canção terminou e um homem próximo à porta deu um passo à frente para ler algo num pergaminho:

— Princesa Lys de Savoia.

Luce ergueu a cabeça com mais elegância e confiança do que esperava e aceitou a mão de um jovem de colete verde-claro que apareceu para conduzi-la até a sala de recepção do rei.

Dentro da sala, completamente azul-clara, Luce tentou não encarar o rei. Sua peruca cinza altíssima parecia boba sobre seu rosto pequeno e exausto. Os olhos azul-claros espiavam lascivamente a fila de duquesas e princesas — todas lindas, maravilhosamente bem-vestidas — do mesmo modo como um homem faminto olharia para um porco em um espeto.

A figura no trono não passava de uma criança.

Luís XV assumira a coroa quando tinha apenas 5 anos. Em concordância com os desejos do pai moribundo, noivara com uma princesa espanhola, a infanta. Porém, ela ainda era uma criancinha de colo. Parecia a pior combinação possível. O jovem rei, frágil e doentio, provavelmente não viveria o bastante para produzir um herdeiro com a princesa espanhola, que, por sua vez, poderia morrer antes de ter idade para procriar. Portanto, o rei precisava encontrar uma consorte que lhe produzisse um herdeiro — o que explicava aquela festa extravagante e as damas dispostas em fila.

Luce brincou com a renda do seu vestido, sentindo-se ridícula. As outras garotas pareciam tão pacientes. Talvez elas *realmente* desejassem se casar com o rei Luís, de 12 anos e com aquele rosto coberto de acne, embora Luce não visse como isso poderia ser possível. Elas eram tão elegantes e belas. Desde a princesa russa, Elizabeth, em um vestido de veludo cor de safira com gola enfeitada com pele de coelho, até Maria, a princesa da Polônia, a quem o narizinho arrebitado e os lábios vermelhos e cheios tornavam estonteantemente linda, todas olhavam o menino-rei com olhos arregalados e esperançosos.

No entanto, ele olhava para Luce. Com um sorriso satisfeito que fez seu estômago revirar.

— Aquela. — Ele apontou para ela, preguiçosamente. — Quero vê-la mais de perto.

O duque apareceu ao lado de Luce e empurrou suavemente os ombros dela para a frente, com seus dedos compridos e gelados.

— Apresente-se, princesa — disse em voz baixa. — Essa é uma oportunidade única na sua vida.

A Luce dentro dela resmungou silenciosamente, mas, por fora, era Lys quem estava no comando, e ela praticamente flutuou para a frente a fim de cumprimentar o rei. Ela fez uma reverência, abaixando a cabeça de maneira perfeitamente apropriada, e estendeu a mão para que ele a beijasse. Era o que sua família esperava dela.

— Você ficará gorda? — disse o rei para Luce, espiando sua cintura apertada pelo espartilho. — Gosto da aparência dela — disse ele ao duque —, mas não quero que engorde.

Se estivesse no seu corpo, Luce talvez houvesse dito ao rei exatamente o que pensava sobre seu porte nada sedutor. Porém, a compostura de Lys era perfeita, e Luce sentiu-se responder:

— Espero sempre agradar ao rei, com minha aparência e meu temperamento.

— Sim, é claro — disse abruptamente o duque, rodeando Luce. — Tenho certeza de que Vossa Majestade fará com que a princesa siga a dieta de vossa escolha.

— E quanto a caçar? — perguntou o rei.

— Vossa Majestade — começou o duque —, isso não é apropriado para uma rainha. Vossa Majestade tem diversos companheiros de caça. Eu, por exemplo...

— Meu pai é um excelente caçador — disse Luce. Seu cérebro trabalhava, tentando encontrar algo, qualquer coisa, que pudesse ajudá-la a fugir daquela cena.

— Devo, então, dormir com seu pai? — zombou o rei.

— Sabendo que Vossa Majestade aprecia armas — disse Luce, lutando para manter o tom educado —, ofereço-lhe um presente: o mais estimado rifle de caça do meu pai. Ele me pediu que trouxesse esta noite, porém, eu não tinha certeza de quando teria o prazer de conhecer Vossa Majestade.

Ela ganhou a atenção completa do rei, que se equilibrou na beira do trono.

— Como ele é? Tem joias incrustadas na coronha?

— A... a coronha é esculpida a mão, em madeira de cerejeira — disse ela, dando ao rei os detalhes que Bill lhe soprava, posicionado ao lado do trono do rei. — O cano foi forjado por... por...

— Ah, o que poderia impressionar? — pensou Bill. — Por um ferreiro russo que mais tarde foi trabalhar para o czar. — Depois ele se inclinou sobre os doces confeitados do rei e cheirou-os, faminto. — Parecem ótimos.

Luce repetiu a frase de Bill e acrescentou:

— Eu poderia trazê-lo a Vossa Majestade, se me permitir buscá-lo nos meus aposentos...

— Um serviçal poderá trazer a arma amanhã, tenho certeza — interveio o duque.

— Eu quero vê-lo *agora*. — O rei cruzou os braços, parecendo ainda mais infantil do que realmente era.

— Por favor — disse Luce virou-se para o duque. — Seria um imenso prazer apresentar pessoalmente o rifle a Vossa Majestade.

— Vá — e o rei estalou os dedos, dispensando Luce.

Luce quis se virar e correr, mas Lys sabia que era melhor não — nunca se mostrava as costas a um rei. Ela fez uma reverência e andou de costas até as portas da sala. Mostrou a mais graciosa contenção, deslizando como se não tivesse pés até chegar ao outro lado da porta espelhada.

Então, correu.

Através do salão de baile, passando pelos esplêndidos casais de dançarinos e pela orquestra, indo de uma sala amarelo-clara a outra, decorada em verde-limão. Luce correu por damas espantadas e por cavalheiros resmungões, sobre pisos de madeira de lei e tapetes persas espessos e opulentos, até que as luzes se tornassem mais difusas e os convidados rareassem, e, por fim, encontrou as portas que levavam ao lado de fora. Ela as escancarou, ofegando dentro do espartilho para conseguir respirar o ar fresco de liberdade. Caminhou por um enorme terraço de mármore branco e brilhante, que envolvia todo o segundo andar do palácio.

A noite estava iluminada pelas estrelas; tudo o que Luce queria era estar nos braços de Daniel e voar em direção a elas. Se ele apenas estivesse ao lado dela para afastá-la daquilo tudo!

— O que está fazendo aqui?

Ela se virou. Ele havia vindo atrás dela. Estava do outro lado do terraço, vestindo roupas simples e parecendo confuso, alarmado e trágica e desesperadamente apaixonado.

— Daniel. — Ela correu em direção a ele. Ele também se moveu na direção dela, e seus olhos violeta se iluminaram; Daniel abriu os braços, sorrindo. Quando eles finalmente se alcançaram e Luce se viu envolvida nos seus braços, pensou que talvez explodisse de felicidade.

Mas não explodiu.

Simplesmente continuou ali, com a cabeça aninhada no seu largo e maravilhoso peitoral. Estava em casa. Os braços dele envolviam suas costas, apoiados na sua cintura, e ele a apertou o máximo possível contra seu corpo. Luce sentiu sua respiração e o cheiro almiscarado de palha no seu pescoço. Luce beijou o ponto logo abaixo da sua orelha; depois, embaixo da sua mandíbula. Ela deu beijos suaves e gentis até chegar aos seus lábios, que se abriram contra os dela. Então, os beijos ficaram mais longos, repletos de um amor que parecia se derramar das profundezas da alma dela.

Após um instante, Luce se interrompeu e olhou nos olhos de Daniel.

— Senti tanto a sua falta.

Daniel soltou uma risadinha.

— Eu também senti a sua falta, nessas últimas... três horas. Você... Está tudo bem?

Luce correu os dedos pelos cabelos louros e sedosos de Daniel.

— Eu precisava de um pouco de ar, precisava encontrar você. — Ela o abraçou, com força.

Daniel estreitou os olhos.

— Acho que não deveríamos ficar aqui fora, Lys. Eles devem estar à sua espera na sala de recepção.

— Não me importo. Não voltarei. E nunca me casaria com aquele porco. Nunca me casarei com ninguém, a não ser com você.

— Shhh — Daniel estremeceu, afagando-lhe a face. — Alguém pode ouvir. Já cortaram cabeças por menos que isso.

— *Alguém* já ouviu — disse uma voz, vinda das portas abertas. O duque de Bourbon estava ali, com os braços cruzados sobre o peito, sorrindo ao ver Lys nos braços de um empregado. — Acredito que o rei deva saber sobre isso. — E, em seguida, ele se foi, desaparecendo no interior do palácio.

O coração de Luce se acelerou, motivado pelo medo de Lys e pelo seu: ela alterara a história? A vida de Lys deveria transcorrer de modo diferente?

Porém, Luce não poderia saber, poderia? Foi isso o que Roland lhe dissera: qualquer mudança que ela realizasse faria parte, imediatamente, do que havia acontecido. Entretanto, Luce continuava ali. Portanto, se ela modificara a história fugindo do rei... Bem, isso não pareceu ter grande importância na vida de Lucinda Price no século XXI.

Quando falou com Daniel, sua voz estava firme:

— Não me importo que esse duque cruel me mate. Prefiro morrer a desistir de você.

Uma onda de calor a dominou, fazendo com que ela balançasse.

— Oh! — disse ela, levando a mão à cabeça. Reconheceu a sensação na mesma hora, como algo que ela houvesse visto mil vezes, mas jamais prestado atenção.

— Lys — sussurrou ele. — Você sabe o que acontecerá?

— Sim — sussurrou ela.

— E sabe que estarei com você até o fim? — O olhar de Daniel a penetrava, cheios de ternura e de preocupação. Ele não estava mentindo. Jamais mentira para ela. Jamais mentiria. Ela sabia disso, podia enxergar. Ele revelara apenas o suficiente para mantê-la viva por mais alguns instantes, para sugerir tudo o que Luce começava a descobrir sozinha.

— Sim — e fechou os olhos. — Mas há tanto que ainda não compreendo. Não sei como parar isso. Não sei como quebrar essa maldição.

Daniel sorriu, mas lágrimas brilhavam nos seus olhos.

Luce não estava amedrontada. Sentiu-se livre. Mais livre do que nunca.

Uma compreensão estranha e profunda se expandiu na sua memória. Algo começou a se tornar visível na névoa sempre presente em sua mente. Um beijo de Daniel abriria a porta, libertaria Luce de um casamento sem amor e de uma criança mimada. Esse corpo não era realmente ela. Era apenas uma casca, parte de uma punição. E, portanto, essa morte não era uma tragédia — era simplesmente o fim de um capítulo. Uma libertação bela e necessária.

Eles ouviram o som de passos nas escadas atrás deles. Era o duque, voltando com seus homens. Daniel segurou-a pelos ombros.

— Lys, escute...

— Beije-me — implorou ela. O rosto de Daniel se modificou, como se ele não precisasse ouvir mais nada. Ele a levantou do chão e apertou-a contra o peito. Um calor incontrolável atravessou o corpo dela enquanto o beijava cada vez mais intensamente, soltando-se por completo. Ela arqueou as costas, inclinou a cabeça em direção ao céu e beijou-o até se sentir tonta pelo êxtase, até os rastros negros das sombras rodopiarem e escurecerem as estrelas. Uma sinfonia negra. Porém, atrás disso, havia luz. Pela primeira vez, Luce pôde sentir a luz que brilhava através daquilo.

Era absolutamente glorioso.

Era hora de partir.

Saia enquanto for tempo, advertira Bill. Enquanto ela ainda estivesse viva.

Porém, ela ainda não podia sair. Não enquanto tudo era tão morno e gostoso. Não com Daniel beijando-a, apaixonado. Ela abriu os olhos, e as cores do cabelo dele, do seu rosto e da noite se iluminaram ainda mais, com maior beleza, acesas por um brilho intenso.

Aquele brilho vinha da própria Luce.

A cada momento, todo o seu corpo se aproximava mais da luz. Esse era o único caminho verdadeiro de volta a Daniel, saindo de uma vida mundana e entrando em outra. Luce morreria mil vezes alegremente, desde que pudesse estar com ele novamente do outro lado.

— Fique comigo — implorou Daniel enquanto ela se sentia incandescer.

Ela gemeu. Lágrimas escorreram pelo seu rosto. Um sorriso muito suave surgiu nos seus lábios.

— O que é isso? — perguntou Daniel. Ele não queria parar de beijá-la. — Lys?

— É... É tanto *amor* — disse ela, abrindo os olhos exatamente quando o fogo irrompeu do seu peito. Uma grande coluna de luz explodiu na noite, lançando calor e chamas no céu, atirando Daniel para longe e retirando Luce da morte de Lys, jogando-a na escuridão, onde ela sentiu um grande frio e não pôde ver nada. Uma vertigem assolou-a.

E, então, surgiu um pequeno ponto de luz.

O rosto de Bill apareceu, pairando sobre Luce com um olhar preocupado. Ela estava deitada sobre uma superfície plana. Tocou a pedra embaixo dela, ouviu uma água pingando por perto e sentiu o cheiro do ar gelado e bolorento. Fora jogada em um Anunciador.

— Você me assustou — disse Bill. — Eu não sabia... Quero dizer, quando ela morreu, eu não sabia como... Não sabia se você poderia ficar presa, de algum modo... Eu não tinha certeza — e balançou a cabeça como se tentasse afastar aquele pensamento.

Ela tentou se levantar, mas suas pernas estavam bambas e tudo nela transmitia uma sensação incrivelmente fria. Sentou-se com as pernas cruzadas, recostada na parede de pedra. Usava mais uma vez o vestido preto com detalhes verde-esmeralda. Os sapatos, da mesma cor, estavam lado a lado em um canto. Bill provavelmente havia tirado-os dos pés dela e deitado-a antes que ela... Depois que Lys... Luce ainda não conseguia acreditar.

— Eu pude *ver* as coisas, Bill. Coisas que eu nunca soube.

— Tipo?

— Tipo que Lys estava feliz quando morreu. *Eu* estava feliz. *Em êxtase*. Tudo foi tão lindo. — A mente dela estava acelerada. — Saber que ele estaria à minha espera do outro lado, saber que eu apenas fugia de algo errado e opressor. Que a beleza do nosso amor venceria a morte, venceria tudo. Foi incrível.

— Incrivelmente perigoso — cortou Bill. — Não vamos mais fazer isso, OK?

— Você não entende? Desde que deixei Daniel, no presente, essa é a melhor coisa que me aconteceu. E...

No entanto, Bill desapareceu mais uma vez na escuridão. Ela ouviu o barulho da cachoeira. Um momento depois, o barulho de água fervendo. Quando Bill reapareceu, havia feito chá. Ele carregava um bule em uma fina bandeja de metal e estendeu a Luce uma xícara fumegante.

— Onde você conseguiu isso? — perguntou ela.

— Eu disse que não faremos mais isso, OK?

Ainda assim, Luce estava envolvida demais nos próprios pensamentos para realmente ouvi-lo. Aquilo fora o mais próximo que ela chegara de algum tipo de esclarecimento. Ela entraria na percepção 3D — como era mesmo o nome que Bill utilizara? *Clivagem?* — mais uma vez. Então, veria o fim das suas vidas, uma após a outra, até que, em uma delas, descobrisse exatamente por que aquilo acontecia.

E, assim, ela quebraria a maldição.

DOZE

O PRISIONEIRO

Paris, França • 1º de dezembro de 1723

Daniel soltou um palavrão.

O Anunciador o despejara em uma cama úmida e suja de palha. Ele rolou e se sentou, com as costas encostadas em uma parede de pedra gelada. Algo pingava do teto, gotas frias e oleosas que caíam na sua testa, mas não havia luz o bastante para enxergá-las.

Em frente a ele havia um buraco que servia como janela, recortado grosseiramente na parede, que mal chegava à largura de um punho. Deixava passar apenas poucos raios de luar, porém o bastante do ar tempestuoso da noite para fazer com que a temperatura baixasse a quase 0ºC.

Ele não conseguia ver os ratos andando pela cela, mas sentia seus corpos pegajosos se retorcendo em meio à palha mofada sob suas pernas, e seus dentes afiados mordendo o couro dos seus sapatos. Ele mal conseguia respirar diante do fedor dos seus excrementos. Daniel chutou o ar e ouviu um guincho. Então, juntou os pés sob o corpo e se manteve agachado.

— Você está atrasado.

A voz ao lado de Daniel fez com que ele pulasse: supusera, descuidadamente, que estava sozinho. Era, na verdade, um sussurro rouco e grave, mas familiar.

Então, ele ouviu um som rascante, como metal sendo arrastado sobre um piso de pedra. Daniel ficou tenso quando uma fração mais negra das sombras se destacou da escuridão e inclinou-se para a frente. A figura moveu-se para a luz cinza e pálida sob a janela, onde ao menos a silhueta de um rosto se tornou um pouco visível.

Seu próprio rosto.

Ele havia esquecido daquela cela, da sua punição. Fora ali aonde ele tinha ido parar.

De certa maneira, o eu anterior de Daniel tinha a mesma aparência dele no presente: o mesmo nariz e a mesma boca, a mesma distância entre os olhos cinzentos. Seus cabelos estavam mais embaraçados e ensebados, mas tinham o mesmo tom dourado. Contudo, o Daniel prisioneiro parecia *tão* diferente. Seu rosto estava horrivelmente extenuado e pálido; sua testa, coberta por imundícies. O corpo emagrecera ao extremo e a pele estava recoberta por gotículas de suor.

Era isso o que a ausência dela causava nele. Sim, ele estava preso pela bola e pela corrente de ferro dos prisioneiros, mas a verdadeira carcereira era a culpa.

Lembrou-se de tudo. Inclusive da visita do seu eu do futuro e de uma conversa amarga e frustrada. Paris. A Bastilha. Onde ele fora preso pelos guardas do duque de Bourbon depois que Lys desapareceu. Houvera outros cárceres, condições de vida mais cruéis e comidas piores durante a existência de Daniel, mas a impiedade da sua culpa, naquele ano, foi uma das provas mais difíceis pelas quais ele havia passado.

Parte, mas não tudo, estava relacionado à injustiça de ter sido acusado de assassiná-la.

Porém...

Se Daniel estava ali, preso na Bastilha, Lys estava morta. Então, Luce já havia chegado... E partido.

Seu outro eu tinha razão: ele chegara atrasado.

— Espere — disse ele ao prisioneiro na escuridão, aproximando-se, mas não tanto a ponto de arriscar tocá-lo. — Como você sabe por que voltei?

O arrastar da corrente significava que seu eu do passado se inclinara contra a parede.

— Você não foi o único que atravessou atrás dela.

As asas de Daniel arderam, enviando ondas de calor pelas suas escápulas.

— Cam.

— Não, não foi Cam — respondeu seu outro eu. — Foram dois garotos.

— Shelby? — Daniel socou o chão de pedra. — E o outro... Miles. Está falando sério? Aqueles Nefilim? Eles estiveram *aqui*?

— Há mais ou menos um mês, eu acho — e apontou para a parede atrás de si, onde havia algumas marcas tortas de contagem. — Tentei contar os dias, mas você sabe como é... O tempo passa de forma engraçada. Ele foge de você.

— Eu me lembro — Daniel estremeceu. — Mas, e os Nefilim... Você conversou com eles? — Ele vasculhou a memória; lembranças esmaecidas da sua prisão lhe vieram à mente, visões de um garoto e uma garota. Ele sempre acreditara que se tratava de fantasmas criados pela sua tristeza, apenas mais duas das ilusões que o assomavam depois que ela partia e ele se via mais uma vez sozinho.

— Por um instante — a voz do prisioneiro parecia cansada e distante, — mas eles não estavam muito interessados em mim.

— Ótimo.

— Depois que descobriram que ela estava morta, tiveram pressa em seguir em frente. — Seus olhos cinzentos eram estranhamente penetrantes. — Algo que você e eu podemos entender muito bem.

— Aonde eles foram?

— Não sei. — O prisioneiro abriu um sorriso grande demais para o seu rosto. — E acho que nem eles sabiam. Você precisava ver quanto tempo eles levaram para abrir um Anunciador. Pareciam dois tolos desajeitados.

Daniel se viu quase rindo.

— Não tem graça — disse seu eu do passado. — Eles se importam com ela.

Porém, Daniel não sentia ternura nenhuma pelos Nefilim.

— Eles são uma ameaça para todos. A destruição que podem causar... — fechou os olhos. — Eles não têm ideia do que estão fazendo.

— Por que você não consegue alcançá-la, Daniel? — Seu outro eu soltou uma risada seca. — Já nos vimos outras vezes, ao longo dos milênios, e eu me lembro de você estar perseguindo-a. Sem nunca a alcançar.

— Eu... Eu não sei. — As palavras ficaram presas na garganta de Daniel e um longo soluço se formou atrás delas. Tremendo, ele o reprimiu. — Não consigo chegar até ela. De alguma forma, estou eternamente um segundo atrasado, como se algo ou alguém atuasse camufladamente para impedir que eu a alcance.

— Seus Anunciadores sempre o levam aonde você precisa estar.

— *Preciso estar com ela.*

— Talvez eles saibam o que você precisa melhor que você mesmo.

— O quê?

— Talvez ela não deva ser impedida. — O prisioneiro chacoalhou sua corrente com indiferença. O simples fato de ser capaz de viajar pelo tempo significa que algo fundamental mudou. Talvez você não consiga alcançá-la antes que ela faça uma mudança na maldição original.

— Mas... — Ele não sabia o que dizer. O soluço subiu até o peito de Daniel, afogando seu coração em uma torrente de vergonha e de tristeza. — Ela precisa de mim. Cada segundo é uma eternidade perdida. E, se ela der um passo em falso, tudo pode ser colocado a perder. Ela poderia mudar o passado e... deixar de existir.

— Mas essa é a natureza do risco, não é? Aposta-se tudo na mais escassa das esperanças. — Seu eu começou a esticar o braço, quase a ponto de tocar em Daniel. Ambos desejavam sentir uma conexão. No último instante, Daniel se afastou.

Seu outro eu suspirou.

— E se for *você*, Daniel? E se for *você* quem precisa alterar o passado? E se somente lhe for possível alcançá-la depois de reescrever a maldição, incluindo uma brecha?

— Impossível — desdenhou Daniel. — Olhe para mim. Olhe para você. Você está arruinado sem ela. Não somos nada quando não estamos com Lucinda. Não existe motivo para minha alma não querer encontrá-la o mais rápido possível.

Daniel tinha vontade de voar para longe dali, porém algo o incomodava.

— Por que você não se ofereceu para me acompanhar? — perguntou ele, por fim. — Eu teria recusado, é claro, mas alguns dos outros... Quando encontrei outra versão minha, em uma das vidas, ela quis vir comigo. Por que você não quer?

Um rato rastejou pela perna do prisioneiro, parando para cheirar as correntes ensanguentadas à altura dos seus tornozelos.

— Eu fugi certa vez — respondeu ele, devagar. — Lembra-se?

— Sim — disse Daniel. — Quando você... Quando *nós* escapamos, antes, e voltamos para Savoia. — Ele observou a falsa esperança oferecida pela luz que entrava pela janela. — Por que fomos até Savoia? Deveríamos saber que entrávamos em uma armadilha.

O prisioneiro se recostou e chacoalhou suas correntes.

— Não tínhamos outra opção. Era o lugar mais próximo dela — inspirou, de modo entrecortado. — É tão difícil quando ela está envolvida. Tenho a sensação de que nunca sou capaz de seguir em frente. Fiquei feliz quando o duque antecipou minha fuga, quando descobriu para onde eu iria. Ele estava à minha espera em Savoia, aguardando, com seus homens, à mesa de jantar do meu patrão. Esperando para me arrastar de volta até aqui.

Daniel se lembrou:

— Tive a sensação de que o castigo fora algo que eu havia conquistado.

— Daniel. — O rosto desesperado do prisioneiro pareceu receber um choque elétrico. Mostrou-se vivo novamente ou, ao menos, seus olhos o fizeram, brilhando em tom violeta. — Acho que entendi — as palavras saíram sem pensar. — Aprenda uma lição com o duque.

Daniel lambeu os lábios.

— Como assim?

— Todas essas vidas em que você diz persegui-la. Faça como o duque fez conosco. *Antecipe* o próximo passo dela. Não tente apenas alcançá-la. Chegue antes ao local. Espere ela chegar.

— Mas não sei aonde seus Anunciadores a levarão.

— É claro que sabe — insistiu seu eu. — Você deve ter lembranças vagas dos locais que ela visitou. Talvez não de todos os passos, mas, no fim, tudo precisa terminar onde começou.

Uma compreensão silenciosa surgiu entre eles. Correndo as mãos ao longo da parede próxima à janela, Daniel convocou uma sombra. Estava invisível para ele na escuridão, mas ele pôde senti-la se mover na sua direção e, com destreza, deu-lhe forma. O Anunciador parecia tão deprimido quanto ele.

— Tem razão — disse ele, abrindo o portal. — Existe um lugar aonde ela irá com certeza.

— Sim.

— E você... Você deveria aceitar seu próprio conselho e sair desse lugar — disse Daniel, sombrio. — Está apodrecendo aqui.

— Ao menos a dor do meu corpo me distrai da dor que sinto na alma — retrucou seu eu do passado. — Não. Eu lhe desejo sorte, mas não sairei daqui agora. Não antes da próxima encarnação de Lucinda.

As asas de Daniel roçaram seu pescoço. Ele tentou diferenciar as épocas, as vidas e as lembranças na sua cabeça, mas ela andava em círculos ao redor do mesmo pensamento irritante.

— Ela... Ela já deve ter encarnado. Em concepção. Você consegue sentir?

— Ah... — disse, em voz baixa, o prisioneiro. Ele fechou os olhos. — Não sei se ainda consigo sentir qualquer coisa. — Suspirou pesadamente. — A vida é um pesadelo.

— Não, não é. Não mais. Eu a encontrarei. Salvarei a nós dois — gritou Daniel, desesperado para sair dali, saltando através do tempo e confiando na sorte.

TREZE

※ ☩ ※

SOB ADVERSA ESTRELA

Londres, Inglaterra • 29 de junho de 1613

Algo estalou sob os pés de Luce.

Ela ergueu a barra do vestido preto: cascas de amendoim jogadas no chão formavam uma camada tão espessa que os pequenos pedaços marrons e fibrosos chegavam às fivelas dos seus sapatos verde-esmeralda.

Ela estava atrás de uma multidão ruidosa. Quase todos ao seu redor usavam roupas em tons desbotados de marrom ou de cinza; as mulheres trajavam vestidos compridos, corpetes trançados e mangas largas. Os homens vestiam calças afuniladas, mantos amplos sobre os ombros e boinas feitas de lã. Luce nunca saíra de um Anunciador em um espaço público, mas ali estava ela, num anfiteatro lotado. O ambiente era espantoso — e desordenadamente barulhento.

— Cuidado! — Bill agarrou a gola da pequena capa de veludo de Luce e puxou-a para trás, fazendo com que ela se chocasse contra o corrimão de madeira de uma escadaria.

Um segundo mais tarde, dois garotos imundos passaram correndo, em um estranho pique-pega que fez três mulheres, paradas no meio do caminho, caírem umas sobre as outras. Elas se levantaram pesadamente e xingaram os meninos, que também as zombaram, mal desacelerando.

— Da próxima vez — berrou Bill ao ouvido dela, com as garras em concha ao redor da boca — tente direcionar seus exercícios de atravessar o tempo para locais mais, sei lá, *serenos*? Como conseguirei preparar seu figurino nessa balbúrdia?

— Claro, Bill, vou trabalhar nisso. — Luce recuou justamente quando os garotos passaram a toda a velocidade novamente. — *Onde* estamos?

— Você deu a volta no globo para chegar ao Globe, *milady* — Bill encenou uma pequena reverência.

— Ao Globe Theatre? — Luce se abaixou quando uma mulher, na frente dela, jogou sobre o ombro uma coxa de peru mordiscada. — Você quer dizer, tipo, Shakespeare?

— Bem, ele se *diz* aposentado. Mas você sabe como são os artistas. Tão temperamentais. — Bill se abaixou até quase o chão, puxando a barra do vestido dela e cantarolando para si mesmo.

— A peça *Otelo* foi encenada aqui — disse Luce, precisando de um instante para absorver a situação. — *A tempestade*. *Romeu e Julieta*. Estamos praticamente no meio das maiores histórias de amor já escritas.

— Na verdade, você está no meio de cascas de amendoim.

— Por que você precisa ser tão superficial em relação a tudo? Isso é impressionante!

— Desculpe, não sabia que você precisava de um momento de bardolatria. — As palavras dele eram abafadas por causa de uma agulha que trazia entre os dentes afiados. — Agora, fique quieta.

— Ai! — Luce soltou um gritinho quando ele furou o joelho dela. — O que você fazendo?

— Desanacronizando você. Esses caras pagam muito bem para assistir a shows de horrores, desde que eles estejam no *palco*. — Bill trabalhava de maneira rápida e discreta, criando no tecido comprido e drapeado do vestido negro uma série de dobras e ondulações, para que ele ficasse reunido nas laterais. Ele derrubou a peruca preta e prendeu os cabelos de Luce em um coque desarrumado. Depois, olhou para a capa de veludo sobre os ombros dela. Bill puxou o tecido macio, que Luce sentiu descer pelos seus ombros. Por fim, ele cuspiu em uma das mãos, esfregou as palmas uma contra a outra e modelou o xale de veludo em uma gola alta, no estilo jacobino.

— Isso é extremamente nojento, Bill.

— Fique quieta — cortou ele. — Da próxima vez, me dê mais tempo para trabalhar. Você acha que eu gosto de "me virar"? Não gosto — e inclinou a cabeça em direção à multidão, que ria. — Por sorte, a maioria dessas pessoas está bêbada demais para notar que uma garota saiu das sombras, nos fundos do teatro.

Bill tinha razão: ninguém olhava para eles. Todos discutiam enquanto eles se aproximavam do palco. Não passava de uma plataforma erguida a cerca de 1,5m do chão, e, atrás da agitada multidão, Luce teve dificuldade para vê-lo com clareza.

— Vamos logo! — gritou um garoto. — Não nos faça esperar o dia inteiro!

Acima do nível do público havia três fileiras de camarotes e, depois, nada: o anfiteatro em formato circular se abria sob o céu azul do meio-dia. Luce olhou ao redor, em busca do seu eu do passado. Em busca de Daniel.

— Estamos na noite de estreia do Globe. — Ela se lembrou das palavras que Daniel lhe dissera sob os pessegueiros da Sword & Cross. — Daniel contou que estivemos aqui.

— Sim, você *esteve* aqui — concordou Bill. — Há uns 14 anos. Empoleirada no ombro do seu irmão mais velho. Você e sua família assistiram à peça *Júlio César*.

Bill pairou no ar, 30 centímetros à frente dela. A gola alta ao redor do pescoço de Luce era nojenta, mas parecia manter o formato. Ela quase parecia uma das mulheres suntuosamente vestidas, prostradas nos camarotes.

— E Daniel? — Luce quis saber.

— Daniel era um enganador...

— Ei!

— Era como chamavam os *atores* — Bill revirou os olhos. — Ele estava começando. Para o restante da plateia, sua estreia não foi nem um pouco memorável. Porém, na pequena Lucinda, de 3 anos — Bill deu de ombros — algo se acendeu. Desde então, você, entre aspas, morre de vontade de pisar em um palco. Hoje é a sua estreia.

— Sou uma atriz?

Não. Callie, a amiga do seu eu do passado, é uma atriz. Durante o último semestre de Luce na Dover School, Callie implorou que ela também fizesse os testes para a peça *Nossa cidade*. Ambas ensaiaram por semanas antes do teste. Luce conseguiu uma fala, mas Callie arrasou na sua interpretação de Emily Webb. Luce assistira à amiga dos bastidores, orgulhosa e impressionada. Callie teria vendido tudo o que possuía para estar por um minuto no antigo Globe Theatre, quanto mais para atuar no palco.

Então, Luce se lembrou do rosto pálido de Callie ao ver a batalha entre os anjos e os Párias. O que teria acontecido com Callie depois que Luce partiu? Onde estariam os Párias? Como Luce explicaria a Callie, ou aos seus pais, o que havia acontecido? Isso, obviamente, se Luce conseguisse voltar ao seu quintal e àquela vida.

Luce sabia que somente voltaria depois de descobrir como impedir seu fim. Quando desvendasse a maldição que obrigava ela e Daniel a encenarem incessantemente a mesma história de amantes "sob adversa estrela".

Ela estava nesse teatro por algum motivo. Sua alma a atraíra até ali, mas por quê?

Luce abriu caminho pela multidão, movendo-se ao longo da lateral do anfiteatro até enxergar o palco. As tábuas de madeira haviam sido cobertas por um tapete espesso, parecido com cânhamo, para simular grama. Dois canhões enormes situavam-se como guardas nas laterais dos bastidores e uma fileira de laranjeiras, plantadas em vasos, acompanhava a parede ao fundo. Não muito longe de Luce, uma escada de madeira, caindo aos pedaços, levava a um cômodo cortinado: o camarim — ela se lembrava das aulas de teatro que fizera com Callie —, onde os atores se vestiam e se preparavam para as cenas.

— Espere! — gritou Bill enquanto ela se apressava, subindo a escada.

Atrás das cortinas, o espaço era pequeno, apertado e mal-iluminado. Luce passou por pilhas de manuscritos e por armários abertos cheios de figurinos, vendo uma enorme máscara, que representava a cabeça de um leão, enfeites dourados e mantos de veludo. Então, congelou: diversos atores estavam por ali, arrumando-se — garotos em vestidos semiabotoados e homens calçando botas de couro marrom. Por sorte, os atores estavam ocupados maquiando o rosto e ensaiando freneticamente as falas, de maneira que o local se via repleto de gritos de fragmentos da peça.

Antes que algum dos atores pudesse erguer os olhos e vê-la, Bill voou até o lado de Luce e empurrou-a para um dos armários. Várias roupas a circundaram.

— O que está fazendo? — perguntou ela.

— Deixe-me lembrá-la que você *atua* em uma época em que não havia *atrizes* — e Bill franziu a testa. — Como mulher, esse mundo não lhe pertence. Não que isso a tenha impedido: seu eu assumiu riscos gigantescos para conseguir um papel em *É tudo verdade*.

— *É tudo verdade*? — repetiu Luce, que esperara ao menos reconhecer o título da peça. Não tivera tanta sorte. Ela espiou novamente o camarim.

— Você conhece a peça como *Henrique VIII* — disse Bill, puxando-a mais uma vez pela gola. — Porém, preste atenção: gostaria de arriscar um palpite sobre por que seu outro eu mentiria e se disfarçaria para conseguir um papel...?

— Daniel.

Ele havia entrado no camarim. A porta que levava ao jardim continuava aberta atrás dele; raios de sol iluminavam suas costas. Daniel caminhava sozinho, lendo um manuscrito, mal notando os atores ao seu lado. Parecia diferente do que fora nas outras vidas dela. Seu cabelo louro estava comprido e um pouco ondulado, preso com uma fita preta próximo à nuca. Usava barba, aparada com cuidado, cujo tom era apenas ligeiramente mais escuro que o do cabelo.

Luce sentiu uma vontade imensa de tocá-lo, de acariciar seu rosto, de correr os dedos pelos seus cabelos, de sentir sua nuca e tocar cada parte do corpo dele. Sua camisa branca estava aberta, mostrando a linha definida dos músculos do seu peito. A calça preta era folgada e estava amontoada sob as botas, também pretas, na altura dos joelhos.

Quando ele se aproximou, o coração dela bateu aceleradamente. O ruído da multidão se dissipou. O odor de suor seco, vindo dos figurinos no armário, desapareceu. Havia apenas o som da respiração dela e o barulho dos passos dele na sua direção. Ela saiu do armário.

Ao vê-la, os olhos de Daniel, tão cinzentos quanto uma tempestade, brilharam em tom violeta. Ele sorriu, surpreso.

Ela não pôde mais aguentar. Correu até ele, esquecendo-se de Bill, dos atores, do seu eu do passado, que poderia estar em qualquer lugar, a passos de distância — e a quem esse Daniel realmente pertencia. Esqueceu-se de tudo, menos da necessidade de estar nos seus braços.

Ele deslizou as mãos ao redor da cintura dela, guiando-a rapidamente até o outro lado do pesado armário, onde eles estariam escondidos dos outros atores. As mãos dela encontraram a nuca dele. Uma onda de calor subiu pelo corpo de Luce. Ela fechou os olhos e sentiu os lábios dele a tocarem, leves como pluma — quase leves *demais*. Esperou para sentir o desejo no beijo dele. Esperou. E esperou.

Luce ergueu-se mais um pouco, arqueando o pescoço para que ele a beijasse com mais força, mais profundamente. Precisava desse beijo para se lembrar de por que estava fazendo tudo aquilo, perdendo-se no seu próprio passado e vendo-se morrer tantas vezes: era por causa dele, por causa da união entre eles. Por causa daquele amor.

Tocá-lo novamente fez com que ela se lembrasse de Versalhes. Ela queria agradecer a ele por salvá-la de ter que se casar com o rei. E implorar para que ele nunca mais se ferisse, como havia feito no Tibete. Queria perguntar o que ele havia sonhado quando dormira dias a fio após a morte dela na Prússia. Queria escutar o que ele dissera a Luschka antes dela morrer, naquela horrível noite em Moscou. Queria despejar seu amor, perder o controle, chorar e fazer com que ele soubesse que, em cada segundo de cada vida, ela sentira a falta dele com todo o coração.

Porém, não havia como comunicar isso a *esse* Daniel. Nada disso acontecera a esse Daniel. E ele achou que ela era a Lucinda dessa época, a garota que não sabia o que Luce descobriu. Não havia palavras para contar-lhe.

O seu beijo seria a única maneira de mostrar a ele que entendia.

Contudo, Daniel não a beijava como ela queria. Quanto mais se apertava contra ele, mais ele recuava.

Por fim, ele a afastou. Segurou apenas as suas mãos, como se o resto dela fosse perigoso.

— Senhorita — beijou as pontas dos dedos dela, fazendo-a tremer. — Será que eu seria ousado demais ao dizer que seu amor a torna sem modos?

— Sem modos? — Luce corou.

Daniel passou o braço pelas costas dela devagar, um pouco nervoso.

— Querida Lucinda, você não deveria estar nesse lugar, vestida assim. — Os olhos dele não se desviavam do vestido dela. — Que roupas são essas? Onde está seu figurino? — Ele estendeu a mão para dentro do guarda-roupa e mexeu nos cabides.

Rapidamente, Daniel começou a desamarrar suas botas, atirando-as no chão com um barulho seco. Luce tentou não ficar boquiaberta quando ele deixou as calças caírem. Ele usava calções curtos e cinzentos que deixavam pouco espaço para a imaginação.

A face dela ardeu quando Daniel desabotoou rapidamente sua camisa branca. Ele a arrancou, expondo toda a beleza do seu peitoral. Luce conteve a respiração. As únicas coisas que faltavam eram suas asas abertas. Daniel era tão impecavelmente maravilhoso — e parecia não imaginar o efeito que causava nela apenas por estar ali, em roupas íntimas.

Ela engoliu em seco, abanando-se.

— Está calor aqui dentro?

— Vista isso até que eu busque seu figurino — disse ele, atirando as roupas para ela. — Rápido, antes que alguém a veja.
— Ele correu até o guarda-roupa no canto e vasculhou-o, pegando uma túnica verde e dourada, outra camisa branca e um par de calças verdes curtas. Apressou-se em vestir aquelas roupas — seu figurino, imaginou Luce — enquanto ela recolhia as roupas cotidianas que ele havia descartado.

Luce se lembrou de que a criada em Versalhes precisara de meia hora para esprememê-la naquele vestido. Havia cordões, amarrações e rendas em todos os tipos de lugares íntimos. Ela nunca conseguiria tirar tudo aquilo com alguma dignidade.

— Houve uma, hã, uma mudança no figurino. — Luce agarrou o tecido preto da saia. — Achei que esse traje ficaria bom para meu personagem.

Luce ouviu passos atrás dela, mas, antes que pudesse se virar, a mão de Daniel a empurrou mais para dentro do armário, ao lado dele. O móvel era apertado e escuro, mas era maravilhoso estar tão perto de Daniel. Ele fechou a porta o máximo possível e continuou na frente dela, parecendo um rei naquela túnica verde e dourada.

Ele ergueu uma sobrancelha.

— Onde você arrumou isso? A sua Ana Bolena veio de Marte? — e soltou um risinho. — Sempre achei que ela fosse de Wiltshire.

A mente de Luce se apressou para acompanhá-lo. Ela fazia o papel de Ana Bolena? Nunca lera aquela peça, mas o figurino de Daniel sugeria que ele interpretava o rei, Henrique VIII.

— O Sr. Shakespeare... ah, Will... achou que ficaria bom...

— Ah, *Will* achou que ficaria bom? — Daniel sorriu, não acreditando nem um pouco nela, mas sem parecer se importar. Era estranho sentir que ela poderia fazer ou dizer praticamente qualquer coisa e Daniel continuaria a achar que ela era encantadora. — Você é um pouco maluca, não é, Lucinda?

— Eu... Bem...

Ele afagou a face dela com os dedos.

— Adoro você.

— Eu também adoro você — suas palavras saíram aos tropeções, parecendo excessivamente verdadeiras depois das últimas mentiras gaguejadas. Era como soltar a respiração após prendê-la por muito tempo. — Estive pensando, muito, e queria lhe dizer que... que...

— Sim?

— A verdade é que sinto por você algo... mais profundo do que adoração — apertou as mãos contra o coração dele. — Confio em você. Confio no seu amor. Sei o quanto ele é forte e belo. — Luce sabia que não podia dizer o que realmente desejava; supostamente ela era uma versão diferente de si e, nas outras vezes em que Daniel adivinhara quem ela era e de onde viera, se fechara como uma ostra e lhe dissera que fosse embora. Mas, talvez, se ela escolhesse as palavras com cuidado, Daniel a entenderia. — Pode parecer que algumas vezes eu... Eu esqueço o que você significa para mim e o que significo para você, mas no fundo, no fundo... eu sei. Eu sei porque fomos feitos um para o outro. Eu te amo, Daniel.

Ele pareceu chocado.

— Você... Você me ama?

— É claro. — Luce quase riu diante do quanto aquilo era óbvio, mas, então, lembrou-se: ela não tinha ideia de em que momento do passado ela havia chegado. Talvez, nessa existência, eles houvessem apenas trocado olhares recatados.

O peito de Daniel subiu e desceu violentamente, e seu lábio inferior começou a tremer.

— Quero que fuja comigo — disse ele, rapidamente. Havia um tom de desespero na sua voz.

Luce teve vontade de gritar "sim!", porém, algo a conteve. Era tão fácil se perder quando o corpo de Daniel estava apertado contra o dela, sentindo o calor que emanava da sua pele e as batidas do seu coração através da camisa. Ela teve a sensação de que poderia contar-lhe qualquer coisa — desde o quanto fora glorioso morrer nos braços dele em Versalhes até sua devastação ao descobrir a extensão do sofrimento dele. Contudo, se segurou: a garota que ele acreditava que ela era não falaria sobre essas coisas, não saberia sobre elas. Nem Daniel. Então, quando finalmente abriu a boca, sua voz falhou.

Daniel colocou um dedo sobre os lábios dela.

— Espere. Não proteste ainda. Deixe eu lhe pedir apropriadamente. Em breve, meu amor.

Ele espiou pela porta entreaberta do armário, em direção à cortina. Gritos de aclamação chegavam do palco. O som dos risos e dos aplausos do público era imenso. Luce ainda não se dera conta de que a peça havia começado.

— É minha deixa. Vejo você daqui a pouco — beijou sua testa e correu para o palco.

Luce quis correr atrás dele, mas duas pessoas se posicionaram bem na frente do armário.

A porta se abriu com um rangido e Bill esvoaçou para dentro.

— Você está ficando boa nisso — disse ele, desabando sobre um saco de perucas velhas.

— Onde você se escondeu? — perguntou Luce.

— Quem, eu? Em lugar nenhum. Do que eu me esconderia? — perguntou ele. — Aquela história sobre uma mudança de figurino foi um verdadeiro golpe de mestre — comentou ele, erguendo a minúscula mãozinha para um cumprimento.

Era sempre um pouco chato lembrar que Bill observava cada interação dela com Daniel.

— Você vai mesmo deixar minha mão parada no ar? — Bill lentamente abaixou a mão.

Luce o ignorou. Ela tinha uma sensação pesada e crua no peito. Não esquecia o desespero na voz de Daniel quando ele lhe pediu para fugir com ele. O que aquilo significara?

— Eu morrerei esta noite. Não é, Bill?

— Bem... — Bill abaixou os olhos. — Sim.

Luce sentiu um nó na garganta.

— Onde está Lucinda? Preciso entrar nela para entender essa existência. — Ela empurrou a porta do armário para abri-la, mas Bill segurou a fita do seu vestido e a puxou para trás.

— Olhe, querida, o modo 3D não pode ser sua estratégia. Pense nele como uma habilidade a ser usada em ocasiões especiais. — Ele apertou os lábios. — O que você acha que aprenderá aqui?

— Descobrirei do que ela precisa escapar, é claro — respondeu Luce. — Do que Daniel quer salvá-la? Ela está noiva? Mora com um tio cruel? Está encrencada com o rei?

— Opa... — Bill coçou o topo da cabeça, criando um som terrível, como unhas raspando um quadro-negro. — Devo ter cometido um simples erro pedagógico em algum ponto. Você acha que sempre existe um motivo para sua morte?

— E não existe? — disse, sentindo a decepção no rosto.

— Quero dizer, suas mortes não são exatamente *sem sentido*...

— Mas quando morri dentro de Lys, senti tudo: ela acreditou que ser queimada a libertou. Ficou feliz, pois casar com aquele rei significaria que sua vida seria uma mentira. E que Daniel pôde salvá-la, matando-a.

— Ah, querida, é isso o que você pensa? Que suas mortes são uma saída para casamentos ruins ou algo parecido?

Luce fechou os olhos com força contra o ardor de lágrimas repentinas.

— Precisa ser algo assim. Precisa. Senão, é apenas algo inútil.

— *Não* é inútil — disse Bill. — Você morre por um motivo, mas não é algo tão simples. Você não pode querer entender tudo imediatamente.

Ela grunhiu, frustrada, e bateu o punho contra a lateral do armário.

— Entendo por que você está descontrolada — disse Bill, por fim. — Você entrou no modo 3D e acreditou que desvendara o segredo do seu universo. Porém, nem sempre as coisas são tão fáceis e certinhas. Espere o caos. *Abrace* o caos. Você deve continuar aprendendo o máximo possível em cada vida que visitar. Talvez, no fim, tudo isso a leve a algum lugar. Talvez você termine ao lado de Daniel... Ou, talvez, decida que há mais coisas na vida do que...

O som de tecido farfalhando assustou-os. Luce deu uma espiada pela porta do armário.

Um homem de mais ou menos 50 anos, com cavanhaque grisalho e uma pequena barriga de chope, estava atrás de um ator, que se vestia. Ambos sussurravam. Quando a garota virou um pouco a cabeça, as luzes do palco iluminaram seu perfil. Luce congelou diante daquela visão: um nariz delicado, lábios pequenos e delineados em cor-de-rosa, uma peruca castanho-escura com apenas algumas mechas pretas compridas, e um belíssimo vestido dourado.

Era Lucinda, totalmente figurada como Ana Bolena e prestes a entrar no palco.

Luce se inclinou para fora do armário. Sentia-se nervosa e sem fala, mas ao mesmo tempo estranhamente poderosa: se o que Bill lhe dissera era verdade, não havia muito tempo.

— Bill? — sussurrou ela. — Preciso que você faça aquela coisa de pausar a cena, para que eu...

— *Shhh*! — O sibilo de Bill tinha tamanha determinação que indicou a Luce que ela estava por conta própria. Precisaria esperar até que o homem saísse para estar a sós com Lucinda.

Inesperadamente, Lucinda andou até o armário onde Luce estava escondida e enfiou a mão ali dentro. Seu braço se direcionou ao manto dourado perto do ombro de Luce, que conteve a respiração e agarrou os dedos dela.

Lucinda ofegou e escancarou a porta, encarando Luce e buscando um sentido inexplicável. O chão pareceu se inclinar. Luce ficou tonta, fechou os olhos e sentiu como se sua alma houvesse saído do corpo. Viu-se externamente: o vestido esquisito que Bill alterara às pressas e o medo puro nos olhos. A mão que segurava era macia, tão macia que ela mal conseguia senti-la.

Luce piscou, Lucinda também; então, Luce não mais sentiu o toque daquela mão. Quando olhou para baixo, sua mão estava vazia. Ela se tornara a garota a quem antes segurava. Rapidamente, agarrou o manto e colocou-o sobre os ombros.

A única pessoa no camarim, além dela, era o homem que estivera sussurrando com Lucinda. Luce soube quem ele era: William Shakespeare. *William Shakespeare*. Ela o *conhecia*. Eles eram, os três — Lucinda, Daniel e Shakespeare —, *amigos*. Certa tarde de verão, Daniel levara Lucinda para visitar Shakespeare na sua casa, em Stratford. Antes do pôr do sol, eles se sentaram na biblioteca e, enquanto Daniel desenhava próximo à janela, Will fizera várias perguntas a ela — anotando tudo, furiosamente — sobre quando ela vira Daniel pela primeira vez, o que ela sentia em relação a ele, e se ela pensava que algum dia poderia se apaixonar.

Além de Daniel, Shakespeare era o único que conhecia o segredo de Lucinda — que ela era uma mulher — e o amor que viviam fora dos palcos. Em troca da sua discrição, Lucinda manteve o segredo de que ele estaria no Globe aquela noite. Todos na companhia acreditavam que ele estava em Stratford e que havia passado as rédeas do teatro para Mestre Fletcher. Porém, Will aparecera sorrateiramente para assistir à noite de estreia da peça.

Quando Lucinda voltou para seu lado, Shakespeare fitou-a.

— Você está diferente.

— Eu... Não, eu ainda... — Ela sentiu o brocado macio ao redor dos ombros. — Ah, sim, encontrei o manto.

— O manto, é? — Ele sorriu para ela e piscou. — Ele fica bem em você.

Então, Shakespeare pôs a mão no ombro de Lucinda, como sempre fazia quando instruía os atores:

— Escute: todos aqui conhecem a sua história. Verão você nessa cena, mas você não dirá nem fará muitas coisas. Ana Bolena é uma estrela em ascensão na corte, e cada uma dessas pessoas tem um papel sobre o destino dela. — Ele engoliu em seco. — Ah, sim... Não se esqueça de estar na marca ao final da sua fala. Você precisa se posicionar na frente do palco, à esquerda, para o início da dança.

Luce pôde sentir as falas atravessarem sua mente. As palavras estariam ali quando ela precisasse, quando se colocasse diante de todas aquelas pessoas. Ela estava pronta.

A plateia urrou e voltou a aplaudir. Um grupo de atores saiu do palco apressadamente e preencheu o espaço ao redor dela. Shakespeare havia desaparecido. Ela viu Daniel na outra coxia. Ele se destacava entre os atores, régio e impossivelmente belo.

Era a deixa para que Lucinda entrasse no palco. A cena representava o início de uma festa na residência de lorde Wolsey, quando o rei — interpretado por Daniel — criaria uma elaborada encenação antes de tocar na mão de Ana Bolena pela primeira vez. Eles deveriam dançar e se apaixonar profundamente. Aquele deveria ser o início de um romance que mudara tudo.

O início.

Porém, para Daniel, não era o início, de modo algum.

Para Lucinda, entretanto, e para a personagem que ela interpretava, tratava-se de um amor à primeira vista. Lucinda teve a impressão de que pousar o olhar em Daniel fora a primeira coisa verdadeira a acontecer com ela, tal como ocorrera com Luce na Sword & Cross. Todo o seu mundo passara a ter um novo significado.

Luce não conseguia acreditar em como o Globe estava lotado. As pessoas que se acomodaram na frente estavam praticamente em cima dos atores, tão perto que ao menos 20 espectadores apoiavam os cotovelos no palco. Ela podia sentir o cheiro deles. Podia ouvi-los respirar.

Contudo, de alguma maneira, Luce sentiu-se tranquila, até mesmo energizada — como se, em vez de entrar em pânico diante de toda aquela atenção, Lucinda, na verdade, ganhasse vida.

Na cena, Luce estava rodeada pelas damas de companhia de Ana Bolena; ela quase riu de como as "damas" pareciam cômicas ao seu redor. Os pomos de adão daqueles adolescentes subiam e desciam claramente sob a iluminação direcionada do palco. O suor formava círculos embaixo dos braços dos seus vestidos cheios de enchimento. Do outro lado do palco, Daniel e sua corte a encaravam sem qualquer pudor, e o amor era claro no seu rosto. Ela desempenhou o papel com desenvoltura, lançando apenas olhares admirados o suficiente para atrair tanto o interesse de Daniel quanto da plateia. Ela até improvisou um gesto — afastar os cabelos do longo pescoço branco —, dando uma pista pressagiadora do que todos sabiam ser o destino de Ana Bolena.

Dois atores se aproximaram dela, um de cada lado. Eram os nobres, lorde Sands e lorde Wolsey.

— *Senhoritas, não estão alegres. Cavalheiros, de quem é a culpa por isso?* — retumbou a voz de lorde Wolsey. Ele era o anfitrião da festa (e vilão da peça), e o ator que o representava tinha uma incrível presença de palco.

Então, ele se virou para encarar Luce. Ela congelou.

Lorde Wolsey era interpretado por Cam.

Não havia como gritar, xingar ou fugir. Ela era uma profissional, portanto se manteve composta e virou-se para o companheiro de Wolsey, lorde Sands, que pronunciou sua fala com uma risada.

— *É preciso que o vinho tinto primeiro colora o rosto dessas belas damas, meu lorde!* — disse ele.

Quando chegou a vez de Lucinda falar, seu corpo tremia; ela arriscou uma olhada discreta para Daniel. Seus olhos violeta suavizaram a dificuldade que ela sentia. Ele acreditava nela.

— *Sois muito alegre, lorde Sands* — Luce sentiu-se dizer em voz alta, com uma perfeita entonação de provocação.

Então, Daniel deu um passo à frente e uma trombeta soou, seguida por um tambor. A dança começava. Ele tomou-lhe a mão. Quando falou, direcionou-se a ela, não à plateia, como faziam os outros atores.

— *A mais bela mão que já toquei!* — disse Daniel. — *Ó, beleza, até agora eu não te conhecia!* — pronunciava as falas como se houvessem sido escritas para eles.

Eles dançaram, e Daniel não tirou os olhos dela durante todo o tempo. Seus olhos eram violeta e claros como cristal, e a forma como nunca se desviavam amoleceu o coração de Luce. Ela sabia que ele sempre a amara, mas, até aquele momento, dançando com ele em um palco, na frente de todas aquelas pessoas, ela nunca realmente pensara no que isso significava.

Aquilo queria dizer que, quando ela o via pela primeira vez, em cada uma das suas vidas, Daniel já estava apaixonado por ela. Em todas as vidas. E sempre estivera. A cada vez, ela precisava se apaixonar por ele novamente. Ele jamais poderia pressioná-la ou forçá-la a amá-lo. Ele precisava reconquistá-la a cada vez.

O amor de Daniel por ela era longo e ininterrupto. Era a forma mais pura de amor, mais até do que o amor que Luce lhe retribuía. Seu amor fluía sem interrupções, sem parada. Enquanto o amor de Luce era apagado a cada morte, o sentimento de Daniel crescia ao longo do tempo, atravessando a eternidade. Quão poderosamente forte estaria? Depois de centenas de vidas de amor empilhadas umas sobre as outras? Era quase imenso demais para que Luce compreendesse.

Ele a amava tanto e, contudo, em cada existência, repetidamente, precisava esperar que ela o alcançasse.

Por todo aquele tempo eles dançaram com o restante da trupe, que entrava e saía dos bastidores a intervalos, voltando ao palco para mais galanteios, para cenas mais longas, com passos mais elaborados, até que toda a companhia estivesse dançando.

Ao final da cena, apesar da ação não estar no texto e de Cam estar por perto, assistindo-os, Luce segurou a mão de Daniel e puxou-o para si, contra as laranjeiras plantadas em vasos. Ele a olhou como se ela fosse louca e tentou arrastá-la para a marca predefinida, mantendo a movimentação de palco planejada.

— O que está fazendo? — murmurou ele.

Ele duvidara dela antes, nos bastidores, quando ela tentou falar livremente sobre seus sentimentos. Ela *precisava* que ele acreditasse nela. Entender a profundidade do amor dela significaria tudo para ele, principalmente se Lucinda morresse esta noite. Aquilo ajudaria Daniel a seguir em frente, a amá-la por outras centenas de anos, a passar por toda a dor e as dificuldades que ela testemunhara até chegar ao presente.

Luce sabia que a ação não estava no roteiro, mas não pôde se conter: agarrou Daniel e beijou-o.

Ela esperava que ele a impedisse, mas, em vez disso, enlaçou-a e retribuiu o beijo. Com força e paixão, correspondendo com tal intensidade que ela teve a mesma sensação de quando eles voavam, embora soubesse que seus pés estavam plantados no chão.

Por um instante, a plateia ficou em silêncio. Depois, começaram a gritar e zombar. Alguém atirou um sapato em Daniel, mas ele o ignorou. Seus beijos diziam a Luce que ele acreditava nela, que entendia a profundidade do seu amor, mas ela queria ter certeza.

— Sempre amarei você, Daniel. — Porém, aquilo não parecia exatamente explicar tudo o que ela queria dizer. Ela precisava fazer com que ele entendesse, e que se danassem as consequências: se ela modificasse a história, que assim fosse. — Sempre *escolherei* você. — Sim, era essa a palavra. — Em cada existência, eu escolherei você. Assim como você sempre me escolheu. Para todo o sempre.

Os lábios de Daniel se entreabriram. Ele acreditava nela? *Era* uma escolha duradoura, profunda, que superava qualquer outra coisa que Luce fosse capaz de fazer. Havia algo poderoso por trás dessa decisão. Algo belo e...

Sombras começaram a rodopiar no cordame acima deles. O calor vibrou através do corpo dela, fazendo-a entrar em convulsão, desesperada para obter a liberação ardente que sabia estar próxima.

Os olhos de Daniel cintilaram, em dor.

— Não — sussurrou ele. — Por favor, não vá ainda.

De algum modo, aquilo sempre os surpreendia.

Enquanto Lucinda explodia em chamas, ouviu-se o som de um canhão sendo disparado, mas Luce não teve certeza. Seus olhos se enevoaram diante da claridade; ela foi lançada para fora do corpo de Lucinda, para o ar, para a escuridão.

— Não! — gritou ela, enquanto as paredes do Anunciador se fechavam ao seu redor. Era tarde demais.

— Qual é o problema dessa vez? — perguntou Bill.

— Eu não estava pronta. *Sei* que Lucinda precisava morrer, mas eu, eu estava quase... — Ela estivera prestes a entender algo sobre a escolha por amar Daniel. E, agora, todos aqueles momentos ao lado dele se foram com as chamas, com Lucinda.

— Bem, não há muito o que ver — disse Bill. — Somente o que sempre ocorre em um edifício se incendiando: fumaça, cortinas de fogo, pessoas gritando e correndo em fuga desordenada em direção às saídas, pisoteando os menos afortunados... Você já entendeu. O Globe ficou completamente queimado.

— O *quê*? — disse ela, sentindo-se enjoada. — Eu comecei o incêndio no Globe? — Com certeza, incendiar o teatro mais famoso da história inglesa teria repercussões em outras vidas.

— Ah, não fique se achando tão importante. Isso aconteceria de qualquer maneira. Se você não explodisse em chamas, o canhão no palco teria errado o disparo e queimaria tudo.

— Isso é tão maior do que Daniel e eu. Todas aquelas pessoas...

— Olhe, Madre Teresa, ninguém morreu... Além de você. Ninguém sequer saiu *ferido*. Lembra-se daquele bêbado que encarou você, na terceira fileira? As calças dele pegaram fogo. Foi o pior que aconteceu. Sente-se melhor?

— Não. Nem um pouco.

— Então, que tal isso: você não está aqui para aumentar sua culpa. Nem para mudar o passado. Existe um script, e você tem seus momentos de entrar e sair de cena.

— Eu não estava pronta para sair.

— Por que não? *Henrique VIII* é um saco, de qualquer forma.

— Eu queria dar *esperança* a Daniel. Queria que ele soubesse que eu sempre o escolherei, sempre o amarei. Mas Lucinda morreu antes que eu soubesse se ele entendeu. — Ela fechou os olhos. — A parte dele da maldição é muito pior que a minha.

— Que bom, Luce!

— Como assim? Isso é *horrível*!

— Eu quis dizer que essa pequena joia, esse "Ah, a agonia de Daniel é infinitamente mais terrível que a minha" foi o que você aprendeu aqui. Quanto mais entender, mais perto chegará da origem da maldição e mais provável será que você encontre a saída. Certo?

— Eu... Eu não sei.

— Mas *eu* sei. Agora vamos, você tem papéis mais importantes para representar.

A parte de Daniel na maldição era pior. Luce era capaz de enxergar esse fato com muita clareza. Porém, o que isso queria dizer? Ela não se sentia mais perto de quebrar a maldição. A resposta se esquivava. Contudo, sabia que Bill tinha razão em um ponto: ela não podia fazer mais nada nessa existência. Tudo o que lhe restava era continuar viajando para trás.

QUATORZE

O PRECIPÍCIO
Groenlândia Central • Inverno, 1100

O céu estava negro quando Daniel saiu do Anunciador. Atrás dele, o portal balançava ao vento como uma cortina esfarrapada, esgarçando-se e rasgando-se antes de se despedaçar sobre a neve azulada pela noite.

Um frio atravessou seu corpo. À primeira vista, não parecia haver absolutamente nada ali além das noites árticas que pareciam eternas, oferecendo, ao final, apenas o mais breve lampejo do dia.

Agora ele se lembrava: naqueles fiordes, ele e seus companheiros anjos caídos realizavam seus encontros — onde havia apenas a escuridão vazia e um frio rigoroso, a dois dias de caminhada do vilarejo mortal de Brattahlíõ. Ele, entretanto, não a encontraria ali. Essa terra nunca fez parte do passado de Lucinda, portanto, não haveria qualquer coisa nos Anunciadores dela que pudesse levá-la até ali.

Haveria apenas Daniel. E os outros.

Ele estremeceu e marchou ao longo do fiorde tomado pela neve, em direção a um brilho cálido no horizonte. Sete deles estavam reunidos ao redor de uma fogueira alaranjada e brilhante. A alguma distância, o círculo das suas asas parecia uma auréola gigantesca na neve. Daniel não precisou contar as silhuetas luminosas para saber que todos estavam ali.

Nenhum dos anjos o notou cruzando a neve em direção à assembleia. Eles tinham uma seta estelar para qualquer eventualidade, mas a ideia de um visitante aparecer durante o conselho era tão implausível que sequer constituía uma real ameaça. Além disso, eles estavam ocupados demais discutindo para detectar o Anacronismo que se movia, agachado, por trás de uma rocha congelada, ouvindo a conversa.

— Isso é uma perda de tempo — Daniel conseguiu distinguir, primeiramente, a voz de Gabbe. — Não chegaremos a lugar algum.

A paciência de Gabbe podia ser curta. No início da guerra, sua revolta durara um átimo de segundo em comparação com a de Daniel. Desde então, porém, seu comprometimento se aprofundara. Ela voltara às graças do Céu, e a hesitação de Daniel ia contra tudo em que ela acreditava. Enquanto andava ao redor da fogueira, as pontas das suas enormes asas brancas se arrastavam na neve.

— Foi você quem convocou essa reunião — lembrou-a uma voz baixa. — Agora quer suspendê-la? — Roland se sentara em um tronco escuro e curto, a alguns metros do local onde Daniel estava agachado, atrás de uma rocha. Seus cabelos estavam compridos e desalinhados. Seu perfil negro e suas asas escuras e douradas cintilavam como brasas remanescentes no apagar de uma fogueira.

Tudo era exatamente como Daniel se lembrava.

— A reunião que convoquei foi para *elas* — Gabbe parou e apontou, com uma das asas, para dois anjos sentados, próximos, do outro lado da fogueira, em frente a Roland.

As asas iridescentes e esguias de Ariane estavam milagrosamente paradas, erguendo-se acima das suas escápulas. Seu brilho fazia com que parecessem quase fosforescentes na noite sem cor, porém, tudo o mais em Ariane, do seu cabelo Chanel até seus lábios pálidos e contraídos, parecia intensamente sombrio e sério.

O anjo ao lado de Ariane também estava mais quieto do que usualmente. Annabelle olhava de maneira vazia para os confins da noite. Suas asas tinham um tom escuro de prata, quase da cor de chumbo. Eram amplas e musculosas, estendendo-se ao redor de ambas em um arco largo e protetor. Fazia muito tempo que Daniel não a via.

Gabbe parou atrás de Ariane e de Annabelle e olhou para o outro lado: para Roland, Molly e Cam, que dividiam um grosseiro cobertor de pele cobrindo suas asas. Ao contrário dos anjos do lado oposto da fogueira, os demônios tremiam.

— Não esperávamos vocês esta noite — disse-lhes Gabbe —, e não estamos felizes em vê-los.

— Também temos um interesse pessoal nisso — retrucou Molly, asperamente.

— Não da mesma forma que nós — disse Ariane. — Daniel nunca se juntará a vocês.

Se Daniel não se recordasse do lugar onde havia se sentado naquela reunião, há mais de mil anos, talvez seu outro eu lhe passasse completamente despercebido. Aquele Daniel estava sentado sozinho, no meio do grupo, do outro lado da rocha. Atrás dela, Daniel mudou de posição, buscando uma visão melhor.

As asas do seu eu anterior se esticaram para trás, como grandes velas brancas tão quietas quanto a noite. Enquanto os outros falavam dele como se não participasse da reunião, Daniel se portava como se estivesse sozinho no mundo. Ele atirou punhados de neve na fogueira, observando os pedaços congelados chiarem e se dissolverem em vapor.

— Ah, é? — disse Molly. — Importa-se em explicar por que ele se aproxima cada vez mais do nosso lado? E aquela ceninha de xingar Deus sempre que Luce explode? Duvido que isso seja bem visto.

— Ele está *sofrendo*! — gritou Annabelle para Molly. — Você não entende porque não sabe amar. — Ela se aproximou de Daniel, fazendo as pontas das suas asas se arrastarem na neve, e dirigiu-se a ele. — Isso é temporário. Todos sabemos que sua alma é pura. Se você quisesse finalmente escolher um lado, *escolher a nós*, Daniel... Se, em qualquer momento...

— Não.

A clara determinação na sua voz afastou Annabelle mais rápido do que se Daniel houvesse sacado uma arma. Aquele eu anterior dele não se parecia com nenhum dos outros. E, atrás da rocha, observando-os, Daniel se lembrou do que acontecera durante esse conselho e estremeceu diante do horror proibitivo daquela lembrança.

— Se você não se juntar *a eles* — disse Roland a Daniel —, por que não se junta a *nós*? Até onde eu sei, não existe Inferno pior do que aquele em que você se coloca sempre que a perde.

— Ah, que golpe baixo, Roland! — disse Ariane. — Você nem está falando sério. Você não pode acreditar que... — Ela retorceu as mãos. — Você está dizendo isso para me provocar.

Atrás de Ariane, Gabbe apoiou a mão sobre o ombro dela. As pontas das asas se tocaram, e uma faiscante explosão prateada irrompeu entre elas.

— O que Ariane quis dizer é que o Inferno nunca é uma alternativa melhor. Não importa o quão terrível seja a dor de Daniel, existe apenas um lugar para ele. Existe apenas um lugar para todos nós. Vocês veem como os Párias são penitentes.

— Poupe-nos do seu sermão, tá legal? — disse Molly. — Há um coro lá em cima que pode estar interessado na sua lavagem cerebral, mas eu não estou e acho que Daniel também não.

Os anjos e os demônios se viraram para encará-lo, juntos, como se ainda fossem parte de uma legião. Sete pares de asas lançando uma aura cintilante de luz prateada e dourada. Sete almas que ele conhecia tão bem quanto a dele.

Mesmo escondido atrás da rocha, Daniel se sentiu sufocado. Ele se lembrava daquele momento: eles exigiram tanto dele. Quando ele estava tão enfraquecido por seu coração despedaçado. Ele sentiu novamente a força do pedido de Gabbe para que ele se juntasse ao Céu. E a intensidade de Roland também, para que se juntasse ao Inferno. Daniel sentiu, uma vez mais, a única palavra que dissera naquela reunião, como um estranho fantasma na sua boca: *Não*.

Devagar, com uma sensação de enjoo crescente, Daniel se lembrou de uma coisa: sabe aquele *não*? Ele não o dissera com sinceridade. Naquele instante, Daniel estivera prestes a dizer *sim*.

Essa foi a noite em que ele quase desistiu.

Seus ombros arderam. A urgência súbita de soltar suas asas quase o fez se ajoelhar. Seus órgãos se embrulharam, com horror repleto de vergonha. A tentação contra a qual ele lutara por tanto tempo crescia dentro de si.

No círculo ao redor da fogueira, o eu anterior de Daniel olhou para Cam.

— Você está estranhamente quieto esta noite.

Cam não respondeu imediatamente.

— O que você quer que eu diga?

— Você enfrentou esse dilema antes. Você *sabe* que...

— *E o que você quer que eu diga?*

Daniel inspirou com dificuldade:

— Algo encantador e persuasivo.

Annabelle desdenhou:

— Ou algo dissimulado e absolutamente maligno.

Todos aguardaram. Daniel quis irromper do seu esconderijo, atrás da rocha, e tirar seu outro eu dali. Mas não podia. Seu Anunciador o trouxera por um motivo. Ele precisava passar por tudo aquilo novamente.

— Você está numa armadilha — disse Cam, por fim. — Você pensa que, por ter havido um início e por você estar, de alguma maneira, no meio, haverá um final. Mas nosso mundo não está fundado na teleologia. Ele é caótico.

— Nossos *mundos* não são os mesmos... — disse Gabbe.

— Não existe saída para esse ciclo, Daniel — prosseguiu Cam. — Ela não pode quebrá-lo, nem você. Pode escolher o Céu ou o Inferno, eu não estou nem aí, e você também não. Não fará nenhuma diferença...

— Basta. — A voz de Gabbe estava entrecortada. — *Fará* diferença. Se Daniel voltar ao lugar ao qual pertence, então Lucinda... Então, Lucinda...

Porém, ela foi incapaz de prosseguir. Suas palavras construiriam uma blasfêmia, e Gabbe não faria isso. Ela caiu de joelhos sobre a neve.

Atrás da rocha, Daniel observou seu eu estender a mão para Gabbe e levantá-la. Ele observou tudo se desenrolar diante dos seus olhos, exatamente como ele se lembrava:

Ele olhou para a alma dela e percebeu como ardia com intensidade. Olhou para trás e viu os outros — Cam e Roland, Ariane e Annabelle, até mesmo Molly —, e pensou em por quanto tempo ele arrastara todos eles através da sua tragédia épica.

E para quê?

Lucinda. E a escolha que ambos fizeram há tempos — e que repetiam várias vezes: colocar seu amor acima de qualquer coisa.

Naquela noite, nos fiordes, a alma dela estava entre uma encarnação e outra, recém-purgada do seu último corpo. E se ele parasse de procurá-la? Daniel estava exausto. Não sabia se ainda tinha forças.

Observando a luta do seu eu, sentindo a chegada iminente de um colapso absoluto, Daniel se lembrou do que precisava fazer. Era perigoso. Proibido. Porém absolutamente necessário. Agora, ao menos, ele entendia por que seu eu do futuro o levara até aquela noite remota — para lhe dar forças, para mantê-lo puro. Ele fraquejara naquele momento crucial do seu passado. E o futuro Daniel não poderia permitir que aquela fraqueza aumentasse ao longo das eras ou que corrompesse as chances dele e de Lucinda.

Portanto, ele repetiu o que lhe acontecera novecentos anos antes. Consertaria esse erro naquela noite juntando-se ao... Não, *controlando* seu passado.

Clivagem.

Era a única maneira.

Ele girou os ombros para trás e libertou suas asas trêmulas na escuridão. Pôde senti-las inflando ao vento. Uma aurora pintou o céu, três metros acima dele. Era brilhante o suficiente para cegar um mortal e para chamar a atenção de sete anjos em uma discussão.

Houve uma comoção do outro lado da rocha. Gritos, exclamações e o som de asas batendo, se aproximando.

Daniel se impulsionou para cima, voando com rapidez e intensidade, pairando acima da rocha exatamente quando Cam a rodeava. Pela distância de uma asa, eles não se tocaram; porém, Daniel continuou em frente e desceu sobre seu eu anterior com toda a velocidade que seu amor por Luce podia incitar.

Ele recuou e estendeu as mãos, tentando afastar Daniel.

Todos os anjos conheciam os riscos da clivagem. Uma vez unidas, era quase impossível se libertar do eu passado, separar duas vidas que se fundiram. Mas Daniel sabia que ele havia sido dividido no passado e sobrevivera. Por isso, precisava continuar.

Estava fazendo aquilo para ajudar Luce.

Juntou as asas, mergulhou para baixo em direção ao seu eu do passado, e atingiu-o com tanta força que poderia ter sido esmagado — se não tivesse sido absorvido. Ele estremeceu, assim como seu eu, fechou os olhos com força e rangeu os dentes para aguentar o estranho e profundo enjoo que inundou seu corpo. Sentiu como se descesse um morro de maneira imprudente e veloz, impossível de ser parado. Não haveria volta até chegar ao fim.

Então, subitamente, tudo parou.

Daniel abriu os olhos e pôde ouvir apenas a própria respiração. Sentiu-se cansado, mas alerta. Os outros o encaravam.

Ele não tinha certeza se faziam alguma ideia do que acontecera. Todos pareciam com medo de se aproximar, até mesmo de falar com ele.

Ele abriu as asas e voou em um círculo completo, inclinando a cabeça em direção ao céu.

— Escolho meu amor por Lucinda! — gritou ele para o Céu e para a Terra, para os anjos ao seu redor e para aqueles que não estavam ali. Para a alma daquilo que ele mais amava, onde quer que ela estivesse. — E reafirmo a minha escolha: escolho Lucinda, acima de *tudo*. E a escolherei até o fim.

QUINZE

O SACRIFÍCIO
Chichén Itzá, América Central • 5 Wayeb'
(aproximadamente 20 de dezembro de 555)

O Anunciador cuspiu Luce no calor opressivo de um dia de verão. Sob seus pés, o chão era extremamente seco e a terra, rachada e alaranjada, com lâminas secas de grama. O céu tinha um tom azul intenso, sem uma nuvem sequer que indicasse chuva. Até o vento parecia sedento.

Ela estava no meio de um campo plano, rodeado em três lados por uma muralha estranha e alta. Daquela distância, parecia um pouco um mosaico de gigantescas contas irregulares, não exatamente esféricas, com cores que variavam do marfim ao caramelo. Aqui e ali, havia minúsculas rachaduras entre as contas, deixando passar a luz vinda do outro lado.

Além de alguns abutres crocitando enquanto voavam em círculos letárgicos, não havia ninguém ali. O vento soprava quente nos cabelos dela e cheirava a... Ela não conseguia reconhecer o cheiro, mas tinha um odor metálico, quase como ferrugem.

O vestido pesado que ela usava desde o baile de Versalhes estava ensopado de suor. Fedia a fumaça, cinzas e transpiração. Ela precisava se livrar dele. Lutou para alcançar as rendas e botões. Uma mãozinha não seria nada mau — mesmo que fosse minúscula e feita de pedra.

Onde estava Bill, aliás? Ele sempre sumia. Às vezes, Luce tinha a impressão de que a gárgula tinha objetivos próprios e que ela era levada para trás segundo a agenda *dele*.

Ela lutou contra o vestido, rasgando a renda verde ao redor da gola e abrindo colchetes enquanto andava. Ainda bem que não havia ninguém ali. Por fim, ela se ajoelhou e sacudiu o corpo para se livrar do vestido, puxando as saias por cima da cabeça.

Quando voltou a se sentar sobre os calcanhares, usando apenas o vestido fino de algodão que estava por baixo, Luce percebeu o quanto estava cansada. Há quanto tempo não dormia? Andou cambaleante em direção à sombra da muralha, com os pés farfalhando pela grama seca, pensando que talvez pudesse se deitar um pouco e fechar os olhos.

Suas pálpebras tremulavam de tanto sono.

Então, se escancararam. E sua pele se arrepiou.

Cabeças.

Luce finalmente percebeu de que a muralha era feita. A cerca cor de osso, vista de longe — eram fileiras de cabeças *humanas* empaladas.

Ela conteve um grito. De repente, reconheceu o odor carregado pelo vento: era o fedor de podridão, de sangue e de carne em putrefação.

Ao longo da parte inferior da cerca, os crânios estavam brancos e limpos graças ao vento e ao sol. Na parte superior, as cabeças eram mais recentes. Ou seja, ainda pareciam cabeças *humanas*, com jubas espessas de cabelos negros e peles praticamente intactas. Os crânios localizados na parte central, contudo, ficavam entre a aparência de mortais e de monstros: a pele esgarçada descascava, deixando aparente o sangue escuro e seco sobre o osso. Os rostos estavam esticados numa expressão que poderia ser de terror ou de raiva.

Luce recuou aos tropeços, esperando inspirar uma lufada de ar que não fedesse a podridão — mas não a encontrou.

— Não é tão terrível quanto parece.

Ela se virou, aterrorizada. Mas era apenas Bill.

— Onde você estava? Onde *estamos*?

— É, na verdade, uma grande honra ser empalado assim — disse ele, marchando até a segunda fileira de baixo para cima. Olhou nos olhos de uma das cabeças. — Todos esses cordeirinhos inocentes seguirão diretamente para o Céu. Exatamente o que os fiéis desejam.

— Por que você me largou aqui com esses...

— Ah, por favor! Eles não mordem. — Bill olhou-a com o canto dos olhos. — O que você fez com suas roupas?

Luce deu de ombros.

— Está muito quente.

Ele soltou um longo suspiro, se fazendo de vítima.

— *Agora*, pergunte-me onde eu estava. E, dessa vez, tente tirar o julgamento do seu tom de voz.

A boca dela se retorceu. Algo não parecia certo nos sumiços ocasionais de Bill. Porém, ali estava ele, com suas garrinhas colocadas obedientemente atrás das costas, dando-lhe um sorriso inocente. Ela suspirou.

— Onde você estava?

— Fazendo compras! — Bill abriu as asas alegremente, revelando uma saia transpassada marrom-clara pendurada numa das garras e uma túnica curta do mesmo tom na outra. — E o *coup de grâce*! — disse ele, tirando de trás das costas um colar branco e pesado. Feito de ossos.

Ela pegou a túnica e a saia, mas dispensou o colar com um gesto. Já vira ossos o bastante.

— Não, obrigada.

— Você não quer se misturar? Então precisa usar o que está na moda.

Reprimindo o nojo, ela enfiou o colar pela cabeça. Os pedacinhos de ossos polidos tinham sido passados por um tipo de cordão fibroso. O colar era comprido e pesado e, Luce precisava admitir, até um pouco bonito.

— E acho que isso aqui — ele entregou a ela uma tiara de metal pintado — você prende nos cabelos.

— Onde você conseguiu tudo isso? — perguntou ela.

— É seu. Quero dizer, não *seus*, de Lucinda Price, mas *seus* em um sentido cósmico maior. Pertence ao seu eu: Ix Cuat.

— Ix *quem*?

— Ix Cuat. Seu nome nessa vida quer dizer "pequena cobra". — Bill observou o rosto dela se transformar e continuou: — Era mais ou menos um termo carinhoso na cultura maia.

— Do mesmo jeito que ter a cabeça empalada em uma estaca era uma honra?

Bill revirou os olhos de pedra.

— Deixe de ser tão etnocêntrica. Isso significa pensar que sua cultura é superior às outras.

— Eu sei o que significa — retrucou ela, colocando a tiara nos cabelos sujos. — Mas não estou agindo de forma superior.

Apenas não acho que ter minha cabeça empalada em uma dessas fileiras seria algo assim tão legal. — Ouviu-se um retumbar fraco, como tambores à distância.

— É exatamente o tipo de coisa que Ix Cuat diria! Você sempre foi meio retrógrada!

— Como assim?

— Veja... Você, na verdade Ix Cuat, nasceu durante o Wayeb', que são aqueles cinco dias estranhos no ano maia, quando todos ficam hipersupersticiosos, pois eles não se encaixam no calendário. Tipo o dia 29 de fevereiro nos anos bissextos. Não é exatamente uma sorte nascer no Wayeb'. Então, ninguém ficou chocado quando você se tornou uma velha solteirona.

— Velha solteirona? — perguntou Luce. — Achei que eu nunca havia passado dos 17 anos... Ou algo próximo.

— Ter 17 anos em Chichén Itzá é ser uma *anciã* — disse Bill, flutuando de cabeça em cabeça, com as asas zumbindo. — Contudo, é verdade, você não *costumava* viver muito mais que 17 anos. É uma espécie de mistério o motivo pelo qual, como Lucinda Price, você conseguiu viver por tanto tempo.

— Daniel disse que é porque não fui batizada. — Dessa vez, Luce teve certeza de ouvir tambores, e eles se aproximavam. — Mas como isso pode ter alguma importância? Quero dizer, aposto que Ix Ca-sei-lá-o-quê nunca foi batizada...

Bill fez gesto de desdém.

— *Batismo* é apenas uma palavra para uma espécie de sacramento ou pacto no qual sua alma é mais ou menos comprometida. Praticamente todas as religiões têm algo parecido. O cristianismo, o judaísmo, o islamismo, até mesmo a religião maia, que está prestes a sumir. — Ele balançou a cabeça na direção do som dos tambores, agora tão alto que Luce se perguntou se não seria melhor que se escondessem. — Todas elas possuem algum tipo de sacramento no qual o indivíduo expressa sua devoção a um deus.

— Então estou viva na minha atual vida em Thunderbolt porque meus pais não me batizaram?

— Não — respondeu Bill. — Você *pode* ser morta na sua atual vida em Thunderbolt porque seus pais não a batizaram. Você está *viva* nela porque... Bem, ninguém sabe direito por quê.

Devia existir um motivo. Talvez fosse a brecha sobre a qual Daniel falara no hospital, em Milão. Contudo, nem mesmo ele parecia entender como Luce era capaz de viajar pelos Anunciadores. Por cada vida que passava, ela se sentia mais próxima de juntar os pedaços do seu passado... Mas ainda não havia chegado lá.

— Onde é a cidade? — perguntou. — Onde estão as pessoas? Onde está *Daniel*? — O barulho dos tambores se tornou tão alto que Luce precisou levantar a voz.

— Ah — disse Bill —, estão do outro lado dos *tzompantlis*.

— Dos o quê?

— Dessa muralha de cabeças. Venha: você precisa ver isso!

Por entre os espaços nas fileiras de crânios dançavam clarões coloridos. Bill guiou Luce para perto da muralha e fez um gesto para que ela olhasse através da construção.

Do outro lado dela, toda uma civilização participava de uma procissão. Pessoas, em uma longa fila, dançavam e batiam os pés em uma ampla estrada de terra que atravessava o cemitério. Seus cabelos eram compridos, sedosos e negros, e a pele, da cor de castanhas. As idades variavam entre 3 e velhos o bastante para dificultar palpites. Todos eram vibrantes, belos e estranhos. Suas roupas eram feitas de couro de animais, mal lhes cobrindo o corpo, deixando entrever tatuagens e rostos pintados. Tratava-se de uma arte corporal impressionante, com representações elaboradas e coloridas de pássaros, sóis e padrões geométricos, espalhadas pelas costas, braços e peitos.

A certa distância, havia construções — na verdade, uma malha ordenada de edifícios feitos de pedra esbranquiçada e um grupo de moradas menores, com tetos chatos construídos com palha. Depois, restava apenas a selva, mas as folhas das árvores pareciam secas e murchas.

A multidão marchou por eles sem ver Luce, extasiada pelo frenesi da dança.

— Vamos! — disse Bill e empurrou-a para o fluxo de pessoas.

— O quê? — berrou ela. — Entrar *ali*? Com eles?

— Vai ser legal! — Bill gargalhou, voando mais à frente. — Você sabe dançar, né?

Com cuidado inicial, ela e a pequena gárgula se juntaram ao desfile enquanto o grupo atravessava o que parecia ser uma feira — um terreno estreito e comprido repleto de caixas de madeira e tigelas cheias de produtos à venda: havia abacates pretíssimos, espigas de milho em tom vermelho profundo, ervas secas amarradas com cordinhas e muitas outras coisas que Luce não reconheceu. Ela virava a cabeça para um lado e para o outro tanto quanto possível, mas não havia como parar: o movimento da multidão empurrava-a inexoravelmente para a frente.

Os maias seguiram a estrada, que levava a uma planície ampla e rasa. O ruído da dança diminuiu e eles se reuniram em silêncio, murmurando palavras uns aos outros. Eram centenas. Diante da pressão das garras afiadas de Bill nos seus ombros, Luce se ajoelhou, como o restante deles, e seguiu o olhar da multidão, voltando o rosto para cima.

Atrás da feira, uma construção era mais visível que as outras: uma pirâmide em níveis, feita de pedras branquíssimas.

Ambos os lados visíveis a Luce possuíam escadarias íngremes, que subiam até o meio e terminavam em uma estrutura de um único andar, pintada em azul e vermelho. Um arrepio percorreu o corpo de Luce, em parte pelo reconhecimento e em parte por um medo inexplicável.

Ela vira aquela pirâmide antes. Nas figuras dos livros de história, o templo maia estava em ruínas. Contudo, ali, estava longe disso: era magnífico.

Quatro homens com tambores de madeira e de couro esticado estavam em fila na plataforma que circundava o topo da pirâmide. Seus rostos bronzeados estavam pintados com sinais vermelhos, amarelos e azuis, parecendo máscaras. Seus tambores batiam em uníssono, cada vez mais rapidamente, até que alguém saiu da pirâmide.

O homem era mais alto que os tocadores de tambor e, sob um altíssimo adereço de cabeça feito com penas vermelhas e brancas, seu rosto estava completamente pintado com padrões semelhantes a um labirinto, na cor azul-turquesa. Seus pulsos, pescoço, tornozelos e lóbulos das orelhas estavam adornados com o mesmo tipo de joia que Bill dera a Luce. Ele carregava algo — um longo cajado decorado com penas pintadas e com cacos brilhantes e brancos. Em uma das pontas, algo prateado brilhava.

Quando ele encarou a multidão, todos ficaram em silêncio, como se por um passe de mágica.

— Quem é esse homem? — sussurrou Luce para Bill. — O que ele está fazendo?

— É o líder da tribo, Zotz. Bem magrelo, não? Os tempos estão difíceis para seu povo, que não vê chuva há 364 dias. Não que eles estejam contando naquele calendário de pedra ali. — Ele apontou para uma rocha cinzenta marcada com centenas de linhas negras tortas.

Nem uma gota de água em um ano? Luce quase podia sentir a sede da multidão.

— Eles estão morrendo — disse ela.

— Esperam que não. É aí que você entra — disse Bill. — Você e mais algumas acabadas e azaradas. Daniel também, mas ele desempenha um papel menor. Chaat está com *muita* fome a essa altura, portanto, todos devem unir forças.

— Chaat?

— O deus da chuva. Os maias têm essa crença absurda de que o sangue é a comida preferida de um deus enraivecido. Está vendo aonde quero chegar?

— Sacrifício humano — disse Luce, devagar.

— Aham. Esse é o começo de um longo dia de sacrifícios. Mais crânios a acrescentar às fileiras da muralha. Empolgante, não é?

— Cadê Lucinda? Quero dizer, Ix Cuat?

Bill apontou para o templo.

— Trancada ali em algum lugar, junto com as outras vítimas, esperando que o jogo de bola termine.

— Jogo de bola?

— É o que essa multidão assistirá agora. Sabe, o líder da tribo gosta de oferecer um jogo de bola antes de um grande sacrifício. — Bill tossiu e ajeitou as asas para trás. — É uma espécie de mistura entre basquete e futebol, onde cada time tem apenas dois jogadores, a bola pesa uma tonelada, os perdedores são decapitados e seu sangue é oferecido para alimentar Chaat.

— Para o campo! — berrou Zotz, no último degrau do templo.

As palavras maias soavam estranhamente guturais, mas eram compreensíveis a Luce. Ela se perguntou o que Ix Cuat sentiu ao ouvi-las, trancada em um cômodo atrás de Zotz.

A multidão soltou um grande urro alegre. Os maias se levantaram, como um grupo, e saíram correndo em direção ao que parecia ser um grande anfiteatro de pedra, na extremidade mais distante da planície. Era longo e baixo — um campo de terra marrom rodeado por bancos de pedra.

— Ah, ali está nosso garoto! — Bill apontou para a frente da multidão quando Luce e ele se aproximaram do estádio.

Um garoto magro e musculoso corria mais rapidamente que os outros, com as costas voltadas para Luce. Seu cabelo era castanho-escuro e brilhante, os ombros estavam profundamente bronzeados e pintados com faixas vermelhas e pretas em intersecção. Quando ele virou a cabeça ligeiramente para a esquerda, Luce viu seu perfil por um momento. Não parecia nem um pouco com o Daniel que ela deixara no quintal da casa dos pais. Contudo...

— Daniel! — exclamou Luce. — Parece...

— Diferente e, entretanto, exatamente igual? — completou Bill.

— Sim.

— É porque você reconheceu a alma dele. Independentemente da aparência exterior, vocês sempre reconhecem a alma um do outro.

Até então, Luce não notara como era impressionante que ela reconhecesse Daniel em todas as vidas. Era a *alma* dela que encontrava a dele.

— Que... lindo.

Bill coçou uma cicatriz no braço com uma garra torta.

— Se você diz.

— Você falou que Daniel estava, de alguma maneira, envolvido no sacrifício. Ele é um dos jogadores, não é? — perguntou Luce, virando o pescoço em direção à multidão enquanto Daniel desaparecia no anfiteatro.

— Sim — concordou Bill. — Há uma pequena e adorável cerimônia — ele ergueu uma das sobrancelhas de pedra — em que os vencedores guiam aqueles que serão sacrificados para suas próximas vidas.

— Os vencedores matam os prisioneiros? — perguntou Luce, baixinho.

Eles observaram a multidão se afunilar na entrada do anfiteatro. Tambores soaram no interior. O jogo estava prestes a começar.

— *Matar*, não. Eles não são assassinos. Eles *sacrificam*. Primeiro, decapitam as pessoas. As cabeças vão para a muralha — Bill fez um gesto com o ombro, em direção à cerca de cabeças —, os corpos são jogados em uma fossa de pedra nojenta... desculpe-me, *sagrada*, na floresta. — Ele fungou. — Se quer saber, eu não vejo como isso trará a chuva, mas quem sou eu para julgar?

— Daniel ganhará ou perderá? — perguntou Luce, sabendo a resposta antes que as palavras sequer saíssem dos seus lábios.

— Entendo que a ideia de Daniel decapitá-la talvez não soe romântica — disse Bill —, mas, na verdade, qual é a diferença entre ele matar você pelo fogo ou pela espada?

— Daniel não faria isso.

Bill pairou no ar, em frente a Luce.

— Não?

Ouviu-se um grande urro vindo do anfiteatro. Luce sentiu que deveria correr para o campo, ir até Daniel e abraçá-lo; então, diria a ele o que não conseguiu dizer no Globe, por tê-lo deixado cedo demais: que ela entendia tudo pelo que ele havia passado para estar com ela. Que os sacrifícios dele faziam com que ela se comprometesse ainda mais com o amor deles.

— Eu deveria ir até ele — disse Luce.

Porém, havia também Ix Cuat. Trancada em alguma câmara no alto da pirâmide, esperando para ser morta. Uma garota que poderia guardar algum tipo de informação valiosa a Luce na quebra daquela maldição.

Luce hesitou: um pé estava direcionado ao anfiteatro e o outro, à pirâmide.

— O que fará? — provocou Bill, com um sorriso exagerado.

Ela correu para longe de Bill, em direção à pirâmide.

— Boa escolha! — gritou ele, voando rapidamente para acompanhá-la.

A pirâmide crescia diante dela. O templo pintado no topo (onde Bill dissera que Ix Cuat estaria) parecia tão distante quanto uma estrela. Luce sentia uma enorme sede. Sua garganta doía pela falta de água; a terra queimava seus pés. Parecia que o mundo inteiro pegava fogo.

— Esse lugar é muito sagrado — murmurou Bill ao seu ouvido. — Ele foi construído em cima do templo anterior, que foi construído sobre outro, e assim por diante, todos orientados de maneira a marcar os equinócios da primavera e do outono. Nesses dois dias, ao pôr do sol, a sombra de uma serpente pode ser vista deslizando os degraus da escadaria norte. Bacana, né?

Luce apenas bufou, com raiva, e começou a subir as escadas. Bill continuou:

— Os maias eram gênios. A essa altura da civilização, eles já haviam previsto o fim do mundo em 2012. — Ele tossiu teatralmente. — Mas, sobre isso, ainda veremos. O tempo dirá.

Quando Luce se aproximou do topo, Bill chegou mais perto dela com um volteio.

— Agora, escute — pediu ele. — Dessa vez, quando você entrar no modo 3D...

— Shhh! — disse Luce.

— Ninguém pode me ouvir, só você!

— Exatamente: *shhh*! — Ela subiu mais um degrau, silenciosamente, e se posicionou na plataforma do topo. Então pressionou o corpo contra a pedra quente da parede, a centímetros da porta aberta. Alguém cantava.

— Eu faria isso agora — disse Bill —, enquanto os guardas estão atentos ao jogo.

Luce se inclinou em direção à porta e espiou o interior.

Os raios de sol que entravam pela porta aberta iluminavam um grande trono no centro do templo. Tinha o formato de uma onça e era pintado de vermelho, com jades incrustados. À esquerda havia uma grande estátua de uma figura deitada de lado, com a mão sobre a barriga. Pequenas lamparinas a óleo acesas, feitas de pedra, rodeavam a estátua e ofereciam uma luz bruxuleante. As únicas outras coisas no local eram três garotas presas, unidas nos pulsos por uma corda e encolhidas num canto.

Luce reprimiu um grito e as garotas levantaram a cabeça. Eram todas bonitas, com cabelos escuros trançados e piercings de jade nas orelhas. A jovem à esquerda tinha a pele mais escura. A que estava à direita tinha espirais azuis escuras desenhadas ao longo dos braços. E a garota do meio... Era Luce.

Ix Cuat era pequena e delicada. Seus pés estavam sujos e seus lábios, rachados. Das três garotas aterrorizadas, seus olhos eram os mais amedrontados.

— O que está esperando? — gritou Bill, sentado na cabeça da estátua.

— Elas não me verão? — sussurrou Luce. Das outras vezes em que fizera a clivagem com seus "eus", elas estavam sozinhas ou Bill lhe dera cobertura. O que aquelas outras garotas pensariam se Luce entrasse no corpo de Ix Cuat?

— Essas garotas ficaram quase loucas depois de serem escolhidas para o sacrifício. Se gritarem, dizendo que alguma coisa terrível aconteceu, adivinhe quantas pessoas se importarão? — Bill contou seus dedos teatralmente. — Isso mesmo! *Zero*. Ninguém nem as escutará.

— Quem é você? — perguntou uma das garotas, com a voz cheia de medo.

Luce não pôde responder. Ao dar um passo à frente, os olhos de Ix Cuat se acenderam com o que parecia ser terror. Porém, então, para o grande choque de Luce, justamente quando ela esticou a mão para baixo, seu eu esticou os braços presos para cima, para pegar a mão de Luce, com força e rapidez. As mãos de Ix Cuat tremiam e eram quentes e macias.

Ela disse algo. Ix Cuat começara a falar...

Voe comigo para longe.

Aquilo chegou à mente de Luce enquanto o chão entre elas tremia e tudo oscilava. Ela viu Ix Cuat: a garota que nascera sem sorte e cujos olhos mostraram a Luce não conhecer nada a respeito de Anunciadores, mas que pegara a mão de Luce como se essa fosse sua salvação. E viu a si mesma, externamente, parecendo cansada, faminta, esfarrapada e perturbada. E, de algum modo, mais velha. E mais forte.

Então, o mundo se estabilizou novamente.

Bill desaparecera, mas Luce não podia procurá-lo. Seus pulsos presos estavam em carne viva, marcados com negras tatuagens sacrificiais. Seus tornozelos, percebeu, também haviam sido amarrados. Não que as amarras importassem muito: o medo aprisionava sua alma mais que qualquer corda poderia fazer com seu corpo. Não foi como das outras vezes em que Luce entrou no seu passado. Ix Cuat sabia exatamente o que a aguardava. A morte. E não parecia recebê-la de braços abertos, como acontecera com Lys em Versalhes.

Dos dois lados de Ix Cuat, suas companheiras se atastaram, mas somente conseguiam se mover poucos centímetros: A garota da esquerda, de pele escura — Hanhau — estava chorando; a outra, com o corpo pintado de azul — Ghanan — rezava. Todas tinham medo de morrer.

— Você está possuída! — soluçou Hanhau por entre suas lágrimas. — Você contaminará a oferenda!

Ghanan não conseguia falar.

Luce ignorou as outras garotas e sentiu o medo paralisante de Ix Cuat. Algo atravessava a mente dela: uma oração. Não era uma oração de preparação para o sacrifício. Não, Ix Cuat rezava por Daniel.

Luce sabia que pensar nele fazia sua pele se aquecer e seu coração se acelerar. Ix Cuat o amara durante a vida inteira, mas somente à distância. Ele crescera a poucos metros da casa da sua família. Às vezes, trocava abacates com sua mãe na feira. Ix Cuat tentara, por anos a fio, reunir a coragem para falar com ele. Saber que ele estava no jogo de bola a atormentava. Ix Cuat rezava, Luce percebeu, para que ele perdesse. Sua única prece era para não morrer pelas mãos dele.

— Bill? — sussurrou Luce.

A pequena gárgula voltou para dentro do templo.

— O jogo acabou! A multidão está se dirigindo para o *cenote*. É o fosso de pedra onde os sacrifícios são feitos. Zotz e os vencedores estão a caminho para acompanhar vocês, garotas, à cerimônia.

Enquanto o barulho da multidão diminuía, Luce tremia. Ela ouviu passos nas escadas. A qualquer momento, Daniel entraria por aquela porta.

Três sombras escureceram a entrada. Zotz, o líder, deu um passo para dentro do templo. Nenhuma das garotas se mexeu;

todas olhavam com horror para a lança longa e decorada que ele trazia nas mãos. Uma cabeça humana estava presa na ponta, com os olhos abertos e uma expressão de dor; gotas de sangue ainda caíam no pescoço.

Luce desviou o olhar e acabou vendo outro homem, bastante musculoso, entrar no túmulo. Ele carregava outra lança pintada, também com uma cabeça na ponta. Ao menos os olhos dessa estavam fechados. Havia o mais leve dos sorrisos nos seus lábios mortos e fartos.

— Os perdedores — explicou Bill, aproximando-se de cada uma das cabeças para examiná-las. — Está feliz pelo time de Daniel ter ganhado? Basicamente, graças a esse cara — e deu um tapinha no ombro do homem musculoso, mas o companheiro de Daniel pareceu não sentir nada. Depois, Bill voltou a sair pela porta.

Quando Daniel, por fim, entrou no templo, tinha a cabeça baixa. Suas mãos estavam vazias e seu peito, nu. Seus cabelos e sua pele eram escuros, e sua postura estava mais rígida do que àquela a qual Luce estava acostumada. Tudo era diferente: desde o modo como os músculos do seu abdome se juntavam aos do peitoral até a forma como ele deixava penderem as mãos, sem vida, aos lados do corpo. Ele continuava lindo, a coisa mais linda que Luce já havia visto, embora não se parecesse em nada com o garoto que Luce conhecia.

Todavia, quando ele olhou para cima, seus olhos cintilaram o mesmo tom violeta de sempre.

— Oh... — disse ela, baixinho, lutando contra as amarras e desesperada para fugir do fim deles naquela existência, dos crânios, da seca e do sacrifício, e ficar com Daniel por toda a eternidade.

Daniel balançou levemente a cabeça. Seus olhos pulsaram ao vê-la, brilhando. Seu olhar a acalmou, como se ele lhe dissesse para não se preocupar.

Zotz gesticulou para que as garotas se levantassem; depois, acenou rapidamente com a cabeça e todas formaram uma fila e saíram pela porta norte do templo. Primeiro Hanhau, com Zotz ao seu lado, depois Luce e Ghanan. A corda entre as garotas era comprida o bastante somente para que cada uma mantivesse os pulsos unidos a um dos lados do corpo. Daniel se aproximou e caminhou ao lado dela enquanto o outro vencedor acompanhava Ghanan.

Pelo mais breve dos instantes, as pontas dos dedos de Daniel roçaram seus pulsos presos. Ix Cuat sentiu aquele toque arder.

Em frente à entrada do templo, os quatro tocadores de tambor aguardavam na plataforma. Eles formaram uma fila atrás da procissão e executaram as mesmas batidas caóticas que Luce ouvira ao chegar nessa vida, enquanto o grupo descia os íngremes degraus da pirâmide. Tentou se concentrar em andar, sentindo-se como se fosse arrastada em vez de ter o controle de colocar um pé na frente do outro, descendo a pirâmide, chegando à base da escadaria e caminhando pela longa e poeirenta trilha que levaria à sua morte.

Os tambores eram tudo o que ela conseguia ouvir, até que Daniel se inclinou na direção dela e sussurrou:

— Eu salvarei você.

Algo em Ix Cuat se acendeu. Era a primeira vez que ele falava com ela.

— Como? — sussurrou ela, inclinando-se na direção dele, sentindo doer a vontade de que ele a libertasse e a levasse voando para longe, para muito longe.

Não se preocupe. — As pontas dos dedos dele voltaram a encontrar a mão dela, afagando-a levemente. — Eu prometo que cuidarei de você.

Lágrimas arderam nos seus olhos. O chão continuava a queimar seus pés, e ela seguia marchando até o local onde Ix Cuat supostamente morreria, mas, pela primeira vez desde que chegara àquela vida, Luce não sentiu medo.

A trilha atravessava uma fileira de árvores e entrava na selva. Os músicos pararam. Cânticos encheram os ouvidos de Luce, entoados pela multidão no fundo da floresta, no *cenote*. Uma canção que Ix Cuat sempre cantara, uma oração que pedia a chuva. As outras garotas cantaram junto, baixinho, com vozes trêmulas.

Luce pensou nas palavras que Ix Cuat parecia ter dito quando ela entrou no seu corpo: *voe comigo para longe*, gritara ela dentro da sua cabeça. *Voe comigo para longe.*

E, repentinamente, todos pararam de caminhar.

No final da selva seca e sedenta, a trilha se expandia. Uma enorme cratera, repleta de água, abria-se na rocha calcária a quase 30 metros de Luce. Ao redor dela, havia os olhos brilhantes e ansiosos dos maias. Centenas. Eles pararam de cantar. Chegara o momento pelo qual todos esperavam.

O *cenote* era um fosso profundo na rocha calcária, repleto de musgo e de uma água verde-clara. Ix Cuat estivera ali antes: havia presenciado outros doze sacrifícios iguais àquele. Abaixo da água parada, estavam os restos, em decomposição, de cem outros corpos, outras almas que, supostamente, foram direto para o Céu — mas, naquele momento, Luce soube que Ix Cuat não tinha certeza se acreditava naquilo.

A família de Ix Cuat estava perto do *cenote*. A mãe, o pai e as duas irmãs mais novas, ambas segurando bebês. Eles acreditavam no ritual, no sacrifício que lhes tomaria a filha e que lhes quebraria o coração. Eles a amavam, mas achavam que ela não tinha sorte. Achavam que era a melhor maneira da jovem se redimir.

Um homem, meio banguela e com longos brincos de ouro, guiou Ix Cuat e as outras garotas para que ficassem diante de Zotz, que assumira um local de destaque próximo à beirada do fosso de rocha calcária. Ele olhou para baixo em direção às águas profundas. Depois, fechou os olhos e começou um novo cântico. A comunidade e os músicos se juntaram a ele.

Então, o homem sem dentes se posicionou entre Luce e Ghanan e, com o machado, cortou a corda que as unia. Luce se sentiu impulsionada para a frente quando a corda foi rompida. Seus pulsos continuavam presos, mas ela estava conectada apenas a Hanhau, à sua direita. Ghanan estava sozinha e seguiu adiante, parando à frente de Zotz.

A garota balançava o corpo para a frente e para trás, cantando a meia-voz. Gotas de suor escorriam pela sua nuca.

Quando Zotz começou a pronunciar as palavras da oração ao deus da chuva, Daniel se inclinou na direção de Luce e disse:

— Não olhe.

Luce fixou seu olhar ao de Daniel, e ele fez o mesmo. Em volta do cenote, a multidão prendeu a respiração. O companheiro de Daniel grunhiu e fez cair pesadamente o machado sobre o pescoço da garota. Luce ouviu a lâmina cortá-lo e, depois, o suave baque seco da cabeça de Ghanan caindo no chão.

Mais uma vez, elevaram-se os berros da multidão: gritos de agradecimento a Ghanan, orações para sua alma e preces vigorosas pela chuva.

Como as pessoas poderiam realmente acreditar que matar uma garota inocente solucionaria seus problemas? Esse era um momento no qual Bill normalmente apareceria, mas Luce não o viu em parte alguma. Ele tinha o dom de sumir quando Daniel estava por perto.

Luce não queria ver o que acontecera com a cabeça de Ghanan. Então, ela ouviu um *splash* profundo e retumbante, e soube que o corpo da garota encontrara o local do seu descanso final.

O homem sem alguns dentes se aproximou. Dessa vez, ele cortou a corda que ligava Ix Cuat a Hanhau. Luce tremia enquanto ele a fazia andar diante do líder da tribo. As pedras eram afiadas sob seus pés. Ela espiou por cima da rocha, para ver o cenote. Achou que vomitaria, mas Daniel surgiu ao seu lado e ela se sentiu melhor. Ele fez um sinal com a cabeça para que ela olhasse para Zotz.

O líder sorria para ela, exibindo dois topázios incrustados nos dentes frontais. Ele entoou uma prece para que Chaat a aceitasse e trouxesse para a comunidade muitos meses de chuva farta.

Não, pensou Luce. Estava tudo errado. *Voe comigo para longe!*, gritou ela para Daniel, na sua mente. Ele se virou para ela, quase como se a houvesse escutado.

O homem limpou o sangue de Ghanan do machado, usando um pedaço de couro. Com grande pompa, entregou a lâmina a Daniel, que se virou para Luce. Daniel parecia exausto, como se fosse arrastado para baixo pelo peso do machado. Seus lábios estavam contraídos e brancos, e o olhar violeta não se desvencilhou dela.

A multidão ficou em silêncio, mantendo a respiração suspensa. O vento quente farfalhou as árvores enquanto o machado cintilava ao sol. Luce pôde sentir que o final estava próximo, mas por quê? Por que sua alma a trouxera até ali? Que compreensão sobre seu passado, ou sobre a maldição, ela poderia obter ao ser decapitada?

Então, Daniel deixou cair o machado no chão.

— O que você está fazendo? — perguntou Luce.

Daniel não respondeu. Ele girou os ombros para trás, voltou o rosto para o céu e abriu os braços. Zotz deu um passo à frente para interferir, mas, quando tocou o ombro de Daniel, gritou e recuou como se houvesse sido queimado.

E então...

As asas brancas de Daniel se abriram a partir dos seus ombros. Ao se estenderem completamente pelas laterais do seu corpo, enormes e espantosamente brancas contra a seca paisagem marrom, afastaram 20 maias que haviam corrido para a frente.

Gritos soaram pelo cenote:

— O que é ele?

— O garoto tem asas!

— Ele é um deus! Enviado por Chaat!

Luce lutou contra as amarras que prendiam seus pulsos e tornozelos. Ela precisava correr até Daniel. Tentou se mover na direção dele até que...

Até que não pôde mais se mover.

O brilho das asas de Daniel era tão intenso que se tornou quase insuportável. Porém, não apenas as asas de Daniel brilhavam. Era *todo* ele. Seu corpo inteiro brilhava. Como se ele houvesse engolido o sol.

Uma música encheu o ar. Não, não era música, era apenas um único acorde harmonioso. Ensurdecedor e interminável, glorioso e amedrontador.

Luce já o ouvira antes... Em algum lugar. No cemitério da Sword & Cross, na última noite em que estivera ali, quando Daniel lutara contra Cam e Luce não pudera assistir. Na noite em que a Srta. Sophia a arrastara para longe, em que Penn morrera e a partir da qual nada mais foi o mesmo. Tudo começara com aquele acorde, e ele vinha de Daniel. Ele estava tão brilhantemente iluminado que seu corpo chegava a exprimir sons.

Ela apenas oscilou o corpo, incapaz de afastar o olhar. Uma onda intensa de calor afagou sua pele.

Atrás de Luce, alguém gritou. Ele foi seguido por outros e, então, todo um coro de vozes começou a gritar.

Algo queimava. O cheiro era acre e sufocante, revirando o estômago de Luce imediatamente. Então, com o canto do olho, ela viu uma explosão de chamas, onde Zotz estivera um momento antes. O choque fez Luce se impulsionar para trás, e ela se afastou do brilho incendiário de Daniel, tossindo diante das cinzas negras e da fumaça amarga.

Hanhau havia desaparecido; o chão onde ela estivera estava chamuscado em preto. O homem que não tinha alguns dos dentes escondeu o rosto, esforçando-se para não observar a irradiação que saía do corpo de Daniel. Contudo, era algo irresistível. Luce viu o homem espiar entre os dedos e explodir em uma coluna de chamas.

Por toda a volta do cenote, os maias olhavam para Daniel. E, um por um, seu brilho fez com que eles entrassem em combustão. Em seguida, um anel de fogo se acendeu na selva, queimando todos, menos Luce.

— Ix Cuat! — Daniel estendeu a mão para ela.

Seu brilho fez Luce gritar de dor, e, sentindo-se à beira da asfixia, as palavras saíram aos tropeços da sua boca:

— Você é *glorioso*.

— Não olhe para mim — implorou ele. — Quando um mortal vê a verdadeira essência de um anjo... Você viu o que aconteceu aos outros. Não posso permitir que você me abandone cedo demais novamente. É sempre cedo demais...

— Continuo aqui — insistiu Luce.

— Você continua... — Ele estava chorando. — Pode me ver? Meu verdadeiro ser?

— Eu posso ver você.

E, por apenas uma fração de segundo, ela pôde. Sua visão se clareou. O brilho continuava intenso, mas não era tão ofuscante. Ela conseguiu ver sua *alma*. Era branca, incandescente e imaculada, e se parecia — não havia outro modo de dizer — com *Daniel*. Aquilo lhe deu a sensação de voltar para casa. Uma torrente de alegria incomparável se espalhou pelo corpo de Luce. Em algum lugar no fundo da sua mente houve uma sensação de reconhecimento. Ela já o vira assim.

Não vira?

Enquanto sua mente se esforçava para relembrar um passado que ela não conseguia alcançar, a luz de Daniel começou a sobrepujá-la.

— Não! — gritou ela, sentindo o fogo destruir seu coração e seu corpo ser libertado de algo.

※

— E então? — A voz rouca de Bill surgiu nos tímpanos de Luce.

Ela estava deitada contra uma rocha fria. Encontrava-se de volta a uma das cavernas do Anunciador, aprisionada em um não lugar frio onde era difícil se lembrar de alguma coisa externa. Desesperadamente, tentou rever a aparência de Daniel — a glória da sua verdadeira alma —, mas não conseguiu. A imagem já lhe escapava. Aquilo realmente havia acontecido?

Luce fechou os olhos, tentando recriar a imagem dele. Não havia palavras para aquilo. Era simplesmente uma conexão incrível e exultante.

— Eu o vi.

— Quem? Daniel? Sim, eu também o vi. Foi o cara que deixou o machado cair quando chegou sua vez de cortar algumas cabeças. Foi um grande erro. Enorme.

— Não, eu o vi *realmente*. Como ele realmente é — a voz dela estremeceu. — Ele estava tão lindo.

— Ah, *isso*... — Bill virou a cabeça para trás, irritado.

— Eu o *reconheci*. Acho que já o vira antes.

— Duvido — Bill tossiu. — Foi a primeira e a *última* vez em que você pôde vê-lo assim. Você o viu e morreu. É isso o que acontece quando a carne mortal enxerga a glória incontida de um anjo. Morte instantânea. Queimada pela beleza do anjo.

— Não, não foi assim.

— Você viu o que aconteceu com os outros. *Puf*! Sumiram. — Bill desabou ao lado dela e deu um tapinha no seu joelho. — Por que acha que os maias passaram a fazer sacrifícios com fogo depois desse evento? Mais tarde, uma tribo vizinha descobriu os restos humanos esturricados e precisou encontrar alguma maneira para explicar aquilo.

— Sim, todos explodiram em chamas imediatamente, mas eu resisti por mais tempo...

— Dois segundos a mais? Quando você estava de costas para Daniel? Parabéns.

— Você está errado. Eu sei que vi isso antes.

— Você já viu as *asas* dele, talvez. Mas Daniel mostrando sua verdadeira forma de anjo? Isso mata um humano.

— Não. — Luce balançou a cabeça. — Você está me dizendo que ele nunca poderia me mostrar quem realmente é?

Bill deu de ombros.

— Não sem fazer com que você e todos ao redor virassem cinzas. Por que acha que Daniel é tão cauteloso sobre beijar você? A glória dele brilha muito mais intensamente quando a coisa entre vocês fica quente e animada.

Luce mal conseguia se conter.

— Por isso eu morro, algumas vezes, quando nos beijamos?

— Que tal uma salva de palmas para a garota, amigos? — disse Bill sarcasticamente.

— E em todas as outras vezes em que morro *antes* de beijar Daniel, antes de...

— Antes de poder ver o quanto o relacionamento de vocês pode se tornar tóxico?

— Cale a boca.

— Sinceramente, quantas vezes você precisa ver a mesma história até perceber que as coisas *nunca* mudarão?

— Algo *já* mudou — retrucou Luce. — Por isso estou nessa viagem, por isso ainda estou viva. Se eu apenas pudesse vê-lo novamente, todo ele, sei que poderia suportar.

— Você não entendeu — o tom da voz de Bill aumentou. — Está falando em termos extremamente mortais. — À medida que ele se agitava mais e mais, saliva voava dos seus lábios. — Essa é o grande momento, e você, obviamente, *não* consegue suportá-lo.

— Por que ficou tão nervoso de repente?

— *Porque sim!* Porque sim. — Ele andou ao longo da pedra, rangendo os dentes. — Escute: Daniel deu essa escorregada, mostrou-se como realmente é, mas nunca voltou a fazer isso. Nunca. Ele aprendeu a lição. E agora você também aprendeu: a carne mortal *não* pode ver a verdadeira forma de um anjo e sobreviver.

Luce virou o rosto para o outro lado, sentindo a raiva crescer. Talvez Daniel houvesse mudado após a existência em Chichén Itzá, talvez houvesse se tornado mais cauteloso. Mas, e no passado?

Ela se aproximou do limite da plataforma no Anunciador, olhando para a vasta escuridão acima, para o desconhecido.

Bill pairou acima de Luce, rodeando sua cabeça como se tentasse adentrá-la.

— Eu sei no que você está pensando, mas somente se decepcionará. — Ele se aproximou do ouvido dela e sussurrou: — Ou será ainda pior.

Nada que Bill pudesse dizer seria capaz de impedi-la. Se havia um Daniel anterior que se mostrara realmente, Luce o encontraria.

DEZESSEIS

PADRINHO DE CASAMENTO

Jerusalém, Israel • 27 de Nissan de 2760
(aproximadamente 1º de abril de 1.000 a.C.)

Daniel não era inteiramente ele mesmo.
 Continuava unido ao corpo ao qual se juntara nos escuros fiordes da Groenlândia. Ele tentou desacelerar ao sair do Anunciador, mas seu impulso era forte demais. Bastante desequilibrado, girou para além da escuridão e rolou pela terra rochosa até que sua cabeça batesse contra algo duro. Então, ficou imóvel.
 Clivar-se com seu eu fora um erro enorme.
 A forma mais simples de separar duas encarnações de uma alma era matando o corpo. Liberta da prisão que é a carne, a alma se separava. Porém, matar-se não era realmente uma opção para Daniel. A menos que...

A seta estelar.

Na Groenlândia, ele a capturara, aninhada na neve perto da fogueira feita pelos anjos. Gabbe a levara como uma proteção simbólica, contudo, jamais esperaria que Daniel se clivasse e a roubasse.

Ele realmente achara que poderia simplesmente trazer a ponta cega de prata ao peito e partir sua alma em duas, lançando seu eu do passado de volta no tempo?

Tolo.

Não. Muito provavelmente ele cometeria um deslize, falharia, e, então, em vez de dividir sua alma, poderia, sem querer, destruí-la. Sem ela, o disfarce terreno de Daniel, seu corpo vazio, vagaria pela terra perpetuamente, buscando sua alma e encontrando apenas a segunda coisa melhor que isso: Luce. Ele a assombraria até o dia em que ela morresse e, talvez, até mesmo depois.

O que Daniel precisava era de um parceiro. O que ele precisava era impossível.

Ele grunhiu e rolou de barriga para cima, piscando diante do sol brilhante.

— Viu? — disse uma voz acima dele. — Eu disse que estávamos no lugar certo.

— Não vejo como *isso* — disse outra voz, dessa vez de um garoto — seja uma prova de que estamos fazendo algo certo.

— Ah, por favor, Miles! Não deixe sua implicância com Daniel nos impedir de encontrar Luce. Ele obviamente sabe onde ela está.

As vozes se aproximaram. Daniel abriu os olhos subitamente e viu um braço contra a luz do sol, estendendo-se na sua direção.

— Ei, você deitado aí... Precisa de ajuda?

Shelby. A amiga Nefilim de Luce, de Shoreline.

E Miles. Aquele que ela beijara.

— O que vocês estão fazendo aqui? — Daniel se sentou em um salto, rejeitando a mão que Shelby lhe oferecia. Ele esfregou a testa e olhou para trás: havia colidido com o tronco cinzento de uma oliveira.

— O que você *acha* que estamos fazendo aqui? Procurando por Luce. — Shelby olhou para baixo em direção a Daniel e torceu o nariz. — Qual é o seu problema?

— *Nenhum.* — Daniel tentou se levantar, mas estava tão tonto que logo se deitou novamente. A clivagem (especialmente após arrastar o corpo do passado para outra vida) o enjoara. Ele lutava internamente contra seu passado, esbarrando em seus limites e ferindo sua alma, seus ossos, sua pele. Sabia que os Nefilim poderiam sentir que algo indizível acontecera a ele.

— Vão para casa, invasores. De quem é o Anunciador que vocês usaram para chegar aqui? Vocês entendem a confusão em que podem se meter?

Subitamente, algo prateado brilhou embaixo do seu nariz.

— Leve-nos até Luce. — Miles apontava uma seta estelar para o pescoço de Daniel. A aba do boné escondia os olhos, mas sua boca estava aberta em um sorriso nervoso.

Daniel ficou sem fala.

— Vocês... Vocês têm uma seta estelar.

— Miles! — sussurrou ferozmente Shelby. — *O que você está fazendo com essa coisa?*

A ponta cega da flecha tremeu. Miles estava obviamente agitado.

— Você a deixou cair no jardim depois que os Párias partiram — respondeu ele a Daniel. — Cam pegou uma, e, naquela confusão, ninguém percebeu quando eu peguei essa. Você correu atrás de Luce. E nós corremos atrás de você — então se virou para Shelby: — Achei que poderíamos precisar dela. Autodefesa.

— Não se atreva a matá-lo — disse Shelby a Miles. — Você é um idiota.

— Não — disse Daniel, sentando-se vagarosamente. — Está tudo bem.

Sua mente rodava. Qual era a probabilidade? Ele vira aquilo acontecer apenas uma vez. Daniel não era um especialista em clivagem. Porém, seu passado sofria dentro dele — e não poderia continuar assim. Havia apenas uma solução, e Miles a tinha nas mãos.

No entanto, como fazer com que o garoto o atacasse sem precisar lhe explicar toda a situação? E será que ele poderia confiar nos Nefilim?

Daniel se reclinou para trás até que seus ombros tocassem o tronco da oliveira. Ele deslizou para cima, mostrando as mãos abertas, para que Miles visse que não havia motivo para ter medo.

— Você treinou esgrima?

— O quê? — Miles pareceu espantado.

— Em Shoreline. Você fez aulas de esgrima ou não?

— Todos fizemos. Era algo meio sem sentido, e eu não era muito bom, mas...

Era tudo o que Daniel precisava escutar.

— *En garde!* — gritou ele, sacando sua seta estelar escondida e usando-a como espada.

Os olhos de Miles se arregalaram. Em um instante, ele também havia empunhado sua seta estelar.

— Ah, merda! — disse Shelby, saindo do caminho. — Vocês dois... Estou falando sério! Parem!

As setas estelares eram mais curtas que as espadas de treino, mas alguns centímetros mais compridas que flechas comuns.

Eram leves como uma pluma, mas tão duras quanto diamante, e, se Daniel e Miles tomassem muito, mas muito, cuidado, poderiam sair daquela briga vivos. De algum modo, com a ajuda de Miles, Daniel poderia desfazer a clivagem e libertar seu eu do passado.

Ele cortou o ar com sua seta, avançando alguns passos em direção ao Nefilim.

Miles reagiu, se protegendo do golpe de Daniel e movendo a seta de forma ágil para a direita. Quando as setas estelares se chocavam, não emitiam o mesmo ruído suave que as espadas dos treinos de esgrima, mas um som profundo, que reverberava pelas montanhas e fazia tremer o chão.

— Suas aulas de esgrima não foram inúteis — disse Daniel enquanto sua seta estelar ziguezagueava junto como a outra, em pleno ar. — Elas prepararam você para um momento como esse.

— Um momento... — grunhiu Miles ao se impulsionar para frente, fazendo sua seta cruzar o ar e bater contra a de Daniel — ...como qual?

Os braços de ambos se tensionaram. As setas formaram um "X" no ar.

— Preciso que você me liberte de uma encarnação anterior, com a qual clivei minha alma — disse Daniel, simplesmente.

— O que...? — murmurou Shelby, ao lado.

A confusão se estampou no rosto de Miles e seu braço hesitou. Sua lâmina caiu e a seta estelar bateu no chão. Ele ofegou e foi em busca dela de maneira desajeitada, olhando para Daniel aterrorizado.

— Não irei atrás de você — disse Daniel. — Preciso que você venha atrás de mim. — Ele conseguiu mostrar um sorriso competitivo. — Pode vir. Sei que é o que você quer. Você quer isso há muito tempo.

Miles investiu contra Daniel, segurando a seta estelar como se fosse uma flecha em vez de uma espada. Daniel estava preparado para isso e mergulhou para o lado no momento exato, girando para bater sua seta contra a de Miles.

Ambos estavam nas mãos do outro: Daniel com sua seta apontada para o ombro de Miles, usando a força para afastar o Nefilim, e Miles com sua seta a centímetros do coração de Daniel.

— Você vai me ajudar? — insistiu Daniel.

— O que a gente ganha com isso? — perguntou Miles.

Daniel precisou pensar por um instante.

— A felicidade de Luce — respondeu, finalmente.

Miles não concordou. Mas também não negou.

— Agora — a voz de Daniel tremia enquanto ele dava as instruções —, com muito cuidado, arraste a lâmina em uma linha reta pelo meu peito. Não fure minha pele, ou me matará.

Miles suava. Seu rosto estava pálido. Ele olhou para Shelby.

— Vá em frente, Miles — sussurrou ela.

A seta estelar tremeu. Tudo estava nas mãos daquele garoto. A ponta cega da seta estelar tocou a pele de Daniel e dirigiu-se para baixo.

— Aimeudeus... — Os lábios de Shelby se retorceram, horrorizados. — Ele está *trocando* de pele.

Daniel conseguia sentir aquilo, como se uma camada da sua pele se erguesse dos ossos. O corpo do seu eu do passado lentamente se desprendia do dele. O veneno da separação o atravessou, penetrando profundamente nas fibras das suas asas. A dor era tão intensa que se tornou nauseante, aumentando em grandes ondas. Sua visão se nublou; um som vibrante preencheu seus ouvidos. A seta estelar caiu da sua mão. Então, de uma só vez, ele sentiu um grande impulso e uma lufada de ar frio e cortante nos pulmões. Houve um longo grunhido e dois baques, e então...

Sua visão se clareou. O barulho cessou. Ele sentiu uma leveza, uma simplicidade.

Liberdade.

Miles estava deitado no chão, abaixo dele, arfando. A seta estelar que estivera na mão de Daniel sumira. Daniel girou o corpo e viu o espectro do seu eu diante dele, com a pele cinzenta, o corpo arrasado e olhos e dentes negros como carvão, agarrado à seta estelar. Seu perfil tremulou no vento quente, como uma imagem em uma televisão desregulada.

— Desculpe — disse Daniel, estendendo a mão para a frente em direção à base das asas do seu eu. Quando Daniel evocou a sombra de si mesmo, seu corpo parecia limitado e insuficiente. Seus dedos encontraram a tempo, antes que eles se despedaçassem, o portal cinzento do Anunciador, através do qual ambos haviam viajado.

— Seu dia chegará — disse ele.

Então, empurrou seu eu do passado para dentro do Anunciador.

Observou o vazio sumir ao sol quente. O corpo emitiu um ruído sibilante e comprido ao cambalear pelo tempo, como se caísse de um penhasco. O Anunciador se dividiu em minúsculos pedaços e sumiu.

— O que foi isso? — perguntou Shelby, ajudando Miles a se levantar.

O Nefilim estava branco como um fantasma, olhando sem fôlego para as próprias mãos, virando-as de um lado para o outro e examinando-as como se nunca as houvesse visto.

Daniel virou-se para Miles.

— Obrigado.

Os olhos azuis do garoto pareceram ansiosos e aterrorizados, como se ele quisesse extrair de Daniel cada detalhe do que havia acontecido, mas não desejasse demonstrar sua empolgação. Shelby perdera a fala, o que era inédito.

Até aquele instante, Daniel desprezara Miles e se irritara com Shelby, que praticamente levara os Párias até Luce. Todavia, ali, sob a oliveira, ele pôde perceber por que Luce era amiga de ambos. E ficou feliz.

Uma sirene soou à distância. Miles e Shelby pularam.

Era um *shofar*, um instrumento criado a partir do chifre de um carneiro sagrado, que era capaz de produzir uma nota comprida e nasalada, muito utilizada para anunciar cerimônias e festivais religiosos. Daniel ainda não havia olhado ao redor com atenção.

Os três estavam sob a sombra de uma oliveira, no alto de um pequeno morro. Ele descia em direção a um vale amplo e plano, de cor castanha graças à grama alta nativa, que jamais fora cortada. No meio do vale havia uma curta faixa verde, onde flores selvagens cresciam ao longo de um rio estreito.

A leste do riacho havia um pequeno grupo de tendas voltadas para uma estrutura quadrada maior, feita de pedras brancas e com um teto de madeira entrelaçada. Provavelmente o som do shofar viera daquele templo.

Uma fila de mulheres, que usavam mantos coloridos longos até os tornozelos, entrava e saía do templo. Elas carregavam jarras de argila e bandejas de bronze com comidas, como se preparassem um banquete.

— Ah — disse, em voz alta, Daniel, sentindo uma profunda melancolia se apoderar de si.

— "Ah", o quê? — perguntou Shelby.

Daniel segurou o capuz do suéter de Shelby, que tinha estampa de exército.

— Se vocês estão procurando Luce, não a encontrarão aqui. Ela está morta. Morreu há um mês.

Miles quase engasgou.

— Você quer dizer a Luce dessa era... — disse Shelby. — Não a nossa Luce, certo?

— Nossa Luce, a minha Luce, também não está aqui. Ela não sabe da existência desse lugar, portanto, seus Anunciadores não poderão trazê-la aqui. Os *seus* também não poderiam trazer vocês.

Shelby e Miles se entreolharam.

— Você diz que está procurando por Luce — disse Shelby —, mas, se sabe que ela não está aqui, por que continua nesse lugar?

Daniel olhou além deles, em direção ao vale.

— Tenho negócios a resolver.

— *Quem* é? — perguntou Miles, apontando para uma mulher em um longo vestido branco. Era alta e magra, com cabelos ruivos que brilhavam à luz do sol. Seu vestido era decotado, mostrando uma boa parte da pele dourada. Ela murmurava algo em uma voz baixa e adorável, uma canção que eles mal conseguiam escutar.

— É Lilith — disse Daniel, devagar. — Ela deve se casar hoje.

Miles deu alguns passos por uma trilha que descia em direção ao vale onde se encontrava o templo, a aproximadamente três metros, como se quisesse olhá-la melhor.

— Miles, espere! — Shelby correu atrás dele. — Isso não é como nossa viagem para Las Vegas. Estamos em uma época, ou sei lá o quê, estranha. Você não pode ver uma garota bonita e simplesmente ir até ela como se pertencesse a esse lugar. — Ela se virou para Daniel, em busca de ajuda.

— Fiquem abaixados — orientou Daniel. — Abaixo da linha da grama. E parem quando eu mandar.

Cuidadosamente, eles caminharam pela trilha, parando perto da margem do rio, em um local próximo ao templo. Todas as tendas da pequena comunidade haviam sido enfeitadas com guirlandas de cravo e com flores de cassis. Na distância que se encontravam, podiam ouvir as vozes de Lilith e das garotas que a preparavam para o casamento. Elas riam e cantavam junto com Lilith enquanto trançavam seus longos cabelos ruivos ao redor da cabeça.

Shelby virou-se para Miles.

— Ela não se parece um pouco com a Lilith da nossa turma em Shoreline?

— *Não* — disse Miles imediatamente. Depois, analisou a noiva por um instante. — Tudo bem, talvez um pouco. Estranho.

— Luce provavelmente nunca lhe falou sobre ela — explicou Shelby a Daniel. — Ela é uma vadia do Inferno.

— Faz sentido — disse Daniel. — A Lilith de vocês pode ter vindo da mesma longa linhagem de mulheres más. Todas são descendentes da mãe original, Lilith, a primeira mulher de Adão.

— Adão teve mais de uma mulher? — Shelby estava boquiaberta. — E Eva?

— Antes de Eva.

— *Pré-Eva?* Impossível.

Daniel assentiu.

— Eles não estavam casados havia muito tempo quando Lilith o deixou. Ele ficou arrasado. Adão esperou por ela durante um longo tempo, mas, eventualmente, Eva surgiu. E Lilith nunca perdoou Adão por esquecê-la. Ela passou o resto dos seus dias vagando pela Terra e amaldiçoando a família que Adão formou com Eva. E seus descendentes... Às vezes começam bem, mas no fim, bem... Uma maçã nunca cai muito longe da árvore.

— Que bizarro — comentou Miles, apesar de parecer hipnotizado pela beleza de Lilith.

— Você está me dizendo que Lilith Clout, a garota que colocou fogo nos meus cabelos no nono ano, pode ser, *literalmente*, uma vadia do Inferno? Que toda a minha implicância em relação a ela pode ter um motivo?

— Acho que sim — e Daniel deu de ombros.

— Nunca me senti tão livre de culpa — Shelby riu. — Por que isso não está em nenhum dos livros de angeologia que estudamos em Shoreline?

— Shhh! — Miles apontou em direção ao templo.

Lilith deixara as damas de honra, que terminavam a decoração do casamento (papoulas amarelas e brancas haviam sido espalhadas perto da entrada do templo e fitas de tecido e pequenos sinos de prata colocados nos ramos mais baixos dos carvalhos) e afastou-se na direção oeste, seguindo para o rio, onde Daniel, Shelby e Miles estavam escondidos.

Ela carregava um pequeno buquê de lírios brancos. Ao chegar à margem do rio, arrancou algumas pétalas e espalhou-as sobre a água, ainda murmurando suavemente uma canção. Depois, virou-se e caminhou para o norte, ao longo da margem, em direção a uma enorme alfarrobeira com galhos que pendiam sobre o rio.

Embaixo da árvore havia um garoto sentado, olhando para a água. Suas pernas compridas estavam dobradas junto ao peito, presas por um dos braços. O outro braço atirava pedrinhas na água. Seus olhos verdes cintilavam em oposição à pele bronzeada. Seu cabelo negro como carvão estava um pouco desalinhado e úmido graças a um mergulho recente.

— Ah, meu Deus, é... — o grito de Shelby foi interrompido pela mão de Daniel, colocada sobre sua boca.

Era o momento que ele temera.

— Sim, é Cam, mas não aquele que você conhece. É um Cam anterior. Estamos milhares de anos antes do seu tempo.

Miles estreitou os olhos.

— Mas ele ainda é mau.

— Não — disse Daniel. — Não é.

— Hã? — perguntou Shelby.

— Houve um tempo em que todos éramos parte da mesma família. Cam era meu irmão. Ele não era mau, não ainda. Talvez nem mesmo seja hoje em dia.

Fisicamente, a única diferença entre esse Cam e aquele que Shelby e Miles conheciam era que seu pescoço não tinha uma tatuagem preta no formato de sol, que Cam ganhara de Satã quando se aliou ao Inferno. Fora isso, parecia exatamente o mesmo Cam.

Porém, o rosto deste Cam estava rígido, tomado pela preocupação. Era uma expressão que Daniel não via nele há milênios. Provavelmente desde aquele instante.

Lilith parou atrás dele e abraçou seu pescoço, de forma que suas mãos pousassem sobre o coração dele. Sem se virar ou dizer uma palavra, Cam ergueu suas mãos e envolveu as dela em concha. Ambos fecharam os olhos, satisfeitos.

— Isso parece bastante íntimo — disse Shelby. — Não seria melhor que a gente... Quero dizer, eu me sinto estranha.

— Então vá embora — disse Daniel devagar. — E não faça alvoroço ao sair...

Daniel se interrompeu. Alguém andava em direção a Cam e Lilith.

O jovem era alto e bronzeado, vestia uma longa túnica branca e trazia um grosso rolo de pergaminho. Sua cabeça loura estava abaixada, mas obviamente era Daniel.

— Eu não vou embora. — Os olhos de Miles se prenderam ao Daniel do passado.

— Calma aí... Achei que havíamos mandado esse cara de volta, pelos Anunciadores! — disse Shelby, confusa.

— Aquela era uma versão mais recente de mim — explicou Daniel.

— *Uma versão mais recente de mim*, diz ele! — Shelby fez um som zombeteiro. — Quantas versões de você *existem*, exatamente?

— Aquele veio de uma época dois mil anos após o momento em que estamos, e, ainda assim, mil antes do nosso presente verdadeiro. Aquele Daniel não deveria estar aqui.

— Estamos a três mil anos atrás, em relação ao presente? — perguntou Miles.

— Sim, e, na verdade, vocês não deveriam estar aqui. — Daniel olhou para Miles, de alto a baixo. — Porém, essa versão anterior de mim — ele apontou para o garoto que parara perto de Cam e de Lilith — pertence a essa época.

Do outro lado do rio, Lilith sorriu.

— Como vai, Dani?

Eles observaram Daniel se ajoelhar perto do casal e desenrolar o pergaminho. Daniel se lembrou: era a licença de casamento deles. Ele mesmo havia escrito tudo aquilo em aramaico. E deveria realizar uma cerimônia. Cam lhe pedira meses antes.

Lilith e Cam leram o documento. Eles formavam um bom par, lembrou-se Daniel. Ela escrevia canções para ele e passava horas colhendo flores silvestres e entrelaçando-as na roupa dele. Ele se entregou inteiramente a ela. Ouvia seus sonhos e a fazia rir quando estava triste. Ambos tinham seu lado volátil, e, quando brigavam, toda a tribo ficava sabendo — mas ainda não eram a coisa escura que se tornariam após se separarem.

— Essa parte — disse Lilith, apontando para uma frase do texto — diz que nos casaremos perto do rio, mas você sabe que quero me casar no templo, Cam.

Cam e Daniel se entreolharam. Cam buscou a mão de Lilith.

— Meu amor... Já lhe disse que não posso.

Uma irritação surgiu na voz de Lilith:

— Você se recusa a se casar comigo sob os olhos de Deus? É o único lugar onde minha família aprovará nossa união! Por quê?

— Uau — sussurrou Shelby, do outro lado do rio. — Já entendi o que está acontecendo. Cam não pode se casar no templo... Não pode nem mesmo pisar no templo porque...

Miles também começou a sussurrar:

— Se um anjo caído entrar no santuário de Deus...

— Todo o lugar se incendiará — completou Shelby.

Os Nefilim tinham razão, é claro, mas Daniel estava surpreso com a própria frustração. Cam amava Lilith, e Lilith amava Cam. Eles tiveram a chance de fazer seu amor dar certo, e, na opinião de Daniel, que o restante fosse para o Inferno. Por que Lilith era tão insistente sobre se casar no templo? Por que Cam não podia lhe dar uma boa explicação para sua recusa?

— Lá, eu não piso — e Cam apontou para o templo.

Lilith estava prestes a chorar.

— Então você não me ama.

— Eu te amo mais do que jamais pensei ser possível, mas isso não muda nada.

O corpo magro de Lilith pareceu se inchar, com raiva. Ela seria capaz de perceber que a recusa de Cam era algo muito maior que meramente um desejo de negar a vontade dela? Daniel achava que não. Ela fechou as mãos e soltou um grito agudo e comprido.

O som pareceu sacudir a terra. Lilith segurou os pulsos de Cam e o pressionou contra a árvore. Ele sequer ofereceu resistência.

— Minha avó nunca gostou de você. — Os braços dela tremiam enquanto ela o segurava. — Ela sempre disse as coisas mais terríveis a seu respeito, e eu sempre o defendi. Agora, eu vejo tudo. Nos seus olhos e na sua alma. — Os olhos de Lilith o atravessavam. — Diga.

— O quê? — perguntou ele, horrorizado.

— Você é um homem mau. Você é um... Eu sei o que você é.

Era óbvio que Lilith não sabia. Ela se agarrava a rumores que circulavam pela comunidade — de que ele era mau, um mago, um adepto do ocultismo. Ela apenas queria ouvir a verdade da boca de Cam.

Daniel sabia que Cam *poderia* contá-la a Lilith, mas não o faria. Ele tinha medo.

— Não sou nenhuma das coisas ruins que dizem que sou, Lilith — respondeu Cam.

Era a verdade, e Daniel sabia disso, mas parecia tanto uma mentira! Cam estava à beira da pior decisão que jamais tomaria. Era isso: o momento que partiu tão profundamente o coração de Cam que ele apodreceu e se enegreceu.

— Lilith — implorou Daniel, puxando as mãos dela para longe da garganta de Cam. — Ele não é...

— Dani! — advertiu Cam. — Nada que você disser poderá consertar isso.

— É verdade. Tudo acabou. — Lilith o soltou, e Cam caiu no chão. Ela pegou o contrato de casamento e jogou-o no rio.

O rolo girou vagarosamente sobre a corrente e afundou. — Espero que eu viva mil anos e tenha mil filhas, para que sempre haja uma mulher que possa amaldiçoar seu nome. — Ela cuspiu no rosto dele; depois, virou-se e correu para o templo, fazendo o vestido branco flutuar atrás de si como a vela de um barco.

O rosto de Cam ficou tão branco quanto a roupa de Lilith. Ele segurou a mão de Dani, para se levantar.

— Você tem uma seta estelar, Dani?

— Não — a voz de Dani estremeceu. — Não fale assim. Você a terá de volta ou...

— Fui ingênuo em acreditar que poderia amar uma mortal.

— Se você houvesse contado a ela... — disse Dani.

— *Contado?* O que aconteceu comigo, com todos nós? A Queda e tudo o que se passou desde então? — Cam se inclinou para perto de Dani. — Talvez ela esteja certa sobre mim. Você a ouviu: a vila inteira pensa que sou um demônio. Mesmo que não usem essa palavra.

— Eles não sabem nada.

Cam se virou de costas.

— Por todo o tempo eu tentei negar essa verdade, mas o amor é algo impossível, Dani.

— Não, não é.

— *É sim.* Para almas como as nossas. Você verá. Pode até resistir por mais tempo que eu, mas você verá. Nós precisaremos escolher.

— *Não.*

— Você protesta tão rapidamente, irmão. — Cam apertou o ombro de Dani. — Isso me faz pensar. Você já considerou... Ir para o outro lado?

Dani deu de ombros.

— Não sei. Eu penso nela e em nada mais. Conto os segundos até estar ao lado dela novamente. Eu a escolho, e ela escolhe a mim.

— Que solidão.

— Não é solidão! — retrucou Dani. — É o amor. O amor que você também deseja para você...

— Eu quis dizer que *eu* estou solitário. E sou muito menos nobre que você. Qualquer dia... Temo que uma mudança esteja por vir.

— Não. — Dani se aproximou do irmão. — Você não faria isso.

Cam recuou e cuspiu.

— Nem todos temos a sorte de estarmos amarrados, por uma maldição, à mulher que amamos.

Daniel se lembrava daquele insulto vazio; ficara furioso. Porém, ainda assim, não deveria ter dito aquelas palavras:

— Vá, então. Você não fará falta.

Ele se arrependeu imediatamente, mas era tarde.

Cam girou os ombros para trás e abriu os braços. Quando suas asas irromperam das suas escápulas, enviaram uma lufada de ar quente que balançou a grama onde Daniel, Shelby e Miles estavam escondidos. Eles olharam para cima. As asas dele eram enormes, cintilantes e...

— Espere aí — sussurrou Shelby. — Elas não são douradas!

Miles piscou.

— Como podem não ser douradas?

Fazia sentido que os Nefilim estivessem confusos. A divisão entre as cores das asas era tão clara quanto a separação entre a noite e o dia: douradas para os demônios, prateadas ou brancas para os outros. E o Cam que eles conheciam era um demônio. Daniel não estava a fim de explicar a Shelby por que as asas de

Cam eram brancas, puras e imaculadas, tão radiantes quanto diamantes e reluzentes como a neve banhada pelo sol.

Aquele Cam, de muito tempo atrás, ainda não havia passado para o outro lado. Estava apenas na fronteira.

Naquele dia, Lilith perdeu Cam como amante e Daniel o perdeu como irmão. A partir dali, seriam inimigos. Será que Daniel poderia tê-lo impedido? E se ele não houvesse se afastado de Cam e aberto suas próprias asas, usando-as como escudo da maneira que via Dani fazer?

Deveria ter feito isso. Ele sentia arder a vontade de sair dos arbustos e impedir Cam. Quanta coisa poderia ter sido diferente!

As asas de ambos ainda não tinham aquela repulsão magnética torturante. Tudo o que as repelia era uma diferença de opinião teimosa, uma rivalidade filosófica e fraternal.

Os anjos alçaram voo ao mesmo tempo, em direções opostas. Portanto, quando Dani disparou pelos céus para leste e Cam para oeste, os três Anacronismos escondidos na grama foram os únicos que puderam ver o leve brilho dourado nas asas de Cam. Como um raio cintilante.

DEZESSETE

ESCRITO EM OSSO
Yin, China • Qing Ming
(aproximadamente 4 de abril de 1046 a.C.)

No fim do túnel formado pelo Anunciador havia uma claridade esmagadora, que banhou a pele de Luce como uma manhã de verão na casa dos seus pais, na Geórgia.

Luce mergulhou nela.

Uma glória incontida. Era como Bill havia chamado a luz incandescente que emanava da verdadeira alma de Daniel. O simples ato de olhar para o eu angélico e puro de Daniel fizera que uma comunidade inteira, no sacrifício maia, entrasse em combustão espontânea... Incluindo Ix Cuat, o eu anterior de Luce.

Mas *houve* um momento antes disso.

Um momento de puro maravilhamento logo antes de morrer, quando Luce se sentira mais próxima de Daniel do que nunca. Ela não dava a mínima para o que Bill dissera: ela *reconheceu* o brilho da alma de Daniel. E *precisava* vê-lo novamente. Talvez houvesse uma maneira de sobreviver a isso. Precisava, ao menos, tentar.

Ela irrompeu do Anunciador para o vazio gelado de um quarto colossal.

O cômodo era dez vezes maior que qualquer quarto que Luce já vira, e tudo era luxuoso. O piso era feito do mais polido mármore e coberto com tapetes enormes de peles de animais, um dos quais continha a cabeça intacta de um tigre. Quatro vigas de madeira seguravam o teto finamente trabalhado. As paredes eram decoradas com pedaços de bambu entrelaçados. Perto da janela aberta havia uma gigantesca cama com dossel, coberta por lençóis de seda verdes e dourados.

Um minúsculo telescópio estava apoiado na beira da janela. Luce o segurou, abrindo a cortina de seda dourada para espiar o ambiente. O telescópio lhe pareceu pesado e frio ao erguê-lo até os olhos.

Ela estava no centro de uma grande cidade murada, e a observava a partir do segundo andar de uma construção. Um labirinto de estradas de pedra conectava edifícios de pau a pique próximos, que pareciam ser antigos. O ar era quente e cheirava levemente a flores de cerejeira. Um par de papa-figos cruzou o céu azul.

Luce se virou para Bill.

— Onde estamos? — Aquele lugar parecia tão estranho e remoto quanto o mundo dos maias.

Ele deu de ombros e abriu a boca para responder, mas, então...

— Shhh — sussurrou Luce.

Podia-se ouvir o som de um fungar.

Alguém chorava baixinho e abafadamente. Luce se virou na direção do som. Ali, através de um arco em uma extremidade do quarto, ela o ouviu mais uma vez.

Luce caminhou até o arco, deslizando pelo chão de mármore com os pés descalços. Os soluços ecoavam e a atraíam. Um corredor estreito levava a outro quarto cavernoso. Esse, sem janelas, tinha um teto baixo e era pouco iluminado por uma dúzia de pequenas lamparinas de cobre.

Ela distinguiu uma grande bacia de pedra e uma pequena mesa laqueada, repleta de frascos de cerâmica negra com óleos aromáticos que davam ao quarto um cheiro morno e condimentado. Em um dos cantos, havia um grande armário cravado de jades. Dragões esbeltos e verdes desenhados nele zombavam de Luce, como se soubessem tudo o que ela não sabia.

E, no meio do quarto, havia um homem morto, estendido no chão.

Antes que Luce pudesse ver outras coisas, foi cegada pela luz intensa que se movia na sua direção. Tratava-se do mesmo brilho que ela havia percebido do outro lado do Anunciador.

— O que é essa luz? — perguntou a Bill.

— Essa... Hã, você está vendo isso? — Bill parecia surpreso. — É sua alma. É mais uma maneira de reconhecer suas vidas do passado quando elas têm uma aparência física distinta — fez uma pausa. — Você nunca notou isso antes?

— É a primeira vez, eu acho.

— Ah — disse Bill. — É um bom sinal. Você está progredindo.

Luce se sentiu pesada e exausta, subitamente.

— Achei que seria Daniel.

Bill limpou a garganta, como se fosse dizer algo, mas não disse. O brilho cintilou com mais força durante um átimo de segundo e, depois, sumiu tão repentinamente que ela ficou cega por um instante, até que seus olhos se acostumassem.

— O que está fazendo aqui? — perguntou, asperamente, uma voz.

No lugar onde estivera a luz, no centro do quarto, havia uma garota chinesa magra e bonita, de mais ou menos 17 anos; ela era jovem e elegante demais para estar diante de um morto.

Seus cabelos negros iam até a cintura, contrastando com seu vestido de seda branca, que continuava até os pés. Por mais delicada que fosse, parecia o tipo de garota que não fugiria de uma briga.

— Então... Essa é você — disse a voz de Bill ao ouvido de Luce. — Seu nome é Lu Xin e você morava nos arredores da capital, Yin. Estamos no final da dinastia Shang, por volta do ano mil antes de Cristo, caso você queira anotar na sua agenda.

Luce provavelmente parecia maluca para Lu Xin, entrando ali vestida com couro de animal, usando um colar feito de ossos e tendo, no lugar dos cabelos, uma massa emaranhada e desalinhada. Há quanto tempo não se olhava no espelho? Não tomava banho? Como se não bastasse, ainda conversava com uma gárgula invisível.

Porém, pensando bem, Lu Xin velava um morto e olhava para Luce com um olhar de não-brinque-comigo, portanto, também parecia meio louca.

Minha nossa! Luce ainda não notara a faca incrustada de turquesas ou a pequena poça de sangue no chão de mármore.

— O que eu... — começou a perguntar para Bill.

— Você — a voz de Lu Xin era surpreendentemente forte. — Quero que me ajude a esconder esse corpo.

O cabelo do morto era branco ao redor das têmporas; ele parecia ter aproximadamente 60 anos e era magro e musculoso sob as túnicas elaboradas e os mantos bordados.

— Eu... Hã... Não acho que...

— Assim que souberem que o rei está morto, você e eu também seremos mortas.

— O quê? — perguntou Luce. — Eu?

— Você, eu e a maioria das pessoas que estão entre essas muralhas. Onde mais encontrarão os mil corpos que devem ser enterrados junto com o déspota? — A garota enxugou as bochechas com os dedos magros e cheios de anéis de jade. — Você me ajudará ou não?

Diante do pedido da garota, Luce segurou os pés do rei. Lu Xin se preparou para erguê-lo pelos braços.

— O rei — disse Luce, pronunciando as antigas palavras Shang como se conhecesse a língua. — Ele...

— Não é o que parece — gemeu Lu Xin sob o peso do corpo. O rei era mais pesado do que aparentava. — Eu não o matei. Ao menos não... — fez uma pausa. — Fisicamente. Ele estava morto quando entrei no quarto — disse e fungou. — Apunhalou-se no coração. Eu costumava dizer que o rei não tinha coração, mas ele provou que eu estava errada.

Luce olhou para o rosto do morto. Um dos seus olhos estava aberto. Sua boca estava retorcida. Parecia que estava em agonia quando deixara esse mundo.

— Onde está seu pai?

Àquela altura, elas haviam chegado ao enorme armário de jade. Lu Xin abriu a porta com o quadril, deu um passo para trás e deixou cair sua metade do corpo ali dentro.

— Ele seria meu marido — disse, friamente. — Um esposo horrível. Os ancestrais aprovaram nosso casamento, mas eu, não. Não há motivo, quando se gosta de romance, para sentir gratidão por ter homens ricos e poderosos ao seu redor. — Ela analisou Luce, que abaixou os pés do rei vagarosamente dentro do armário. — De que região você vem, onde não ouviu falar sobre o noivado do rei? — Lu Xin havia notado as roupas maias de Luce. Ela tocou na barra da curta saia marrom. — Você foi contratada para atuar no casamento? É alguma espécie de dançarina? Uma animadora?

— Não exatamente. — Luce sentiu a face corar ao abaixar a saia contra os quadris. — Olhe, não podemos simplesmente deixar o corpo aqui. Alguém o encontrará. Quero dizer, ele é o rei, certo? E há sangue por toda a parte.

Lu Xin colocou a mão dentro do armário e puxou um vestido de seda carmim. Apoiou-o sobre seus joelhos e rasgou uma longa tira do tecido. Era uma linda vestimenta de seda macia, com pequenos botões de flores pretos bordados na gola. Ela pegou um segundo vestido, azul, e atirou-o para que Luce a ajudasse a limpar o sangue.

— Tudo bem — disse Luce. — Mas ainda tem a faca — e apontou para o brilhante punhal de bronze, coberto até o cabo com o sangue do rei.

Em menos de um segundo, Lu Xin escondeu-a em uma dobra do vestido. Ela olhou para Luce, como se dissesse: "mais alguma coisa?"

— O que é aquilo? — Luce apontou para o que parecia ser o topo de um casco de tartaruga. Ela vira o objeto cair da mão do rei quando moveram o corpo.

Lu Xin estava ajoelhada. Ela soltou o trapo ensopado de sangue e envolveu o casco com as mãos em concha.

— O osso oracular — disse, baixinho. — Mais importante que qualquer rei.

— O que é isso?

— Ele contém as respostas da Divindade Superior.

Luce se aproximou, ajoelhando para observar o objeto que exercia tamanho efeito sobre a garota. O osso oracular não passava do casco de uma tartaruga, mas era pequeno, polido e imaculado. Quando Luce se inclinou, percebeu que alguém havia pintado algo com traços suaves e negros na parte inferior do casco:

Lu Xin é fiel a mim ou ama a outro?

Lágrimas encheram os olhos de Lu Xin, quebrando a fria determinação que ela havia demonstrado a Luce.

— Ele perguntou aos ancestrais — sussurrou ela, fechando os olhos. — Eles devem ter lhe contado sobre minha traição. Eu... não pude evitar.

Daniel. Ela provavelmente falava sobre Daniel. Um amor secreto que ela escondera do rei. Porém, não fora capaz de esconder muito bem.

O coração de Luce se conectou a Lu Xin. Ela entendia, com cada fibra da sua alma, exatamente o que a garota sentia. Elas compartilhavam um amor que rei nenhum poderia destruir, que ninguém poderia apagar. Um amor mais poderoso que a natureza.

Ela abraçou Lu Xin com força.

E sentiu o chão se afundar embaixo delas.

Não fora sua intenção! Porém, seu estômago já se revirava e sua visão falhava incontrolavelmente; ela se viu externamente, parecendo esquisita e selvagem e segurando com força seu eu do passado. Então, o quarto parou de girar e Luce se viu sozinha, segurando o osso oracular. Havia acabado. Ela se tornara Lu Xin.

— Eu sumo durante três minutos e você entra no modo 3D? — disse Bill, irritado. — Será que uma gárgula não pode sequer tomar uma bela xícara de chá de jasmim sem que sua protegida cave a própria cova? Você chegou a pensar no que acontecerá quando os guardas baterem naquela porta?

Houve uma batida alta na grande porta de bambu do quarto principal.

Luce pulou.

Bill cruzou os braços sobre o peito.

— Falando no diabo... — disse ele. Então soltou um grito agudo e afetado: — "Ah, Bill! Por favor, me ajude, Bill, o que eu faço agora? Não pensei em lhe fazer perguntas *antes* de me colocar em uma *situação extremamente idiota,* Bill!"

Contudo, Luce não precisou perguntar nada a Bill. O conhecimento já aparecia na mente de Lu Xin. Ela sabia que aquele dia seria marcado não apenas pelo suicídio de um rei sórdido, mas por algo ainda maior, ainda mais sombrio e sangrento: um enorme confronto entre exércitos. Quem batia à porta era o conselho do rei, que aguardava para conduzi-lo à guerra. Ele deveria liderar as tropas.

O rei, porém, estava morto e enfiado no armário.

E Luce estava dentro do corpo de Lu Xin, escondida nos aposentos privados dele. Se a encontrassem ali, sozinha...

— Rei Shang. — Batidas fortes ecoaram pelo quarto. — Aguardamos suas ordens.

Luce ficou imóvel, congelada no vestido de seda de Lu Xin. Não havia rei Shang. Seu suicídio deixara o governo sem rei, os templos sem um sumo sacerdote e o exército sem general imediatamente antes de uma batalha para defender a dinastia.

— Isso é o que se chama um regicídio em hora errada — comentou Bill.

— O que eu faço? — Luce se virou para olhar o armário, estremecendo ao olhar para o rei. Seu pescoço estava virado em um ângulo não natural, e o sangue no seu peito secara, adquirindo um tom enferrujado. Lu Xin odiara o rei quando ele estava vivo. Luce sabia que as lágrimas que corriam pela sua face não eram de tristeza, mas de medo pelo que aconteceria com seu amado, De.

Três semanas antes, Lu Xin ainda morava na fazenda de painço da sua família, às margens do rio Huan. Certa tarde, ao passar pelo vale do rio em sua carruagem cintilante, o rei vira Lu Xin cuidando das plantações. Decidira que gostara dela. No dia seguinte, dois guardas bateram à sua porta. Ela foi obrigada a abandonar sua família e seu lar. E a deixar De, um belo e jovem pescador da vila vizinha.

Antes da convocação do rei, De ensinara Lu Xin a pescar, usando seu par de biguás de estimação e amarrando frouxamente uma corda ao redor dos seus pescoços, de forma que eles pudessem apanhar diversos peixes com a boca, mas não conseguissem engoli-los. Ao ver De retirar gentilmente os peixes dos estranhos bicos dos pássaros, Lu Xin se apaixonara por ele. E, na manhã seguinte, fora obrigada a dizer adeus. Para sempre.

Ou, ao menos, foi o que pensara.

Havia 19 luas que Lu Xin não via De, e sete luas desde que recebera um pergaminho da sua família, que trazia más notícias: De e outros jovens de fazendas próximas haviam fugido para se unir ao exército rebelde, e, logo depois, os soldados do rei destruíram a vila, procurando pelos desertores.

Com a morte do rei, os homens de Shang não teriam misericórdia com Lu Xin, e ela jamais reencontraria De, jamais estaria realmente com Daniel.

A menos que o conselho do rei não descobrisse que ele estava morto.

O armário estava cheio de vestimentas coloridas e exóticas, mas um objeto lhe chamou a atenção: um capacete grande e curvo. Era pesado e feito basicamente de tiras espessas de couro, fortemente costuradas. Na frente, havia uma chapa macia de bronze onde fora esculpido um dragão cuspindo fogo. O dragão era o signo zodiacal do ano de nascimento do rei.

Bill voou até ela.

— O que está fazendo com o capacete do rei?

Luce colocou o capacete na cabeça e enfiou os cabelos pretos sob ele. Então, abriu a outra porta do armário, empolgada e nervosa com o que encontrara.

— O mesmo que estou fazendo com a armadura dele — respondeu ela, juntando vários objetos pesados. Ela pegou um par de largas calças de couro, uma túnica pesada, também de couro, um par de luvas de malha, sapatos de couro, que certamente eram grandes demais, mas que ela precisaria dar um jeito de fazer servir, e uma armadura de bronze feita com chapas sobrepostas. O mesmo dragão negro cuspindo fogo estava desenhado na frente da túnica. Era difícil acreditar que alguém seria capaz de lutar em uma guerra sob o peso daquelas roupas, mas Lu Xin sabia que o rei, na verdade, não combatia: ele apenas liderava as batalhas de dentro da sua carruagem de guerra.

— Não é hora de se fantasiar! — Bill cutucou Luce com uma das garras. — Você não pode sair assim.

— Por que não? Essas roupas me servem. Quase. — Ela dobrou a parte de cima das calças para prendê-las com o cinto.

Perto da bacia cheia de água, ela achou um espelho de metal polido, rodeado por uma moldura de bambu. No reflexo, o rosto de Lu Xin estava disfarçado pela espessa chapa de bronze do capacete. Seu corpo parecia robusto e forte sob a armadura de couro.

Luce se dirigiu à saída do quarto de vestir, voltando ao quarto de dormir.

— Espere! — gritou Bill. — O que você vai dizer que aconteceu ao rei?

Luce se virou para Bill e ergueu o pesado capacete de couro, de forma que ele pudesse ver seus olhos.

— *Eu* sou o rei agora.

Bill piscou e, pela primeira vez, não tentou retrucar.

Uma onda de força atravessou Luce. Disfarçar-se de chefe do exército era, ela percebeu, exatamente o que Lu Xin teria feito. Sendo um soldado comum, De obviamente estaria na frente da batalha. E ela o encontraria. Mais uma vez, houve batidas na porta.

— Rei Shang, o exército Zhou está avançando. Somos obrigados a solicitar vossa presença!

— Acho que tem alguém falando com você, *rei Shang* — o tom de voz de Bill mudara. Estava grave, rascante e ecoava pelo quarto tão violentamente que Luce estremeceu, mas não se virou para olhá-lo. Ela soltou a pesada tranca de bronze e abriu a grossa porta de bambu.

Três homens vestindo túnicas marciais nos tons vermelho vivo e amarelo saudaram-na ansiosamente. No mesmo instante, Luce reconheceu os conselheiros mais próximos do rei: Hu, com dentes minúsculos e olhos estreitos e amarelados; Cui, o mais alto, com ombros largos e olhos arredondados; e Huang, o mais novo e mais gentil.

— O rei já está pronto para a guerra — disse Huang, espiando o quarto vazio atrás de Luce, com uma expressão confusa. — O rei parece... diferente.

Luce congelou. O que dizer? Nunca ouvira a voz do rei morto, e era excepcionalmente ruim em imitações.

— Sim — concordou Hu. — Parece descansado.

Após um longo e aliviado suspiro, Luce assentiu rigidamente, tomando cuidado para que o capacete não caísse da sua cabeça.

Os três homens gesticularam para que o rei — Luce, na verdade — seguisse pelo corredor de mármore. Huang e Hu andavam ao lado dela e murmuravam sobre o triste estado do moral dos soldados. Cui andava atrás de Luce, o que a deixava pouco à vontade.

O palácio era interminável — havia tetos altos com cumeeiras, todos branquíssimos, as mesmas estátuas em jade e em ônix a cada curva, e os mesmos espelhos com molduras de bambu nas paredes. Quando finalmente atravessaram a última porta e saíram na manhã cinzenta, Luce viu a carruagem vermelha de madeira à distância, e seus joelhos quase falharam.

Ela precisava encontrar De, mas ir à guerra a aterrorizava.

Na carruagem, os membros do conselho do rei reverenciaram-na e beijaram sua mão. Ela se sentiu grata pelas luvas de malha, mas, ainda assim, retirou a mão rapidamente, temendo que sua pele a entregasse. Huang passou-lhe uma longa lança, com punho de madeira e uma ponta curva.

— Vossa alabarda, majestade.

Ela quase deixou a pesada arma cair.

— Eles vos levarão até onde se possa vislumbrar as linhas de frente da batalha — disse ele. — Nós seguiremos a carruagem, liderando a cavalaria.

Luce se virou para a carruagem. Era basicamente uma plataforma de madeira sobre um longo eixo que conectava duas grandes rodas de madeira, conduzida por dois fortes cavalos negros. O veículo tinha um tom vermelho laqueado e brilhante e espaço suficiente para cerca de três pessoas, sentadas ou em pé. O forro de couro e as cortinas poderiam ser removidos durante a batalha, mas, por enquanto, davam ao passageiro certa privacidade.

Luce subiu, atravessou as cortinas e sentou-se. O assento era forrado com pele de tigre. Um cocheiro com bigode fino assumiu as rédeas, e outro soldado, com olhos caídos e portando um machado de batalha, subiu na carruagem para ficar ao lado do rei. Ao estalar do chicote, os cavalos saíram a galope e Luce sentiu as rodas girarem embaixo dela.

Enquanto passavam pelos altos e austeros portões do palácio, raios de sol atravessavam bolsões de névoa sobre um grande terreno de terra cultivada. A paisagem era linda, mas Luce estava nervosa demais para apreciar aquilo.

— Bill — sussurrou ela. — Uma ajudinha?

Nenhuma resposta.

— *Bill?*

Ela espiou pelas cortinas, mas aquilo apenas atraiu a atenção do soldado de olhos caídos, que era, supostamente, o guarda-costas do rei durante aquela jornada.

— Vossa Majestade, por favor; para vossa segurança, devo insistir. — Ele gesticulou para que Luce voltasse ao interior do veículo.

Luce soltou um gemido e reclincu-se no assento acolchoado da carruagem. As ruas pavimentadas da cidade provavelmente haviam chegado ao fim, pois o trajeto se tornara incrivelmente acidentado. Luce era atirada contra o banco, sentindo como se estivesse em uma montanha-russa de madeira. Seus dedos agarraram o acolchoado felpudo.

Bill fora contra aquela ideia. Será que ele estava lhe ensinando uma lição, sumindo quando ela mais precisava da ajuda dele?

Seus joelhos chacoalhavam a cada buraco na estrada. Ela não tinha a menor ideia de como encontrar De. Se os guardas do rei sequer a deixavam olhar pelas cortinas, como a deixariam se aproximar da linha de frente da batalha?

No entanto...

Certa vez, há milhares de anos, seu eu havia se sentado sozinho naquela carruagem, fingindo ser um rei já morto. Luce era capaz de sentir: mesmo se não houvesse tomado o corpo dela, Lu Xin estaria ali naquele momento.

E sem a ajuda de uma gárgula geniosa e esquisita. E, o que é mais importante, sem todo o conhecimento que Luce conseguira reunir até aquela altura da sua busca. Ela vira a glória incontida de Daniel em Chichén Itzá. Presenciara e, por fim, entendera a profundidade da maldição dele em Londres. Vira sua tentativa de suicídio no Tibete e como tentara salvá-la de uma vida terrível em Versalhes. Ela observara Daniel dormir para esquecer a dor da morte dela na Prússia, como se estivesse sob um feitiço. Vira ele se apaixonar por ela mesmo sendo esnobe e imatura, em Helston. Tocara as cicatrizes das suas asas em Milão e entendera do quanto ele abrira mão no Céu para estar com ela. Conhecera seu olhar sofrido quando ele a perdeu em Moscou, sabendo que ele vivera a mesma dor inúmeras vezes.

Luce devia a ele uma descoberta sobre como quebrar essa maldição.

A carruagem parou subitamente, e Luce quase foi atirada para longe do assento. Do lado de fora, ouvia-se o som trovejante de cascos de cavalos — o que era estranho, pois a carruagem estava parada.

Havia alguém ali.

Luce ouviu metais tinindo e um longo gemido de dor. A carruagem foi balançada com violência e algo pesado caiu no chão.

Houve mais sons de metais tinindo, mais gemidos, um grito áspero e outro baque no chão. Com as mãos trêmulas, Luce abriu uma brecha de um milímetro nas cortinas de couro e viu o soldado de olhos caídos deitado sobre uma poça de sangue.

A carruagem do rei caíra em uma emboscada.

As cortinas foram escancaradas por um dos insurgentes. O lutador ergueu a espada.

Luce não pôde evitar: gritou.

A espada parou no ar — e, então, a mais cálida das sensações invadiu Luce, inundando suas veias, acalmando seus nervos e desacelerando as batidas do seu coração.

O lutador era De.

Seu capacete de couro cobria os cabelos negros na altura dos ombros, mas deixava seu rosto maravilhosamente à mostra. Seus olhos violeta se destacavam contra a pele levemente morena. Ele parecia, ao mesmo tempo, espantado e esperançoso. Havia sacado a espada, mas segurava-a como se sentisse que não devesse atacar. Rapidamente, Luce tirou o capacete e jogou-o sobre o assento.

Seus cabelos escuros cascatearam para baixo, os cachos descendo até a barra da armadura de bronze. Sua visão se nublou quando seus olhos encheram-se de lágrimas.

— Lu Xin? — De abraçou-a com força. Seu nariz roçou o dela, e ela apoiou a face na dele, sentindo-se quente e segura. Ele parecia incapaz de parar de sorrir. Ela levantou a cabeça e beijou a linda curva dos seus lábios. Ele correspondeu ao beijo com desejo, e Luce se embebedou daquele momento maravilhoso, sentindo o peso do corpo dele contra o próprio e desejando que não houvesse tantas armaduras pesadas entre eles.

— Você era a última pessoa que eu esperava ver — disse De, baixinho.

— Eu poderia dizer o mesmo — disse ela. — O que está fazendo aqui?

— Quando me uni às forças rebeldes de Zhou, jurei matar o rei e recuperar você.

— O rei está... Ah, nada disso importa — sussurrou Luce, beijando a face e as pálpebras dele e abraçando com força seu pescoço.

— Nada importa — repetiu De. — Além de estar com você.

Luce lembrou-se do brilho luminoso dele em Chichén Itzá. Vê-lo em outras vidas, em locais e em épocas tão distantes da sua... Cada uma delas confirmara o quanto ela o amava. O laço entre eles era inquebrável — era claro pelo modo como se olhavam, como podiam ler os pensamentos um do outro, como podiam se completar.

Mas, como ela poderia esquecer a maldição à qual estavam submetidos por toda a eternidade? E sua busca para quebrá-la? Ela fora longe demais para esquecer que ainda havia obstáculos impedindo que ela e Daniel ficassem realmente juntos.

Cada vida lhe ensinara algo. Certamente essa vida teria sua própria lição. Se ela apenas soubesse o que buscar!

— Ouvimos dizer que o rei viria até aqui para guiar as tropas — explicou De. — Os rebeldes planejaram emboscar a cavalaria do rei.

— A cavalaria está a caminho — disse Luce, lembrando-se das instruções de Huang. — Chegará a qualquer momento.

Daniel assentiu.

— E, quando chegar, os rebeldes esperarão que eu lute.

Luce estremeceu. Ela estivera com Daniel em duas ocasiões de preparação para batalhas e, em ambas, as consequências foram coisas que ela jamais queria ver novamente.

— O que devo fazer enquanto você...

— Não vou lutar, Lu Xin.

— O quê?

— Essa não é nossa guerra. Nunca foi. Podemos ficar e lutar as batalhas dos outros ou podemos fazer o que *sempre* fizemos e escolher um ao outro acima de todo o resto. Entende o que eu quero dizer?

— Sim — sussurrou ela. Lu Xin não conhecia o significado mais profundo das palavras de De, mas Luce teve quase certeza de que compreendera: Daniel a amava, ela o amava, e eles escolhiam estar juntos.

— Eles não nos deixarão partir com tanta facilidade. Os rebeldes me matarão por desertar. — Ele recolocou o capacete na cabeça dela. — Você também precisará lutar para sair dessa.

— O quê? — sussurrou ela. — Não sei lutar. Mal consigo levantar essa coisa... — Ela gesticulou em direção à alabarda. — Não posso...

— Sim — disse ele, dando um significado profundo àquela única palavra. — Você pode.

A carruagem encheu-se de luz. Por um instante, Luce pensou que estava tudo acabado, que naquele momento Lu Xin se queimaria em chamas e sua alma seria exilada para as sombras.

Contudo, não foi o que aconteceu. A luz saía do peito de De. Era o brilho da alma de Daniel. Não era tão forte e radiante quanto no dia do sacrifício maia, mas era capaz de tirar o fôlego. Aquilo lembrou a Luce o brilho da sua alma quando viu Lu Xin pela primeira vez. Talvez ela estivesse aprendendo a *enxergar* o mundo como ele realmente era. Talvez, finalmente, a ilusão estivesse desaparecendo.

— Certo — disse ela, enfiando os longos cabelos negros dentro do capacete. — Vamos.

Eles abriram as cortinas e se colocaram sobre a plataforma da carruagem. Na frente deles, uma força rebelde de vinte homens montados a cavalo aguardava perto de um morro, a talvez 15 metros do local onde a carruagem do rei fora emboscada. Eles vestiam roupas simples de camponeses: calças marrons e camisas ásperas e imundas. Seus escudos exibiam o desenho de ratos, símbolo do exército de Zhou. Todos esperavam ordens de De.

O barulho de centenas de cascos de cavalos batendo no chão chegou a eles, vindo do vale. Luce entendeu que todo o exército de Shang estava ali embaixo, sedento por sangue. Pôde ouvi-los entoar uma antiga canção de guerra, que Lu Xin conhecia desde que aprendera a falar.

E, em algum lugar atrás deles, Luce sabia que Huang e o restante dos soldados particulares do rei estavam a caminho do que acreditavam ser uma rendição. Eles estavam se dirigindo a um banho de sangue, a uma emboscada, e Luce e Daniel precisavam fugir antes que eles chegassem.

— Siga meu comando — murmurou De. — Seguiremos para os morros a oeste, o mais longe que nossos cavalos conseguirem nos levar.

Ele libertou um dos cavalos da carruagem e entregou-o a Luce. O animal era impressionante, preto como carvão, com uma marca branca em forma de losango no peito. De ajudou Luce a montá-lo, segurando a alabarda do rei em uma das mãos e um arco na outra. Luce nunca atirara ou sequer tocara em um arco antes, e Lu Xin somente o utilizara uma vez, para afastar um lince do berço da sua irmã quando ela era um bebê. Porém, a arma era leve, e Luce soube que, se fosse preciso, seria capaz de usá-la.

De sorriu diante da escolha dela e assobiou para chamar o próprio cavalo. Uma bela égua malhada se aproximou, trotando, e ele saltou sobre ela.

— De! O que está fazendo? — gritou uma voz alarmada, vinda da linha onde estavam os cavalos. — Você deveria matar o rei, não montá-lo em um dos nossos cavalos!

— Sim! Mate o rei! — gritou um coro de vozes raivosas.

— O rei está morto! — gritou Luce, silenciando os soldados. A voz feminina por trás do capacete fez com que todos abafassem um grito de assombro. Eles ficaram congelados, sem saber se erguiam ou não as armas.

De aproximou-se do cavalo de Luce e pegou sua mão. As dele eram mais cálidas, fortes e reconfortantes do que qualquer coisa que ela jamais houvesse sentido.

— Não importa o que aconteça, eu amo você. Nosso amor é tudo para mim.

— E para mim — sussurrou Luce.

De soltou um grito de guerra, e os cavalos dispararam em um galope veloz. O arco quase escorregou da mão de Luce quando ela se inclinou para a frente, a fim de segurar as rédeas.

Então, os soldados rebeldes começaram a gritar:

— Traidores!

— Lu Xin! — a voz de De ergueu-se sobre o mais estridente dos gritos e sobre o mais pesado ressoar dos cascos dos cavalos. — *Vá!* — Ele levantou o braço, apontando em direção aos morros.

O cavalo dela galopava tão rapidamente que era difícil enxergar algo com clareza. O mundo zunia ao seu redor em um barulho aterrorizante. Um grupo de soldados rebeldes perseguia-os, e o barulho dos cascos dos seus cavalos parecia tão alto quanto um terremoto.

Até que um rebelde se aproximasse de Daniel com uma alabarda, Luce esquecera que havia um arco nas suas mãos. Ela o ergueu sem esforço, ainda incerta sobre como usá-lo, sabendo apenas que mataria qualquer um que tentasse ferir Daniel.

Agora.

Ela soltou a flecha. Para seu choque, ela matou o rebelde, fazendo-o cair do cavalo. Ele tombou em meio a uma nuvem de poeira. Ela olhou, horrorizada, para trás na direção do homem com uma flecha atravessada no peito, jogado no chão.

— Não pare! — gritou De.

Ela engoliu com dificuldade, deixando que o cavalo a guiasse. Algo acontecia. Luce começou a se sentir mais leve na sela, como se a gravidade subitamente tivesse menos poder sobre ela, como se a confiança de De a desse forças para que ela pudesse passar por tudo aquilo. Ela era capaz. Poderia fugir com ele. Colocou outra flecha no arco e disparou, repetindo a ação. Não mirava em ninguém — era apenas autodefesa —, mas havia tantos soldados no seu encalço que logo ela já não tinha flechas. Sobraram apenas duas.

— De! — gritou ela.

Ele estava praticamente fora da sela, usando um machado para atacar um soldado de Shang. As asas de De não estavam abertas, mas era como se estivessem — ele parecia mais leve que o ar e, contudo, mortalmente habilidoso. Daniel matava seus inimigos com tanta destreza que suas mortes eram instantâneas e o menos dolorosas possível.

— De! — gritou ela, mais alto.

Ao som da sua voz, a cabeça dele se ergueu. Luce se inclinou sobre a sela para mostrar a aljava quase vazia. Ele atirou-lhe uma espada de lâmina curva.

Ela a segurou pelo cabo. A sensação que isso lhe trouxe foi de estranha naturalidade. Então, ela se lembrou: as aulas de esgrima em Shoreline. Na sua primeira luta, ela destruíra Lilith, uma colega cruel e vaidosa que praticara esgrima por toda a vida.

Certamente poderia repetir o feito.

Nesse momento, um guerreiro pulou para o cavalo dela. O súbito peso fez com que o animal cambaleasse e Luce soltasse um grito, mas, um instante depois, o soldado teve a garganta cortada e o corpo atirado ao chão enquanto a espada dela brilhava com sangue fresco.

Luce sentiu um calor repentino no peito. Todo o seu corpo estremeceu. Ela investiu para diante, esporeando o cavalo à velocidade máxima, cada vez mais rapidamente, até que...

O mundo ficou branco.

Depois, preto.

Por fim, ele explodiu em cores brilhantes.

Luce ergueu a mão para bloquear a luz, mas ela não vinha do exterior. O cavalo continuou galopando sob seu corpo. O punhal continuou na sua mão, ainda investindo para a direita e para a esquerda, em gargantas, em peitos. Os inimigos continuavam caindo aos seus pés.

Porém, de alguma maneira, Luce já não estava ali. Muitas visões, que provavelmente pertenciam a Lu Xin, tomaram conta da sua mente — e, em seguida, algumas que jamais poderiam ter pertencido a Lu Xin.

Ela viu Daniel pairando acima dela, com suas roupas simples de camponês... Entretanto, um momento depois, ele estava sem blusa, com longos cabelos loiros... E, subitamente, usava um elmo de cavaleiro, cujo visor ele levantava para beijá-la... Porém, antes disso, ele se transformou no seu eu do presente, o Daniel que ela deixara no quintal da casa dos seus pais em Thunderbolt.

Era esse Daniel, percebeu ela, por quem ela procurara durante todo esse tempo. Ela esticou a mão para alcançá-lo, chamou seu nome, mas ele se transformou novamente. E mais uma vez. Ela viu mais versões dele do que achou ser possível, cada uma mais maravilhosa do que a anterior. Eles se dobravam um sobre o outro, como em uma enorme sanfona, e cada imagem girava e se alterava sob a luz do céu atrás dele. O perfil do nariz, a linha do maxilar, o tom da pele, o formato dos lábios: tudo entrava e saía de foco, metamorfoseando-se incessantemente. Tudo, menos seus olhos.

Seus olhos violeta continuavam iguais. Eles a perseguiam, escondendo algo terrível que ela não entendia. Algo que *não* queria entender.

Medo?

Nas visões, o terror nos olhos de Daniel era tão intenso que Luce, na verdade, quis desviar o olhar da beleza deles. O que alguém tão poderoso quanto Daniel poderia temer?

Apenas uma coisa: a morte de Luce.

Ela vivenciava uma montagem de inúmeras das suas mortes. Era assim que ficavam os olhos de Daniel, ao longo das eras, logo antes da sua combustão. Ela já vira aquele medo nele. Odiava aquilo, pois significava que o tempo deles havia acabado. Ela podia enxergar isso em cada um dos rostos dele. O medo passava por todas as eras e lugares. De repente, ela soube que era algo mais que isso...

Ele não sentia medo *por* ela entrar na escuridão de mais uma morte. Ele não temia que aquilo fosse lhe causar dor.

Daniel sentia medo *dela*.

— Lu Xin! — gritou ele, no campo de batalha, chamando-a. Luce conseguiu vê-lo através da névoa de imagens. Daniel era a única coisa que ela via claramente; todo o restante estava iluminado por uma luz excepcionalmente branca. Inclusive *dentro* dela. Será que seu amor por Daniel a queimava? Será que a paixão dela, não a dele, a destruía?

— Não! — A mão dele procurou a de Luce.
Mas era tarde demais.

※

Sua cabeça doía. Ela não queria abrir os olhos.

Bill voltara, o chão era gelado, e Luce estava imersa em uma escuridão bem-vinda. Uma cachoeira desaguava em algum lugar ao fundo, espirrando água em seu rosto quente.

— Você se saiu bem, afinal — disse ele.

— Não soe tão desapontado — disse Luce. — Que tal explicar onde estava?

— Não posso. — Bill fez um gesto sobre os lábios grossos para mostrar que estavam selados.

— Por que não?

— É pessoal.

— É sobre Daniel? — perguntou ela. — Ele conseguiria ver você, não é? E, por algum motivo, você não quer que ele saiba que está me ajudando.

Bill desdenhou.

— Meus compromissos não são sempre relativos a *você*, Luce. Tenho outras coisas na minha agenda. Além disso, você ultimamente parece bastante independente. Talvez seja hora de finalizarmos nosso pequeno acordo e tirar as rodinhas da sua bicicleta. Para que você ainda precisa de mim?

Luce estava exausta demais para ceder àquela provocação — e espantada demais depois do que vira.

— É inútil — disse ela.

Toda a ira saiu de Bill, como um balão soltando o ar:

— Como assim?

— Quando eu morro, não é a consequência de algo que *Daniel* faz. É alguma coisa que acontece em mim. Talvez o amor dele traga isso à tona, porém... A culpa é minha. Deve fazer parte da maldição, mas não tenho ideia do que significa. Tudo o que sei é que vi algo nos olhos dele logo antes de morrer; e ele tem sempre o mesmo olhar.

Bill inclinou a cabeça e disse:

— Até agora.

— Eu o faço mais infeliz do que feliz — disse ela. — Se ele ainda não desistiu de mim, deveria. Não posso continuar fazendo isso com ele.

Luce deixou a cabeça pender entre as mãos.

— Luce? — Bill sentou-se sobre o joelho dela. Ali estava a estranha ternura que ele demonstrara quando a encontrou pela primeira vez. — Você quer esquecer essa charada interminável? Para o bem de Daniel?

Luce olhou para cima e enxugou os olhos.

— Você quer dizer... Para que ele não precise mais passar por isso? Existe algo que eu possa fazer?

— Existe um momento em cada uma das suas vidas, logo antes de você morrer, em que sua alma e seus dois corpos, o do passado e o atual, se separam. Esse momento dura apenas uma fração de segundo.

Luce o olhou rapidamente.

— Acho que já senti isso. No momento em que percebo que morrerei, logo antes de explodir em chamas?

— Exato. Está relacionado à forma como suas vidas se juntam na clivagem. Naquela fração de segundo, existe uma maneira de clivar, do seu corpo atual, sua alma amaldiçoada. É algo como extrair sua alma. Isso efetivamente extinguiria da maldição o irritante componente da reencarnação.

— Mas pensei que eu estava no final do ciclo de reencarnações, que eu não voltaria mais. Por causa do batismo. Porque eu nunca...

— Não importa. Você ainda corre o risco de ver esse ciclo terminar. Assim que você retornar ao presente, poderá morrer a qualquer momento, por causa do...

— Do meu amor por Daniel.

— Sim, algo do tipo — concordou Bill. —A menos que você rompa as amarras com seu passado.

— Então, eu me clivaria com uma Luce do passado, ela morreria como sempre...

— E você seria lançada para fora, como antes, mas, dessa vez, deixaria sua alma para trás, para que ela também morra. E o corpo ao qual você retornaria — ele cutucou o ombro dela —, esse aqui, viveria liberto da maldição colocada sobre você no início dos tempos.

— Eu não morreria mais?

— Não, a menos que pulasse de um prédio, entrasse em um carro com um assassino, tomasse um monte de remédios...

— Já entendi — interrompeu Luce. — No entanto, eu não... — Luce lutou para manter a voz firme. — Se Daniel me beijasse, eu não... Ou...

— Daniel não faria *nada*. — Bill a olhou, cheio de intenções. — Você não seria mais atraída por ele. Você seguiria em frente. Provavelmente se casaria com algum sujeitinho sem graça e teria 12 filhos.

— Não.

— Você e Daniel estariam livres da maldição que você tanto odeia. *Livres*. Escutou? Ele poderia seguir em frente e ser feliz. Você não quer que Daniel seja feliz?

— Mas Daniel e eu...

— Daniel e você não significariam nada um para o outro. É uma dura realidade, é verdade. Mas, pense nisso: você não precisaria mais machucá-lo. Cresça, Luce. Há mais coisas na vida além de uma paixão adolescente.

Luce abriu a boca, mas não queria ouvir sua voz trêmula. Viver sem Daniel era inimaginável. Porém, também era inimaginável voltar à sua vida atual, tentar ficar com Daniel e isso a matar definitivamente. Ela se esforçara tanto para encontrar uma forma de quebrar a maldição e, no entanto, a resposta ainda se esquivava dela. Talvez essa fosse a solução. Parecia terrível, mas, se ela voltasse à sua vida e sequer conhecesse Daniel, não sentiria sua falta. O mesmo aconteceria com ele. Talvez fosse melhor. Para ambos.

Mas, não. Eles eram almas gêmeas. E Daniel adicionara mais coisas à vida dela do que apenas seu amor. Ariane, Roland e Gabbe. Até mesmo Cam. Por causa de todos eles, ela aprendera tanto a respeito de si mesma — o que queria, o que não queria, como ser respeitada. Por causa deles, ela crescera e se tornara uma pessoa melhor.

Se não fosse por Daniel, ela jamais iria para Shoreline, jamais encontraria amigos verdadeiros em Shelby e em Miles. Será que iria para a Sword & Cross? Onde estaria? *Quem* seria?

Ela poderia, um dia, ser feliz sem ele? Apaixonar-se por outra pessoa? Não conseguia suportar esse pensamento. A vida sem Daniel parecia sombria — exceto por um feixe de luz ao qual Luce sempre voltava. E se ela jamais precisasse machucá-lo novamente?

— Digamos que eu considere essa ideia — Luce mal conseguiu emitir um sussurro — somente para pensar a respeito. Como isso aconteceria?

Bill estendeu a mão para trás e bem devagar desembainhou algo comprido e prateado de uma fina tira preta às suas costas. Ela nunca percebera aquilo. Ele segurava uma flecha fosca, com a ponta achatada, que ela reconheceu imediatamente.

Então, ele sorriu.

— Você já viu uma seta estelar?

DEZOITO

MÁS ORIENTAÇÕES
Jerusalém, Israel • 27 de nissan de 2760

— Quer dizer que você não é tão horrível quanto parece? — perguntou Shelby a Daniel.

Eles estavam sentados à margem luxuriante de um antigo rio de Jerusalém, observando o horizonte onde os dois anjos caídos haviam acabado de se separar. Um tênue brilho dourado permanecia no céu, no ponto onde Cam estivera, e o ar começava a cheirar levemente a ovo podre.

— É claro que não. — Daniel mergulhou a mão na água fria. Suas asas e sua alma ainda ardiam por observar Cam fazer sua escolha. Como aquilo parecera simples para ele. Rápido e fácil.

E tudo por causa de um coração partido.

— É compreensível que Luce, quando descobriu que você e Cam estabeleceram uma trégua, tenha ficado arrasada. Ninguém pôde entender. — Shelby olhou para Miles em busca de confirmação. — Não é?

— Nós pensávamos que você escondia algo. — Miles tirou o boné de beisebol e coçou a cabeça. — A única coisa que sabíamos sobre Cam era que ele era totalmente mal.

Shelby fechou os dedos, imitando garras.

— Puro "*ssss!*", "*roar!*" e coisas assim.

— Poucas almas são apenas uma coisa — disse Daniel —, seja no Céu, no Inferno ou na Terra. — Ele se virou de costas, olhando para o céu a leste, em busca da poeira prateada que Dani teria deixado para trás ao abrir as asas e voar. Não havia nada.

— Desculpe — disse Shelby. — É muito estranho pensar em vocês como irmãos.

— Éramos todos uma família, antigamente.

— Tudo bem, mas isso foi há *milênios*.

— Você pensa que, por se manter por alguns milênios, um fato será imutável por toda a eternidade. — Daniel balançou a cabeça. — Tudo está em fluxo. Eu estava com Cam na Aurora dos Tempos e estarei ao seu lado no Fim dos Tempos.

As sobrancelhas de Shelby se ergueram, demonstrando descrença.

— Você acha que Cam vai mudar? Tipo, vai voltar para o lado da luz?

Daniel começou a se levantar.

— Nada permanece inalterável para sempre.

— E seu amor por Luce? — perguntou Miles.

Aquilo congelou Daniel:

— Ele também está mudando. Luce estará diferente, após essa experiência. Somente espero... — Ele olhou para Miles, que continuava sentado à margem do rio, e percebeu que não o odiava. Ao seu modo imprudente e idiota, os Nefilim apenas tentavam ajudar.

Pela primeira vez, Daniel podia dizer com sinceridade que não precisava de ajuda; conseguira toda a que precisava ao longo do caminho, com suas versões do passado. Agora, finalmente, estava pronto para encontrar Luce.

Por que, então, continuava ali, parado?

— É hora de vocês voltarem para casa — completou ele, ajudando Shelby e Miles a se levantarem.

— Não — falou Shelby, estendendo a mão para Miles, que apertou a dela. — Fizemos um pacto. Voltaremos quando soubermos que ela...

— Não demorarei — interrompeu Daniel. — Acho que sei onde encontrá-la, e não é um lugar que vocês possam visitar.

— Vamos, Shel. — Miles já descolava a sombra da oliveira, lançada perto da margem do rio. Ela escorreu e girou nas suas mãos, parecendo de difícil manejo, como uma peça de argila prestes a ser girada no torno. Porém, Miles modelou-a, transformando-a em um impressionante portal negro. Ele o pressionou levemente para abri-lo, fazendo um gesto para que Shelby entrasse antes dele.

— Vocês estão ficando bons nisso. — Daniel havia atraído seu Anunciador, convocando-o a partir da sombra do próprio corpo. O portal tremeu diante dele.

Pelo fato de os Nefilim não estarem ali graças a experiências próprias, precisariam saltar de Anunciador a Anunciador para voltar à própria era. Seria difícil. Daniel não desejaria enfrentar aquela jornada, mas os invejava por voltarem para casa.

— Daniel... — Shelby colocou a cabeça para fora do Anunciador. O corpo dela parecia deformado e enevoado entre as sombras. — Boa sorte.

Ela lhe deu adeus, assim como Miles, e ambos atravessaram o Anunciador. A sombra se fechou e se transformou em um ponto antes de sumir.

Contudo, Daniel não viu aquilo. Já havia partido.

❄❄

O vento frio o envolveu.

Ele atravessou o tempo, mais rapidamente do que nunca, voltando a um local e a uma época aos quais ele pensara que jamais retornaria.

— Ei! — chamou uma voz. Era rouca, áspera e parecia estar ao lado de Daniel. — Dá para ir mais devagar?

Daniel se afastou do som.

— Quem é você? — perguntou ele para a escuridão invisível. — Mostre-se.

Nada surgiu diante dele. Daniel, então, abriu as asas brancas ondulantes, tanto para desafiar o intruso no seu Anunciador quanto para diminuir a própria velocidade. Elas clarearam o Anunciador com seu brilho, e Daniel sentiu sua tensão ceder um pouco.

Suas asas, completamente abertas, abarcavam toda a largura do túnel. As pontas — mais sensíveis ao toque — roçavam nas paredes úmidas do Anunciador, dando a Daniel uma sensação nauseante e claustrofóbica.

Na escuridão diante dele, uma figura, aos poucos, tornava-se visível.

Primeiro, as asas: pequenas e finas como teias de aranha. Depois, a cor do corpo ficou forte o bastante para que Daniel enxergasse um pequeno anjo branco dividindo com ele seu Anunciador. Daniel não o conhecia. Os traços do anjo eram suaves e inocentes, como os de um bebê. No túnel apertado, seus cabelos louros e finos voavam contra seus olhos prateados, graças à forte ventania que as asas de Daniel formavam a cada batida. Ele parecia jovem, mas, obviamente, era tão velho quanto qualquer um deles.

— Quem é você? — perguntou novamente Daniel. — Como entrou aqui? Você pertence à Balança?

— Sim. — Apesar da sua aparência infantil e inocente, a voz do anjo era bastante grave. Ele levou a mão às costas por um instante. Daniel pensou que talvez ele escondesse algo, provavelmente uma das armadilhas que os anjos usavam, mas ele simplesmente se virou para revelar uma cicatriz na nuca: a insígnia de sete pontas da Balança. — Pertenço à Balança — a voz profunda era rouca e granulosa — e gostaria de falar com você.

Daniel rangeu os dentes. A Balança deveria saber que ele não tinha qualquer respeito por eles ou por seus afazeres intrometidos. Porém, não importava o quanto Daniel odiasse seu comportamento pretensioso, que sempre buscava pressionar os anjos caídos para um dos lados: ele precisaria honrar suas solicitações. Algo parecia estranho em relação àquele anjo, mas quem, senão um membro da Balança, poderia invadir seu Anunciador?

— Estou com pressa.

O anjo assentiu, como se soubesse disso.

— Está em busca de Lucinda?

— Estou — respondeu Daniel, em um rompante. — Eu... Eu não preciso de ajuda.

— Precisa, sim. — O anjo assentiu. — Você perdeu a entrada... — Ele apontou para baixo, em direção a um ponto por onde Daniel passara. — Bem ali.

— Não...

— Sim. — O anjo sorriu, mostrando uma fileira de dentes minúsculos e afiados. — Nós esperamos e observamos. Vemos quem viaja por Anunciadores e aonde vão.

— Não sabia que policiar Anunciadores fazia parte da jurisdição da Balança.

— Há muito que você não sabe. Nós captamos o sinal de uma travessia de Lucinda. Agora, ela está quase chegando ao seu destino. Você precisa ir atrás dela.

Daniel se enrijeceu. Somente anjos da Balança podiam enxergar entre Anunciadores. Era possível que um membro deles houvesse observado as viagens de Luce.

— Por que você me ajudaria a encontrá-la?

— Ah, Daniel... — O anjo franziu o rosto. — Lucinda é parte do seu destino. Queremos que você a encontre. Queremos que você seja sincero com sua natureza...

— E que me alinhe ao Céu — rosnou Daniel.

— Um passo de cada vez. — O anjo moveu as asas para trás e mergulhou pelo túnel. — Se quer alcançá-la — soou sua voz grave —, estou aqui para lhe mostrar o caminho. Sei onde estão os pontos de conexão. Posso abrir um portal através dos tempos passados.

Depois, com a voz mais baixa, o anjo continuou:

— Sem compromisso.

Daniel não sabia o que fazer. A Balança representava um incômodo para ele desde a guerra no Céu, mas, ao menos, seus objetivos eram transparentes. Eles desejavam que Daniel se alinhasse ao Céu e pronto. Por isso, Daniel concluiu que lhes seria conveniente levá-lo até Luce, caso pudessem.

Talvez o anjo tivesse razão. Um passo de cada vez. Somente encontrar Luce importava.

Daniel moveu as asas para trás como o anjo fizera e sentiu seu corpo se mover através da escuridão. Quando o alcançou, parou.

O anjo apontou:

— Lucinda atravessou por aqui.

A passagem nas sombras era estreita e perpendicular ao caminho pelo qual Daniel seguia. Não parecia mais certa ou mais errada que a trilha que ele percorria.

— Se isso der certo — disse ele —, eu lhe devo uma. Se não, perseguirei você até o encontrar.

O anjo continuou calado.

Então, Daniel pulou pela abertura sem nem mesmo olhar, sentindo a umidade do vento lamber suas asas e uma corrente de ar levá-lo rapidamente para frente — e ouvindo, em algum lugar bem longe, o levíssimo som de uma risada.

DEZENOVE

O TORVELINHO DA VIDA

Mênfis, Egito • Peret: "Tempo de Semear"
(Outono, aproximadamente 3100 a.C.)

— Você aí — gritou uma voz quando Luce cruzou o umbral do Anunciador. — Traga meu vinho. Em uma bandeja. E meus cães. Não: meus leões. Não: tudo.

Ela entrara em um amplo cômodo branco com paredes de alabastro e grossas colunas que apoiavam um teto grandioso. Havia no ar um leve aroma de carne sendo assada.

O lugar estava vazio, exceto por uma alta plataforma em um canto, que fora coberta com couro de antílope. Sobre ela, havia um trono colossal, esculpido em mármore e forrado com almofadas verde-esmeralda macias, cujo encosto era adornado por um arranjo decorativo de presas de marfim entrelaçadas.

O homem sentado no trono — com olhos delineados com tinta, peito nu, dentes cobertos com ouro, dedos cheios de joias e cabelos cor de ébano — falava com ela. Ele havia dado as costas para um escriba de lábios finos e túnica azul, que segurava um papiro, e, agora, ambos encaravam Luce.

Ela limpou a garganta.

— "Sim, faraó" — sibilou Bill ao seu ouvido. — Diga apenas "sim, faraó".

— Sim, faraó! — gritou Luce através do enorme cômodo.

— Ótimo — disse Bill. — Agora, corra!

Atravessando uma porta ensombreada atrás de si, Luce se viu em um pátio interno que rodeava um plácido espelho d'água. O ar estava gelado, mas o sol era cruel e arrasara as flores de lótus plantadas em vasos que ladeavam o corredor. O pátio era imenso, mas, estranhamente, Luce e Bill estavam sozinhos.

— Há algo estranho nesse lugar, certo? — Luce se manteve perto das paredes. — O faraó nem pareceu se assustar ao me ver entrar ali, vinda do nada.

— Ele é importante demais para *notar* as pessoas. Ele percebeu um movimento com sua visão periférica e deduziu que havia alguém ali para servi-lo. Apenas isso. Pela mesma razão, ele pareceu não se incomodar com sua roupa de guerra chinesa vinda de uma época dois mil anos posterior a essa — disse Bill, estalando os dedos de pedra. Então apontou para um nicho ensombreado no canto do pátio. — Fique ali. Eu já volto com algo mais *à la mode* para você vestir.

Antes que Luce pudesse tirar a incômoda armadura do rei Shang, Bill já havia voltado, trazendo um vestido egípcio simples. Ele a ajudou a tirar as roupas de couro e passar o vestido pela cabeça. A roupa tinha um drapeado em um dos ombros e a cintura marcada, e se afunilava em uma saia estreita, que continuava até um pouco acima dos tornozelos.

— Não está esquecendo nada? — disse Bill, com uma intensidade estranha.

— Ah! — Luce enfiou a mão na armadura de Shang, em busca da seta estelar de ponta cega, guardada ali. Quando ela a pegou, pareceu muito mais pesada.

— Não toque a ponta! — disse Bill rapidamente, enrolando-a no tecido e amarrando-a. — Ainda não.

— Achei que ela somente pudesse ferir anjos. — Luce inclinou a cabeça, lembrando-se da batalha contra os Párias, da flecha que raspara no braço de Callie sem deixar qualquer arranhão, e de Daniel lhe dizendo para se manter longe do alcance da flecha.

— Quem lhe disse isso não contou toda a verdade — disse Bill. — Ela afeta seres *imortais*. Há uma parte imortal em você: a amaldiçoada, sua alma. A parte que você matará aqui, lembra-se? Para que seu eu mortal, Lucinda Price, possa ter uma vida normal.

— *Se* eu matar minha alma — retrucou Luce, segurando a seta estelar. Mesmo sob o tecido grosseiro do novo vestido, o objeto era quente ao toque. — Ainda não decidi se...

— Achei que havíamos resolvido isso. — Bill engoliu em seco. — As setas estelares são muito valiosas. Eu não lhe daria essa a menos que...

— Vamos procurar Layla.

Não apenas o silêncio estranho do palácio era perturbador: algo parecia diferente entre Luce e Bill. Desde que ele lhe dera a seta de prata, ambos estavam irritadiços um com o outro.

Bill inspirou profunda e roucamente.

— Certo. Egito Antigo. Estamos no início da dinastia na capital Mênfis. Voltamos bastante no tempo: cerca de 5 mil anos antes de Luce Price presentear o mundo com sua magnífica presença.

Luce revirou os olhos.

— Onde está meu eu?

— Por que eu ainda me importo em dar aulas de história? — disse Bill a uma plateia imaginária. — Ela só quer saber onde está seu outro eu. É tão egoísta que me dá nojo.

Luce cruzou os braços.

— Se você estivesse prestes a *matar sua alma*, acho que desejaria acabar logo com isso, antes que mudasse de ideia.

— Ah, então agora você decidiu? — Bill pareceu um pouco sem ar. — Ah, Luce! Esse é nosso último show juntos. Achei que ia querer saber os detalhes, em nome dos velhos tempos? Sua vida aqui foi realmente uma das mais românticas. — Ele se empoleirou no ombro dela, assumindo uma pose de contador de histórias. — Você era uma escrava chamada Layla. Enclausurada e solitária, nunca havia saído desse palácio. Até que, um dia, chegou o novo e belo comandante do exército... Adivinhe quem é?

Bill pairou ao lado dela enquanto Luce deixava a armadura chinesa empilhada em uma alcova e caminhava vagarosamente pela beirada do espelho d'água.

— Você e o determinado Donkor (vamos chamá-lo de Don) se apaixonam e tudo se torna maravilhoso, exceto por uma realidade cruel: Don está noivo da terrível filha do faraó, Auset. Nossa, o quão dramático é isso?

Luce suspirou. Sempre havia alguma complicação. Mais uma razão para dar fim a tudo aquilo. Daniel não deveria estar amarrado a um corpo mortal, envolvido em dramas inúteis apenas para estar com Luce. Não era justo com ele. Daniel sofria há tempo demais. Talvez ela *realmente* acabasse com tudo. Poderia encontrar Layla e unir-se ao seu corpo. Então, Bill lhe diria como matar sua alma amaldiçoada, e ela libertaria Daniel.

Ela caminhou pelo pátio extenso, pensando. Ao rodear a parte mais próxima ao espelho d'água, dedos se fecharam em torno do seu pulso.

— Peguei você! — A garota que segurava Luce era magra e musculosa, com traços fortes e sedutores sob camadas e mais camadas de maquiagem. Nas suas orelhas havia pelo menos dez argolas e no pescoço, um pesado pingente de ouro, ornamentado com o que parecia ser meio quilo de joias preciosas.

A filha do faraó.

— Eu... — Luce começou a dizer.

— Não ouse dizer uma palavra! — falou grosseiramente Auset. — O som da sua voz patética é como pedra-pomes para meus tímpanos. Guarda!

Um homem enorme, com um longo rabo de cavalo preto e antebraços mais grossos que as pernas de Luce, apareceu. Carregava uma lança comprida de madeira, encimada por uma afiada lâmina de cobre.

— Prenda-a — ordenou Auset.

— Sim, Alteza — rosnou o guarda. — Sob qual acusação, Alteza?

A pergunta acendeu um fogo raivoso na filha do faraó.

— Roubo. De minha propriedade pessoal.

— Eu a prenderei até que o conselho arbitre sobre a questão.

— Já fizemos isso — disse Auset. — Contudo, aqui está ela, como uma víbora, capaz de escapar de qualquer amarra. Precisamos prendê-la em algum lugar do qual ela nunca possa fugir.

— Ordenarei uma vigilância constante...

— Não, não é o suficiente. — Algo sombrio cruzou o rosto de Auset. — Nunca mais quero ver essa garota. Jogue-a no túmulo do meu avô.

— Mas, Alteza, ninguém além do sumo sacerdote está autorizado a...

— Exatamente, Kafele — disse Auset, sorrindo. — Jogue-a pela escadaria e tranque a entrada. Quando o sumo sacerdote celebrar a cerimônia de lacre do túmulo essa noite, descobrirá essa violadora de tumbas e punirá seu erro como considerar adequado. — Ela se aproximou de Luce e escarneceu: — Você descobrirá o que acontece com aqueles que tentam roubar a família real.

Don. Ela quis dizer que Layla tentava roubar Don.

Luce não se importava se eles a prendessem e jogassem fora a chave, desde que ela pudesse se clivar com Layla antes. Senão, como poderia libertar Daniel? Bill pairava no ar, com ar pensativo enquanto tamborilando as garras nos seus lábios de pedra.

O guarda sacou um par de algemas do alforje preso à sua cintura e prendeu as correntes de ferro nos pulsos de Luce.

— Eu mesmo cuidarei disso — disse Kafele, arrastando-a atrás de si com uma corrente comprida.

— Bill! — sussurrou Luce. — Você precisa me ajudar!

— Nós pensaremos em algo — sussurrou Bill enquanto Luce era arrastada pelo pátio. Eles viraram uma esquina e entraram em um corredor escuro, onde havia uma enorme escultura de Auset parecendo sombriamente bela.

Quando Kafele se virou para olhar para Luce por ela parecer falar sozinha, seus longos cabelos negros passaram silvando pelo rosto dela, o que deu a Luce uma ideia.

Ele nem percebeu o que estava por acontecer. Ela ergueu as mãos algemadas e puxou, com força, os cabelos dele, agarrando-lhe a cabeça com as unhas. Ele gritou e caiu para trás; escorria sangue de um arranhão comprido no seu couro cabeludo. Então, Luce lhe deu uma cotovelada na barriga.

Ele gemeu e se dobrou. A lança escapou das suas mãos.

— Você consegue tirar essas algemas? — sussurrou ela para Bill.

A gárgula contraiu as sobrancelhas. Um pequeno e breve raio disparou em direção às algemas, que sumiram com um chiado. Luce sentiu sua pele se aquecer no ponto onde elas estiveram.

— Nossa... — disse ela, olhando brevemente para seus pulsos nus. Então, pegou a lança que estava no chão e girou-a para levar a lâmina ao pescoço de Kafele.

— Estou um passo à frente, Luce — gritou Bill. Quando ela se virou, Kafele estava de costas, com os pulsos algemados ao redor de um dos tornozelos de pedra da réplica de Auset.

Bill limpou as mãos.

— Trabalho em equipe. — Ele olhou para baixo, encarando o pálido guarda. — É melhor a gente se apressar. Logo ele encontrará novamente as cordas vocais. Venha.

Bill guiou Luce rapidamente pelo corredor escuro, subiu um curto lance de escadas de arenito e atravessou mais um corredor iluminado por pequenas lamparinas de metal e ladeado por estátuas de argila representando falcões e hipopótamos. Havia dois guardas virando o corredor, mas, antes que vissem Luce, Bill empurrou-a por uma porta coberta por uma cortina.

Ela se viu em um quarto. Colunas de pedra, esculpidas para parecerem papiros enrolados, erguiam-se até o teto. Havia um longo divã de madeira incrustado com ébano perto de uma janela aberta e, em frente a ele, uma cama estreita, esculpida em madeira e folheada a ouro; brilhava.

— O que faço agora? — Luce se comprimiu contra a parede, caso algum passante resolvesse olhar para dentro do quarto. — Onde estamos?

— Esse é o quarto do comandante.

Antes que Luce pudesse entender que Bill queria dizer que se tratava do quarto de Daniel, uma mulher abriu a cortina e entrou no quarto.

Luce estremeceu.

Layla usava um vestido branco com o mesmo corte que o de Luce. Seus cabelos eram grossos, lisos e brilhantes, e ela trazia uma peônia branca atrás de uma das orelhas.

Com um pesado sentimento de tristeza, Luce observou Layla deslizar até a penteadeira de madeira e derramar na lamparina óleo fresco, tirado de uma lata que ela carregava em uma bandeja preta. Essa era a última vida que Luce visitaria e aquele era o corpo onde ela se separaria da sua alma para que tudo aquilo pudesse terminar.

Quando Layla se virou para encher as lamparinas ao lado da cama, notou Luce.

— Olá — disse ela, em uma voz suave e rouca. — Está procurando alguém? — O contorno que destacava seus olhos parecia muito mais natural que a maquiagem de Auset.

— Sim, estou. — Luce não perdeu tempo. Quando ela estendeu a mão para segurar o pulso da garota, Layla olhou para algo atrás dela, para a porta, e seu rosto se enrijeceu, alarmado.
— O que é *aquilo*?

Luce se virou e viu apenas Bill. Os olhos dele se arregalaram.

— Você consegue... — balbuciou ela para Layla. — Você consegue enxergá-lo?

— Não! — disse Bill. — Ela está falando sobre os passos que ouviu no corredor. É melhor você se apressar, Luce.

Luce girou o corpo para trás e segurou a mão cálida do seu outro eu, fazendo-a derrubar a lata de óleo no chão. Layla reprimiu um grito e tentou se afastar, mas, então, aconteceu.

A sensação de um poço se abrindo no estômago de Luce era quase familiar. O quarto girou — a única coisa em foco era a garota diante dela. Seus cabelos negros como tinta, seus olhos sarapintados de dourado, sua face rosada pelo amor. No meio da névoa, Luce piscou, e Layla também; e, do outro lado da piscadela...

O chão se assentou. Luce olhou para suas mãos. As mãos de Layla. Elas tremiam.

Bill havia sumido. Porém, ele tinha razão: ouvia-se mesmo passos no corredor.

Luce se abaixou para pegar a lata e virou-se contra a porta, para despejar o óleo na lamparina. Melhor que quem passasse por ali não a visse fazendo nada além do seu trabalho.

Os passos atrás dela pararam. Um roçar quente, de pontas de dedos, subiu pelos seus braços enquanto um corpo firme se pressionava contra suas costas. Daniel. Ela podia sentir seu brilho sem precisar se virar. Fechou os olhos. Ele abraçou sua cintura e seus lábios macios deslizaram pelo seu pescoço, parando abaixo da orelha.

— Encontrei você — sussurrou ele.

Ela se virou lentamente nos braços dele. A visão deixou-a sem fôlego. Ainda era seu Daniel, é claro, mas tinha uma pele muito mais escura, e os cabelos negros e ondulados eram bem curtos. Ele usava apenas uma tanga de linho, sandálias de couro e uma gargantilha de prata. Seus olhos profundos e violeta focaram nela, felizes.

Don e Layla estavam profundamente apaixonados.

Luce apoiou o rosto contra seu peito e contou as batidas do coração dele. Seria a última vez em que ela faria isso, a última vez em que ele a abraçaria daquela forma? Ela estava prestes a fazer a coisa certa — o *melhor* para Daniel —, mas, ainda assim, pensar sobre aquilo lhe doía. Ela o amava! Se aquela jornada lhe ensinara alguma coisa, era o quanto ela realmente amava Daniel Grigori. Não parecia justo que ela fosse obrigada a tomar essa decisão.

E, contudo, ali estava ela.

No Antigo Egito.

Com Daniel. Pela última vez. Prestes a libertá-lo.

Os olhos dela se turvaram, cheios de lágrimas, quando ele beijou a cabeça dela.

— Não sabia se teríamos a chance de nos despedir — disse ele. — Partirei essa tarde para a guerra na Núbia.

Quando Luce ergueu a cabeça, Daniel segurou sua face úmida com as mãos em concha.

— Layla, eu voltarei antes da colheita. Por favor, não chore. Logo você voltará a entrar escondida no meu quarto, na calada da noite, com bandejas de romãs, como sempre fez. Eu prometo.

Luce inspirou profundamente, de forma entrecortada.

— Adeus.

— Adeus *por enquanto*. — O rosto dele ficou sério. — Repita: *adeus por enquanto*.

Ela balançou a cabeça:

— Adeus, meu amor. Adeus.

A cortina se abriu. Layla e Don se separaram do abraço enquanto um grupo de guardas, armado com lanças, irrompia no quarto. Kafele os liderava, com o rosto tomado pela raiva.

— Peguem a garota — ordenou, apontando para Luce.

— O que está acontecendo? — gritou Daniel enquanto os guardas rodeavam Luce e voltavam a algemar seus braços. — Ordeno que parem. Soltem-na.

— Sinto muito, comandante — disse Kafele. — Ordens do faraó. O senhor já deveria saber, a essa altura, que quando a filha do faraó não está contente, o faraó não está contente.

Eles arrastaram Luce para longe enquanto Daniel gritava:

— Eu vou atrás de você, Layla! Eu te encontrarei!

Luce sabia que era verdade. Não era assim que sempre acontecia? Eles se encontravam, ela entrava em apuros, ele a salvava — ano após ano ao longo da eternidade, aquele anjo aparecia no último minuto para salvá-la. Era cansativo pensar a respeito.

Porém, dessa vez, quando ele chegasse até ela, Luce teria a seta estelar. O pensamento fez com que ela sentisse uma dor crua no estômago. Um poço de lágrimas se ergueu dentro dela mais uma vez, mas ela as engoliu. Ao menos conseguira dizer adeus.

Os guardas a conduziram por uma série interminável de corredores até chegarem ao exterior, sob o sol escaldante. Então, fizeram-na caminhar por ruas pavimentadas com pedras de formato irregular, atravessar um monumental portão em arco e passar por pequenas casas de arenito e plantações cintilantes e sedosas na saída da cidade. Eles a levavam até um enorme monte dourado.

Somente quando se aproximaram, Luce percebeu que se tratava de uma construção. A necrópole, concluiu ela ao mesmo tempo em que a mente de Layla se encheu de temor. Todos os egípcios sabiam que essa era a tumba do último faraó, Meni. Ninguém, além de alguns dentre os mais altos sacerdotes — e os mortos —, ousava se aproximar do local onde eram enterrados os corpos da realeza. O túmulo era protegido por feitiços e encantamentos, para guiar os mortos na jornada para a próxima vida e para afastar qualquer humano que ousasse se aproximar. Até mesmo os guardas que a levavam pareceram nervosos ao se aproximarem.

Em pouco tempo, eles entravam em um túmulo em formato de pirâmide, feito com tijolos de barro cozido. Todos pararam antes da entrada, com exceção dos dois guardas mais fortes. Kafele guiou Luce por uma porta escura e, depois, por um lance de escadas ainda mais sombrio. O outro guarda os seguiu, iluminando o caminho com uma tocha.

A luz tremeluzia nas paredes de pedra pintadas com hieróglifos, e, em alguns pontos, os olhos de Layla perceberam trechos de orações a Tait, a deusa da tecelagem, pedindo ajuda para manter inteira a alma do faraó durante sua jornada para o além.

A cada tantos metros, passavam por portas falsas — recessos profundos nas paredes. Alguns deles, Luce notou, haviam sido um dia as entradas que levavam aos locais de repouso derradeiro de membros da família real. Agora, todas as portas estavam lacradas com rochas e cascalho, para que nenhum mortal pudesse transpô-las.

O caminho ficou mais frio, mais escuro. O ar tornou-se pesado e com um odor esmaecido de morte. Quando eles se aproximaram de uma porta aberta, no final do corredor, o guarda que carregava a tocha se recusou a seguir adiante: "Não serei amaldiçoado pelos deuses por causa da insolência dessa garota", disse ele. Portanto, Kafele precisou fazer sozinho o serviço. Ele afastou para o lado o ferrolho de pedra que prendia a porta; um cheiro forte e avinagrado irrompeu, empesteando o ar.

— Acha que tem alguma chance de fugir dessa vez? — perguntou ele, soltando os pulsos dela e empurrando-a para dentro.

— Sim — sussurrou Luce para si mesma enquanto a pesada porta de pedra se fechava atrás dela e o ferrolho era recolocado no lugar. — Somente uma.

Ela estava sozinha na completa escuridão. O frio fez sua pele doer.

Então, ela ouviu um ruído inconfundível — um choque de pedra sobre pedra —, e uma pequena luz dourada surgiu no centro da câmara, entre as mãos de Bill.

— Alô-alô. — Ele flutuou para um dos lados da câmara e despejou a bola de fogo sobre uma lamparina roxa e verde, opulentamente pintada. — Nos reencontramos.

À medida que os olhos de Luce se acostumavam, ela viu, antes de tudo o mais, inscrições nas paredes: eram os mesmos hieróglifos pintados no corredor, mas, ali, eram orações para o faraó: *Não vos decomponhais. Não apodreçais. Adentrai nas Estrelas Imortais.* Havia baús tão cheios de moedas de ouro e de pedras preciosas laranja cintilantes que nem puderam ser fechados. Uma enorme coleção de obeliscos se espalhava diante dela. Ao menos dez cães e gatos embalsamados pareciam olhá-la.

A câmara era imensa. Ela rodeou um conjunto completo de móveis de dormitório, com uma penteadeira repleta do que pareciam ser cosméticos. Havia uma placa votiva, na frente da qual estava esculpida uma serpente de duas cabeças. Os pescoços entrelaçados formavam uma reentrância na pedra negra, cercada por um círculo feito com a tinta que se usava como sombra de olho, em um tom azul brilhante.

Bill observou Luce segurá-la.

— É preciso estar bem bonito no além.

Ele estava sentado na cabeça de uma escultura espantosamente real do antigo faraó. A mente de Layla disse a Luce que aquela obra representava o *ka* do faraó, *sua alma*, e que vigiava o túmulo — o verdadeiro faraó repousava mumificado atrás dela. Dentro do sarcófago de arenito haveria caixões de madeira e, dentro do menor deles, estaria o faraó, embalsamado.

— Cuidado! — disse Bill. Luce sequer percebera que apoiava as mãos em um pequeno baú de madeira. — Aí dentro estão as entranhas do faraó.

Luce saltou para trás e a seta estelar caiu do seu vestido. Ao pegá-la, o objeto aqueceu-lhe os dedos.

— Isso funcionará mesmo?

— Se você prestar atenção e fizer o que eu mandar, sim — disse Bill. — Bem, a alma reside exatamente no centro do seu ser. Para alcançá-la, você precisa levar a lâmina até o meio do seu peito, no momento crucial, quando Daniel a beijar e você começar a queimar. Então, você, Lucinda Price, será atirada para fora do seu corpo do passado como sempre, porém, sua alma amaldiçoada ficará presa ao corpo de Layla, onde queimará e desaparecerá.

— Eu... Eu tenho medo.

— Não tenha. É como tirar o apêndice. A gente fica melhor sem. — Bill olhou para seu pulso cinzento e nu. — Pelo meu relógio, Don chegará a qualquer momento.

Luce segurou a seta de prata, direcionando a ponta para seu peito. Os desenhos em espirais da seta coçaram sob seus dedos. Suas mãos tremiam pelo nervosismo.

— Agora, controle-se — o chamado enérgico de Bill veio de longe.

Luce tentava prestar atenção nele, mas as batidas do seu coração preenchiam sua audição. Ela *precisava* fazer aquilo. Precisava. Por Daniel. Para libertá-lo de um castigo que ele assumia apenas por causa dela.

— Você deverá ser muito mais rápida do que isso quando for para valer, senão Daniel certamente a impedirá. Dê um corte rápido na alma. Você sentirá algo se soltando, uma lufada fria e, então... *Bum!*

— *Layla!* — Don entrou no seu campo de visão. A porta atrás dela continuava trancada. De onde ele viera?

A seta estelar caiu das mãos dela e bateu no chão. Ela a agarrou e escondeu-a no vestido. Bill havia desaparecido. Porém, Don — Daniel — estava exatamente onde ela queria que ele estivesse.

— O que está fazendo aqui? — a voz dela tremeu diante do esforço de parecer surpresa.

Ele pareceu não notar. Correu até ela e abraçou-a.

— Salvando sua vida.

— Como você entrou?

— Não se preocupe com isso. Nenhum mortal e nenhuma rocha pode impedir um amor tão verdadeiro quanto o nosso. Eu sempre a encontrarei.

Nos seus braços nus e bronzeados, o instinto de Luce era sentir-se confortada. Porém, naquele momento, ela não poderia. Seu coração estava despedaçado e frio. Aquela felicidade fácil, aquele sentimento de confiança total, cada uma das emoções maravilhosas que Daniel lhe mostrara em cada uma das suas vidas — todas eram, agora, uma tortura para ela.

— Não tema — sussurrou ele. — Deixe que eu lhe diga, meu amor, o que acontecerá depois dessa vida. Você voltará, você se reerguerá. Seu renascimento é belo e verdadeiro. Você voltará para mim, sempre e sempre...

A luz da lamparina tremulou e fez seus olhos violeta cintilarem. Seu corpo estava quente contra o de Layla.

— Mas eu *morrerei*, sempre e sempre.

— O quê? — Ele inclinou a cabeça. Mesmo quando seu físico parecia estranho a Luce, ela ainda conhecia muito bem suas expressões: aquela adoração divertida de quando ela dizia algo que Daniel não esperava que ela entendesse. — Como você... Esqueça. Não tem importância. O que importa é que estaremos juntos novamente. Sempre nos encontraremos, sempre nos amaremos; não importa o que aconteça. Eu nunca vou abandonar você.

Luce caiu de joelhos nos degraus de pedra e escondeu o rosto entre as mãos.

— Não sei como você consegue suportar. Repetidamente, a mesma tristeza...

Ele a levantou para completar:

— O mesmo êxtase...

— O mesmo fogo que mata tudo...

— A mesma paixão que reacende tudo novamente. Você não sabe. Não consegue se lembrar do quão maravilhoso...

— Eu vi. Eu sei.

Agora, ela conseguira a atenção dele. Ele não parecia ter certeza sobre acreditar nela ou não, mas ao menos a escutava.

— E se não houver esperança de algo mudar, algum dia? — perguntou ela.

— Existe *apenas* esperança. Um dia, você sobreviverá. Essa verdade absoluta é a única coisa que me faz seguir em frente. Nunca desistirei de você. Mesmo que precise esperar por toda a eternidade. — Ele enxugou as lágrimas dela com o polegar. — Eu a amarei com todo o coração, em cada uma das suas vidas, por cada uma das suas mortes. Não me prenderei a nada além do meu amor por você.

— Mas é tão difícil. Não é difícil para você? Você nunca pensou: e se...

— Um dia, nosso amor vencerá esse ciclo negro. Isso compensará tudo, para mim.

Luce olhou para cima e viu o amor cintilando nos olhos dele. Ele acreditava no que estava dizendo. Não se importava em sofrer repetidamente; ele suportaria perdê-la, agarrando-se à esperança de que um dia esse não seria o fim deles. Ele sabia que era algo predestinado, mas tentava mudar o destino em todas as vidas — e sempre tentaria.

O comprometimento dele a ela, a ambos, emocionou uma parte de Luce da qual ela acreditou haver desistido.

Ainda assim, ela desejou argumentar: aquele Daniel não conhecia os desafios no caminho deles, as lágrimas que derramariam ao longo das eras. Não sabia que ela o vira nos seus momentos de maior desespero, que Luce conhecia o que a dor das mortes dela lhe causariam.

Porém...

Luce sabia. E isso fazia toda a diferença.

Os piores momentos de Daniel a aterrorizaram, mas as coisas haviam mudado. Durante todo o tempo, ela se sentira fadada ao amor deles, mas agora sabia como proteger esse amor. Ela o observara a partir de tantos ângulos diferentes que o compreendia de uma maneira que jamais achara possível. Se Daniel vacilasse, *ela* conseguiria *erguê-lo*.

Luce aprendera aquilo com um especialista: Daniel. Ali estava ela, prestes a *destruir a própria alma*, prestes a destruir o amor deles para sempre, e, entretanto, cinco minutos a sós com ele a trouxeram de volta à vida.

Algumas pessoas passam a vida inteira em busca de um amor como esse.

Luce sempre o tivera.

O futuro não lhe reservava uma seta estelar. Havia apenas Daniel. Seu Daniel, aquele que ela deixara no quintal da casa dos pais, em Thunderbolt. Ela precisava ir embora.

— Beije-me — sussurrou ela.

Ele estava sentado nos degraus, com os joelhos entreabertos apenas o suficiente para permitir que o corpo dela deslizasse entre eles. Ela se ajoelhou e o olhou. As testas deles se tocaram. E as pontas dos seus narizes.

Daniel pegou suas mãos. Parecia querer dizer alguma coisa a Luce, mas não conseguia encontrar as palavras.

— Por favor — implorou ela, com os lábios inclinados em direção aos dele. — Beije-me e me liberte.

Daniel tomou-a, ergueu seu corpo e deitou-a sobre seu colo, para aninhá-la nos braços. Seus lábios encontraram os dela, que eram doces como néctar. Ela gemeu enquanto uma profunda torrente de alegria fluía através do seu corpo, em cada centímetro dele. A morte de Layla estava próxima, ela sabia, mas nunca se sentia mais segura e mais viva do que quando estava nos braços de Daniel.

As mãos dela se entrelaçaram na nuca dele, sentindo os tendões firmes nos ombros dele e as minúsculas cicatrizes em relevo, que protegiam suas asas. As mãos dele percorriam suas costas e seus cabelos compridos e grossos. Cada toque era arrebatador, cada beijo, tão maravilhoso e puro que a deixava tonta.

— Fique comigo — implorou ele. Os músculos do seu rosto ficaram tensos e seus beijos, mais famintos e desesperados.

Ele certamente sentiu o corpo de Luce se aquecer — aquele calor que emanava do centro dela, que se espalhava pelo seu peito e que corava suas faces. Lágrimas encheram os olhos de Luce. Ela o beijou com ainda mais ímpeto. Havia passado por isso tantas vezes, mas, por algum motivo, aquilo parecia diferente.

Com uma lufada alta, ele abriu as asas e habilmente envolveu-a, em um berço de brancura macia.

— Você realmente acredita nisso? — sussurrou ela. — Acredita que um dia eu sobreviverei a isso?

— Com todo o meu coração e toda a minha alma — respondeu dele, segurando o rosto dela e fechando com mais força suas asas. — Esperarei por você o quanto for necessário. Eu a amarei a cada momento, através dos tempos.

Àquela altura, Luce fervia. Ela gritou, sentindo dor e debatendo-se nos braços de Daniel. A pele dele queimava, mas ele não a soltou.

O momento chegara. A seta estelar estava no seu vestido, e Luce deveria usá-la nesse instante. Porém, ela jamais desistiria. Não de Daniel. Não sabendo que, não importava o quanto a situação se tornaria difícil, ele jamais desistiria dela.

Sua pele se encheu de bolhas. O calor era tão brutal que ela apenas conseguia tremer.

E, depois, conseguia apenas gritar.

Layla entrou em combustão, e, enquanto as chamas engolfavam aquele corpo, Luce sentiu seu corpo e sua alma se soltarem, buscando a fuga mais rápida daquele calor impiedoso. A coluna de fogo aumentou, tornando-se mais ampla até encher a câmara e o mundo, até se tornar tudo o que havia — e Layla se tornar nada.

※

Luce esperava encontrar a escuridão, mas encontrou a luz.

Onde estava o Anunciador? Seria possível que ela ainda estivesse dentro de Layla?

O fogo continuava vivo. Não se extinguira. Espalhara-se. As chamas consumiam cada vez mais a escuridão, subindo em direção ao céu como se a própria noite fosse inflamável, até que tudo o que Luce conseguiu ver foi um clarão quente, vermelho e dourado.

Nas outras vezes em que um dos seus "eus" do passado morreu, a libertação de Luce em relação às chamas e sua entrada no

Anunciador foram simultâneas. Algo mudara, fazendo-a enxergar coisas que não poderiam ser reais.

Asas incandescentes.

— Daniel! — gritou ela. Aquilo que pareciam ser as asas de Daniel pairou através das chamas, inflamando-se mas não queimando, como se também fossem *feitas* de fogo. Ela conseguiu distinguir apenas as asas brancas e os olhos violeta. — Daniel?

O fogo ondulou ao longo da escuridão, como uma onda gigante em um oceano que se rompesse em uma praia invisível, e varreu Luce furiosamente, percorrendo seu corpo, sua cabeça e a longínqua distância atrás dela.

Então, como se alguém apagasse uma vela com os dedos, houve um rápido chiado e tudo se tornou negro.

Um vento frio soprou atrás dela. Sua pele se arrepiou. Ela abraçou o próprio corpo, erguendo os joelhos e percebendo, com surpresa, que não havia chão sob seus pés. Ela não voava exatamente, apenas flutuava, sem direção. Aquilo não era um Anunciador. Ela não usara a seta estelar, mas teria, de alguma maneira... Morrido?

Luce sentiu medo. Não sabia onde estava, mas estava sozinha.

Não. Havia mais alguém. Um som rascante. Uma luz cinzenta e difusa.

— Bill! — gritou Luce ao vê-lo, tão aliviada que começou a rir. — Ah, graças a Deus! Achei que eu estava perdida... Pensei que... Ah, deixa para lá — e inspirou profundamente. — Não consegui fazer aquilo. Não poderia matar minha alma. Encontrarei outra forma de quebrar a maldição. Daniel e eu... Não desistiremos um do outro.

Bill estava longe, mas flutuava em direção a ela, formando arcos no ar. Quanto mais perto chegava, maior parecia, crescendo até se tornar duas, três, dez vezes maior que a pequena gárgula de pedra com quem ela viajara. Então teve início a verdadeira metamorfose:

Atrás dos ombros dele, um par de asas mais espessas, amplas e escuras como carvão irromperam, espatifando as familiares asinhas de pedra em pedacinhos. As rugas na sua testa se aprofundaram e se expandiram por todo o corpo, até ele parecer horrivelmente enrugado e velho. As garras nos seus pés e mãos aumentaram, tornando-se mais afiadas e amareladas.

Elas cintilaram na escuridão, cortantes como navalhas. Seu peito inchou, fazendo saltar pelos negros enrolados enquanto Bill se tornava infinitamente maior do que fora antes.

Luce se esforçou para reprimir o grito que subiu até sua garganta. E conseguiu — até que, nos cinzentos olhos de pedra de Bill, as íris embaçadas por camadas e mais camadas de cataratas cintilaram com um vermelho tão intenso quanto fogo.

Então, ela gritou.

— Você sempre faz a escolha errada — a voz de Bill se tornara monstruosa, grave, espessa pelo muco e rascante não apenas aos ouvidos de Luce, mas à sua alma. A respiração dele a golpeou, fedendo a podridão.

— Você é... — Luce não pôde terminar a frase. Havia apenas uma palavra para aquela criatura maligna à sua frente, e a ideia de pronunciá-la era aterrorizante.

— O vilão? — gargalhou Bill. — Surpresa! — Ele alongou a palavra por tanto tempo que Luce teve certeza de que ele começaria a tossir, encurvado, mas isso não aconteceu.

— Mas... Você me ensinou tanto, ajudou-me a descobrir... Por que você...? Como? *Todo* o tempo?

— Eu estava te enganando. É o que eu *faço*, Lucinda.

Ela gostara de Bill, por mais nojento e malandro que ele fosse. Confiara nele, ouvira o que ele tinha a dizer, e quase matara sua alma porque ele lhe aconselhara. Pensar sobre aquilo a devastou. Ela quase perdera Daniel por causa de Bill. E ainda poderia perder Daniel por causa dele. Porém, ele não era Bill...

Não era um mero demônio — não como Steven, ou mesmo Cam no seu pior estado.

Era o Mal encarnado.

E estivera com Luce o tempo inteiro, fungando no seu pescoço.

Ela tentou se afastar, mas a escuridão daquela criatura estava em toda a parte. Luce sentia-se como se flutuasse em um céu noturno, mas todas as estrelas estavam impossivelmente distantes; sequer havia sinal da Terra. Perto dali, havia manchas de uma escuridão ainda mais profunda, em abismos de formas espiraladas. E, ocasionalmente, um clarão aparecia, um facho de esperança, de luz. Depois, ela se extinguia.

— Onde estamos? — perguntou Luce.

Satã zombou da inutilidade daquela pergunta.

— Em lugar nenhum — respondeu. A voz não tinha o tom familiar do seu companheiro de viagem. — No coração escuro do nada, que está no centro de tudo. Nem no Céu, nem na Terra, nem no Inferno. O lugar dos trânsitos mais sombrios. Nada que sua mente, nesse estágio, consiga imaginar. Por isso, provavelmente, esse ambiente apenas lhe parece — seus olhos vermelhos se arregalaram — *amedrontador*.

— E esses clarões? — perguntou Luce, tentando não demonstrar o quão amedrontador aquele lugar realmente parecia. Vira ao menos quatro clarões, como incêndios brilhando e sumindo rapidamente nas regiões mais escuras do céu.

— Ah, isso. — Bill observou, sobre o ombro de Luce, um deles se acender e sumir. — Anjos viajando. Demônios viajando. Uma noite agitada, não? Parece que todos estão indo a algum lugar.

— Sim. — Luce esperava por outro clarão no céu. Quando ele apareceu, lançou uma sombra sobre ela; Luce a agarrou, desesperada para retirar um Anunciador dali antes que a luz desaparecesse. — Inclusive eu.

O Anunciador se expandiu rapidamente nas suas mãos, tão pesado, urgente e flexível que, por um momento, ela pensou que conseguiria.

Em vez disso, sentiu um aperto forte. Bill envolveu todo o corpo dela com sua garra pegajosa.

— Ainda não estou pronto para me despedir — sussurrou ele em uma voz que fez Luce tremer. — Veja... Passei a gostar muito de você. Não, espere, não é isso. Eu *sempre*... gostei de você.

Luce deixou que a sombra entre seus dedos se perdesse.

— E, como todos os meus seres amados, preciso de você comigo, especialmente agora. Portanto, não atrapalhe meus planos. Novamente.

— Ao menos agora você me deu uma meta — disse Luce, lutando para se soltar daquele aperto. Era inútil. Ele a apertou com mais força, espremendo seus ossos.

— Você sempre teve um fogo interior. Eu amo isso em você. — Ele sorriu, e era algo terrível. — Ah, se essa faísca permanecesse aí dentro, hein? Algumas pessoas simplesmente não têm sorte no amor.

— Não fale em amor — vociferou Luce. — Não acredito que cheguei a escutar qualquer palavra que saiu da sua boca. Você não sabe nada sobre o amor.

— *Isso* eu já ouvi. E acontece que sei uma coisa importante sobre o amor: você pensa que o seu é maior que o Céu e o Inferno e o destino de tudo o que existe entre eles. Mas está errada. Seu amor por Daniel Grigori é menos que insignificante. É *nada*!

O grito dele foi como uma onda de choque que soprou os cabelos de Luce para trás. Ela lutou para respirar, engasgada.

— Pode dizer o que quiser. Eu amo Daniel. Sempre amarei. E isso não tem nada a ver com você.

Satã ergueu-a até seus olhos vermelhos e espetou a pele dela com sua garra mais pontiaguda.

— Sei que você o ama. Você é *louca* por ele. Apenas me diga por quê.

— Por quê?

— Por quê? Por que *ele*? Explique com palavras. Faça-me *sentir* realmente. Quero me emocionar.

— Por um milhão de motivos. Simplesmente o amo.

O sorriso torto dele se aprofundou, e um som como de mil cachorros rosnando saiu do seu corpo.

— Esse foi um teste. Você não passou, mas a culpa não é sua. Realmente não é. Trata-se de um efeito colateral infeliz da maldição que paira sobre você. Você já não é capaz de fazer escolhas.

— Não é verdade. Se não se lembra, acabei de tomar a grande decisão de *não* matar minha alma.

Aquilo o irritou: ela pôde perceber pelo modo como suas narinas se abriram e como ele ergueu a mão, fechou a garra em punho e fez um trecho do céu estrelado se apagar como se desligasse um interruptor. Porém, ele não disse nada por um longo tempo. Apenas mirou a noite.

Um pensamento terrível tomou conta de Luce.

— Você ao menos disse a verdade? O que realmente aconteceria se eu usasse a seta estelar para... — a voz falhou, enojada por chegar tão perto de fazer aquilo. — O que você ganha com tudo isso? Você me quer fora do caminho, ou algo parecido, para chegar até Daniel? Por isso nunca se mostrava na frente dele? Porque ele teria perseguido você e...

Satã riu. Sua risada ofuscou o brilho das estrelas.

— Você acha que *eu* tenho medo de Daniel Grigori? Você *realmente* o considera demais. Diga... Com que tipo de mentira absurda ele encheu sua cabeça sobre o grandioso lugar dele no Céu?

— O mentiroso aqui é você — retrucou Luce. — Você mentiu desde o instante em que o encontrei. Não me admira que todo o universo o despreze.

— Desprezo, não. Tema. Existe uma diferença. O medo possui, dentro de si, a inveja. Você pode não acreditar, mas muitos gostariam de ter o meu poder. Muitos... me adoram.

— Tem razão, eu não acredito.

— Você apenas não sabe o suficiente. Sobre nada. Eu a conduzi em um passeio pelo seu passado, mostrei a futilidade dessa existência, esperando que você acordasse para a verdade, mas a única coisa que obtive foi: "Daniel! Eu quero Daniel!"

Ele a atirou para baixo e Luce caiu na escuridão, parando apenas quando ele a olhou, como se conseguisse fixá-la em uma posição. Ele rodeou-a, com as mãos atrás das costas, as asas fechadas e a cabeça inclinada em direção ao céu.

— O que você vê aqui é tudo o que existe. Visto de muito longe, é certo, mas está tudo aí: as vidas, os mundos e muito mais, coisas muito além da frágil compreensão dos mortais. Olhe.

Ela obedeceu, e a paisagem parecia diferente. O céu de estrelas era infinito e os pontos brilhantes sobre a escuridão eram tantos que o céu era mais luminoso do que negro.

— É lindo.

— Está prestes a se tornar uma *tabula rasa*. — Os lábios dele se curvaram em um sorriso torto. — Já estou cansado desse jogo.

— Isso é apenas um jogo, para você?

— Para *ele*, é um jogo. — Satã varreu a mão pelo céu, deixando uma faixa de escuridão na noite. — E recuso-me a ceder a esse Outro somente por causa de uma balança cósmica. Somente porque nossos lados estão equilibrados.

— Equilibrados. Você se refere à balança entre os anjos caídos que se alinharam a você e aqueles que se alinharam a...

— Não diga essa palavra. Porém, sim, esse *outro*. No momento, existe um equilíbrio e...

— E mais um anjo precisa escolher entre os lados — disse Luce, lembrando-se da longa conversa que tivera com Ariane no restaurante em Las Vegas.

— Aham. Mas, dessa vez, não deixarei a situação ao acaso. A estratégia da seta estelar foi um golpe mal pensado, mas percebi meu erro. Eu andei tramando. Eu andei planejando. Muitas vezes enquanto você e alguma versão do passado de Grigori estavam preocupados com suas pegações adolescentes. Então, veja, ninguém conseguirá sabotar aquilo que planejei. Eu limparei a lousa. Começarei novamente. Posso pular os milênios que levaram até você e até uma brecha na sua vida, *Lucinda Price* — zombou ele — e recomeçar. E, dessa vez, jogarei com mais esperteza. Dessa vez, vencerei.

— O que quer dizer com "limpar a lousa"?

— O tempo é uma grande lousa, Lucinda. Tudo o que foi escrito pode ser apagado com um movimento inteligente. Trata-se de uma jogada drástica, sim, e significa jogar milhares de anos no lixo. Um grande problema para todos os envolvidos, mas, ei, o que é um punhado de milênios diante do gigantesco conceito de eternidade?

— Como faria isso? — perguntou ela, sabendo que Satã era capaz de sentir o corpo dela tremendo sob suas mãos. — O que isso significa?

— Significa que voltarei ao começo. À Queda. Quando todos fomos expulsos do Céu porque ousamos exercer o livre-arbítrio. Estou falando sobre a primeira grande injustiça.

— Você quer reviver seus melhores momentos? — disse ela, mas ele não a escutava, perdido nos detalhes do seu plano.

— Você e o cansativo Daniel Grigori farão essa viagem comigo. Na verdade, sua alma gêmea já está a caminho nesse instante.

— Por que Daniel...

— Eu lhe mostrei o caminho, é claro. Agora, tudo o que preciso fazer é chegar a tempo de ver os anjos serem expulsos e começarem sua queda até a Terra. Que belo momento será!

— *Começarem* a queda? Quanto tempo demorou?

— Nove dias, segundo os relatos — murmurou ele —, mas pareceu uma eternidade para nós, que fomos expulsos. Nunca perguntou aos seus amigos a respeito? Cam. Roland. Ariane. Seu precioso Daniel? Todos estávamos juntos.

— Você verá tudo acontecer novamente. E daí?

— E daí que farei algo inesperado. Sabe o que é? — disse ele, abafando o riso enquanto seus olhos vermelhos cintilavam.

— Não sei — disse ela, baixinho. — Matar Daniel?

— Matar, não. *Prender*. Prenderei cada um de nós. Abrirei um Anunciador parecido com uma grande rede e o lançarei para frente no tempo. Depois, eu me clivarei com meu eu do passado e levarei toda a legião de anjos para o presente, junto comigo. Até mesmo os feios.

— E daí?

— E daí? Nós começaríamos tudo novamente. Porque a Queda é o começo. Não é parte da história, mas quando *começa* a história. E tudo o que houve antes de hoje? Não terá acontecido.

— Não terá acon... Você quer dizer, tipo, aquela vida no Egito?

— Nunca terá acontecido.

— China? Versalhes? Las Vegas?

— Nunca, nunca, nunca. Contudo, o contexto é maior que você e seu namorado, criança egoísta. É o Império Romano e o chamado Filho daquele Outro. É a grande e triste podridão chamada humanidade nascendo do ponto primordial da Terra e transformando tudo em uma fossa. É tudo o que ocorreu sendo apagado por um minúsculo salto no tempo, como uma pedra batendo sobre uma superfície de água.

— Você não pode simplesmente... Apagar todo o passado!

— É lógico que eu posso. É como encurtar uma saia. Remove-se o excesso de tecido, unem-se as pontas, e é como se a parte do meio nunca houvesse existido. Começaremos do ponto inicial. Todo o ciclo se repetirá e teremos mais uma chance para atrair as almas importantes. Almas como...

— Você nunca conseguirá Daniel. Ele nunca se juntará a vocês.

Daniel não cedera ao longo dos 5 mil anos que Luce presenciara. Não importava que eles a matassem repetidamente e negassem a ele a presença do seu verdadeiro amor: ele não desistia e não escolhia um dos lados. E mesmo que, de alguma forma, ele perdesse essa determinação, Luce estaria ali para apoiá-lo; sabia agora que era forte o bastante para carregar Daniel, se ele vacilasse. Assim como ele a carregara.

— Não importa quantas vezes você "limpe a lousa" — disse ela —, nada mudará.

— Ah... — e ele riu, como se estivesse constrangido por Luce; uma risada espessa e tenebrosa. — Claro que sim. Mudará *tudo*. Preciso enumerar de quantas maneiras? — Ele mostrou uma garra afiada e amarelada. — Primeiramente, Daniel e Cam serão irmãos novamente, como eram nos primeiros dias após a Queda. Não será divertido para você? Pior: nada de Nefilim. Não haverá se passado tempo suficiente para que os anjos pudessem caminhar pela Terra e copular com os mortais, portanto, pode dizer adeus aos seus amiguinhos da escola.

— Não...

Ele estalou as garras.

— Ah, esqueci-me de uma coisa: sua história com Daniel? Será apagada. Tudo o que você descobriu nessa sua pequena busca, todas as coisas que você tão sinceramente disse haver aprendido entre uma excursão e outra pelo passado... Pode esquecer.

— Não! Você não pode fazer isso!

Ele a envolveu no seu aperto frio mais uma vez.

— Ah, querida, está praticamente feito.

Sua risada pareceu uma avalanche enquanto o tempo e o espaço se dobravam ao redor deles. Luce estremeceu, contraiu-se, e lutou para se soltar daquele aperto, mas Satã a prendera muito bem sob sua asa vil. Ela não conseguia ver nada. Luce sentiu apenas uma lufada de vento passando por eles, uma explosão de calor e, depois, um frio inabalável, que se instalou na sua alma.

VINTE

O FIM DA JORNADA
Portões do Céu · A Queda

Sempre houvera apenas um local onde encontrá-la.

O primórdio. O início.

Daniel moveu-se, cambaleante, em direção à sua primeira vida, pronto para esperar o tempo que fosse preciso até que Luce chegasse ali. Ele a abraçaria e sussurraria ao seu ouvido: "Até que enfim. Encontrei você. Nunca a abandonarei."

Ele saiu das sombras e congelou diante a luz ofuscante.

Não. O destino dele não era esse.

Aquele ar delicioso e um céu opalescente. Aquele golfo cósmico de luz adamantina. Sua alma se enrijeceu diante das ondas de nuvens brancas roçando o negro Anunciador. Ali estava, longínquo: o inconfundível zunido de três notas reverberando docemente, infinitamente. A música que o Trono do Monarca Etéreo criava apenas irradiando luz.

Não. Não. *Não!*

Ele não deveria estar ali. Ele queria encontrar Lucinda na sua primeira encarnação na Terra. Como fora parar *ali*, entre todos os lugares?

Suas asas se abriram instintivamente. A sensação era diferente se comparada àquela que ele tinha na Terra — não era a grande sensação de liberdade e de, finalmente, soltar-se, mas algo tão corriqueiro quanto o ato de respirar para os mortais. Ele sabia que brilhava, mas não como às vezes brilhava na Terra, sob a luz da lua. Aqui, sua glória não era nada a ser escondido, nem a mostrar. Ela era, simplesmente.

Fazia tanto tempo que Daniel não voltava para casa.

Aquilo o atraía. Atraía a todos eles, exatamente como o cheiro do lar durante a infância atraía qualquer mortal — fossem pinheiros ou biscoitos caseiros, fosse a doce chuva de verão ou o charuto que o pai fumava. Era algo poderoso. Por isso Daniel se afastara durante os últimos 6 mil anos.

Agora, ele estava ali — e não por vontade própria.

Aquele querubim!

O anjo claro e delicado no seu Anunciador... Ele enganara Daniel.

As pontas das suas asas se eriçaram. Havia algo estranho naquele anjo. Sua marca da Balança era fresca demais. Ainda inchada e vermelha, como se houvesse sido feita recentemente...

Daniel voara para alguma espécie de armadilha. Precisava partir, independentemente do que acontecesse.

No ar. Aqui, estava-se sempre no ar. Sempre deslizando pelo mais puro ar. Ele abriu as asas e sentiu a névoa branca passar por ele. Daniel pairou sobre as florestas peroladas, sobre o jardim do Conhecimento, e fez a curva ao redor do rio da Vida. Passou por lagos acetinados e pelas cintilantes e prateadas montanhas Celestes.

Tivera tantos momentos felizes aqui.

Não.

Tudo aquilo deveria permanecer nos recessos da sua alma. Aquele não era o momento para nostalgias.

Daniel diminuiu a velocidade e se aproximou do prado do Trono. Era exatamente como ele se lembrava: aquela planície de nuvens brancas e brilhantes que levava ao centro de tudo. O Trono em si, estonteantemente cintilante e irradiando o calor da pura bondade, era tão luminoso que, até mesmo para um anjo, era impossível olhá-lo diretamente. Era impossível *ver* o Criador que se sentava ao trono, vestindo luminosidade, de forma que a costumeira sinédoque — se referir à entidade como Trono — se aplicava.

O olhar de Daniel se dirigiu ao arco de plataformas ondulantes e prateadas que circundavam o Trono. Em cada uma delas estava marcado o nível de um Arcanjo. Aquela costumava ser a sede deles, um local de adoração, onde eles recebiam e enviavam mensagens ao Trono.

Ali estava o lustroso altar que fora o assento de Daniel, perto do canto superior direito do Trono. O altar estivera ali desde que o Trono surgira.

Porém, agora havia apenas sete altares em vez de oito.

Espere um pouco...

Daniel estremeceu. Sabia que havia atravessado os Portões do Céu, mas ainda não percebera exatamente o momento em que estava. Isso era importante. O Trono ficara desequilibrado por um período muito breve: um instante entre Lúcifer declarar seus planos de deserção e o restante deles ser convocado a escolher um lado.

Daniel chegara naquele brevíssimo momento, após a traição de Lúcifer e antes da Queda.

A grande fenda ainda se abriria, quando alguns deles se alinhariam ao Céu e outros, ao Inferno; quando Lúcifer se transformaria em Satã diante de todos e quando o Grande Braço do Trono varreria da superfície do Céu legiões de anjos, que cairiam.

Ele se aproximou do prado. A harmoniosa melodia cresceu, assim como o zumbido do coral dos anjos. O prado brilhava, reunindo todas as mais luminosas almas. Seu eu do passado estaria ali; todos estariam. O lugar era tão luminoso que Daniel mal conseguia enxergar, mas sua memória lhe informou que Lúcifer obtivera permissão para receber os súditos no seu altar de prata, que fora reposicionado e encontrava-se em oposição direta — embora não tão elevado — ao Trono. Os outros anjos estavam reunidos diante do Trono, no centro do prado.

Era a chamada, o último momento antes que o Céu perdesse metade das suas almas. Naquela época, Daniel se perguntara por que o Trono sequer permitira aquilo. Será que Ele, que tinha domínio sobre tudo, considerava que o apelo de Lúcifer aos anjos acabaria em uma completa humilhação? Como o Trono se enganara tanto?

Gabbe ainda falava sobre a chamada com impressionante claridade. Daniel pouco se lembrava — com exceção do roçar suave de uma única asa em solidariedade a ele. Aquele roçar lhe dissera: "Você não está sozinho."

Ele ousaria olhar para aquela asa agora?

Talvez houvesse outra forma de passar pela chamada, para que a maldição que posteriormente recaiu sobre eles não tivesse tanta força. Com um estremecimento que atingiu seu âmago, Daniel percebeu que poderia transformar aquela armadilha em uma oportunidade.

É claro! *Alguém* retrabalhara a maldição para que existisse uma saída para Lucinda. Durante todo o tempo em que a procurara, Daniel pensou ter sido a própria Lucinda. Achou que, em algum ponto da sua fuga desabalada para o passado, ela abrira uma brecha. Porém, talvez... Talvez houvesse sido Daniel.

Ele estava ali, naquele momento. Poderia fazê-lo. Em certo sentido, já o fizera. Sim, Daniel perseguira as consequências de tudo aquilo ao longo dos milênios que percorrera para chegar ali. O que ele fizesse naquele momento, sendo o início de tudo, reverberaria no futuro, em cada uma das vidas de Luce. Por fim, as coisas começavam a fazer sentido.

Seria *ele* quem aliviaria a maldição, para permitir que Lucinda vivesse e viajasse pelo próprio passado — aquilo precisava haver começado ali. E com Daniel.

Ele desceu até a planície de nuvens, através da borda cintilante. Havia centenas de anjos, milhares, preenchendo o lugar com uma ansiedade lustrosa. A luz era impressionante quando ele deslizou até a multidão. Ninguém percebeu o Anacronismo: a tensão e o medo entre os anjos eram luminosos demais.

— Chegou a hora, Lúcifer — chamou a voz vinda do Trono. Fora aquela voz que dera a Daniel a imortalidade e tudo o que ela incluía. — É isso mesmo o que você deseja?

— Não apenas para nós, mas para nossos companheiros anjos — disse Lúcifer. — O livre-arbítrio é um direito de todos, não apenas dos mortais que observamos daqui. — Lúcifer, então, fez um apelo aos anjos, cintilando mais que a estrela da manhã: — A linha foi delimitada no chão de nuvens do prado. Agora todos vocês estão livres para escolher.

O primeiro escriba celestial estava na base do Trono, envolto em incandescência brilhante e chamando os nomes; primeiramente, o anjo de posto mais baixo, o filho do Céu de número 7.812:

— Geliel — chamou o escriba —, o último dos 28 anjos que governam as mansões da Lua.

Assim tudo começou.

O escriba mantinha uma contagem no céu opalescente enquanto Chabril, o anjo da segunda hora da noite, escolhia Lúcifer, e Tiel, o anjo do vento norte, escolhia o Céu, junto a Padiel, um dos guardiões do sono das crianças, e a Gadal, um anjo envolvido com ritos mágicos para doentes. Alguns anjos faziam longas apelações, outros mal diziam uma palavra; Daniel não acompanhou exatamente as marcações. Estava em busca de si mesmo e, além disso, sabia como aquilo terminaria.

Ele vagou pelo campo de anjos, grato pelo tempo que teria até que todos escolhessem. Ele precisava reconhecer seu próprio eu antes que ele se levantasse das massas e dissesse as ingênuas palavras pelas quais pagava desde então.

Houve uma comoção no prado — com clarões, sussurros e um trovão grave. Daniel ainda não ouvira seu nome ser chamado, não vira um anjo flutuar até o alto para declarar sua escolha. Ele abriu caminho pelas almas à sua frente para obter uma melhor visão.

Roland. Ele fez uma reverência diante do Trono.

— Com todo o respeito, não estou preparado para escolher. — Ele olhou para o Trono, mas gesticulou para Lúcifer. — Você está perdendo um filho hoje, e todos nós perdemos um irmão. Muitos mais, ao que parece, o seguirão. Por favor, não aceite essa sombria decisão tão tranquilamente. Não obrigue nossa família a se dividir.

Os olhos de Daniel se encheram de lágrimas ao ver a alma de Roland — o anjo da poesia e da música, seu irmão e *amigo* — implorando naquele céu branco.

— Você está errado, Roland — ribombou o Trono. — E, ao me desafiar, *fez* sua escolha. Receba-o no seu lado, Lúcifer.

— Não! — gritou Ariane, voando até o centro da luminosidade e pairando ao lado de Roland. — Por favor, dê-lhe tempo para entender o que essa decisão significa!

— A decisão já foi tomada — foi tudo o que o Trono disse em resposta. — Posso ver o que existe na alma dele, apesar das suas palavras: ele já fez sua escolha.

Uma alma roçou contra Daniel. Quente e impressionante, imediatamente reconhecível.

Cam.

— O que é você? — sussurrou Cam. Ele sentia, de maneira inata, que havia algo diferente em Daniel, mas não havia como explicar quem Daniel realmente era a um anjo que jamais deixara o Céu e que não tinha uma concepção do que viria em seguida.

— Irmão, não tema — implorou Daniel. — Sou eu.

Cam segurou seu braço.

— Vejo isso, embora também sinta que não é. — Ele balançou, melancolicamente, a cabeça. — Acredito que está aqui por um motivo. Por favor, você pode impedir que isso aconteça?

— Daniel — o escriba chamava seu nome. — Anjo dos guardiões silenciosos, os Grigori.

Não. Ainda não. Ele não havia decidido o que dizer, o que fazer. Daniel abriu caminho por entre a ofuscante luz das almas ao seu redor, mas era tarde demais. Seu eu levantou-se vagarosamente, sem olhar para o Trono ou para Lúcifer.

Em vez disso, ele olhou para o horizonte enevoado. Observando, Daniel lembrou-se: para ela.

— Com todo o respeito, não o farei. Não escolherei Lúcifer, e não escolherei o Céu.

Um rumor se ergueu, vindo dos anjos, de Lúcifer e do Trono.

— Em vez disso, escolho o amor: aquilo que todos vocês esqueceram. Escolho o amor e deixo para vocês a guerra. Você está errado em nos fazer passar por isso — disse ele para Lúcifer. Depois, virando-se, dirigiu-se ao Trono. — Tudo o que é bom, no Céu e na Terra, nasce do amor. Essa guerra não é justa. Essa guerra não é boa. O amor é a única coisa pela qual vale lutar.

— Meu filho — ribombou a voz profunda e calma vinda do Trono. — Você não entende. Estou resoluto em governar pelo amor: o amor por todas as minhas criações.

— Não — disse Daniel, baixinho. — Essa guerra diz respeito ao orgulho. Pode me desertar, se assim precisar. Se for meu destino, eu me rendo a ele, mas não a você.

A risada de Satã foi um golpe fétido.

— Você tem a coragem de um deus, mas a mente de um adolescente. E sua punição será como a de um adolescente. — Lúcifer varreu o ar com um gesto. — O Inferno não o aceitará.

— E ele já declarou seu desejo de desertar do Céu — disse a voz vinda do Trono, desapontada. — Como em todos os meus filhos, enxergo o que existe na sua alma, mas não sei o que será de você, Daniel, nem do seu amor.

— Ele não terá o *amor* dele! — gritou Lúcifer.

— Então, você tem algo a propor, Lúcifer? — perguntou o Trono.

— É preciso dar o exemplo — fervilhou Lúcifer. — Não percebe? O amor sobre o qual ele fala é destrutivo! — O anjo sorriu enquanto germinava a semente do seu ato mais maligno. — Então, deixe que esse amor destrua seus amantes, não o resto de nós! Ela morrerá!

Os anjos soltaram um grito reprimido. Era impossível, a última coisa que esperariam.

— Ela morrerá sempre, ao longo de toda a eternidade — continuou Lúcifer com a voz espessa pela maldade. — Ela jamais passará da adolescência: morrerá novamente, novamente e novamente, exatamente no momento em que se lembrar da *escolha* dele. Dessa forma, vocês jamais estarão realmente juntos. Esse será o castigo dela. E quanto a você, Daniel...

— É o suficiente — disse o Trono. — Se Daniel manter sua decisão, o que você propõe, Lúcifer, é castigo o bastante — houve uma pausa longa e tensa. — Entenda: não desejo isso a nenhum dos meus filhos, mas Lúcifer está certo. É preciso dar o exemplo.

Precisava ser agora: aquela era a chance que Daniel tinha de abrir uma brecha na maldição. Corajosamente, ele voou para cima, sobre o prado, pairando ao lado do seu eu anterior. Era o momento de mudar tudo, de alterar o passado.

— O que é essa cópia? — fervilhou Lúcifer. Seus olhos, tornados vermelhos havia pouco tempo, estreitaram-se ao ver dois seres com a mesma aparência.

O grupo de anjos embaixo de Daniel se agitou, confusos. Seu eu anterior olhou para ele, sem entender.

— Por que está aqui? — sussurrou ele.

Daniel não queria esperar até que alguém o questionasse, até que Lúcifer se sentasse ou até que o Trono se recuperasse daquela surpresa.

— Eu vim do futuro, de milênios após esse castigo...

O súbito espanto dos anjos se tornou palpável pelo calor emitido pelas almas. Obviamente aquilo estava além de qualquer coisa que pudessem imaginar. Daniel não conseguia ver o Trono claramente para poder perceber qual efeito sua volta exercera *Nele*, mas a alma de Lúcifer cintilou em um tom vermelho-sangue, raivosa. Daniel obrigou-se a prosseguir:

— Estou aqui para implorar clemência. Se devemos ser punidos, meu Mestre, e não questiono sua decisão, por favor, ao menos lembre-se de que um dos maiores traços do seu poder é a misericórdia, que é misteriosa e imensa, superando a todos nós.

— *Misericórdia?* — gritou Lúcifer. — Depois da dimensão das suas traições? E será que sua versão do futuro se arrepende da sua escolha?

Daniel balançou a cabeça.

— Minha alma é antiga, mas meu coração é jovem — disse ele, olhando para seu eu anterior, que parecia estupefato. Então, observou sua querida alma, bela e resplandecente. — Não posso ser diferente daquilo que sou, e eu sou as escolhas que faço a cada dia. Eu as sustento.

— A escolha foi feita — disseram, em uníssono, as duas versões de Daniel.

— Então, sustentamos o castigo sugerido — ribombou o Trono.

A grande luz estremeceu e, em um longo momento de absoluto silêncio, Daniel se perguntou se, afinal, agira bem ou não em mostrar-se. Então finalmente completou:

— Mas concederemos seu pedido por misericórdia.

— Não! — gritou Lúcifer. — O Céu não foi o único prejudicado!

— *Silêncio!* — a voz do Trono soou mais grave. Ela parecia cansada, sofrida e mais incerta do que Daniel jamais achara possível. — Se um dia, sobre a alma dela não pesar a escolha realizada por um sacramento, ela será livre para crescer e para escolher por si mesma, para reencenar esse momento. Para fugir desse castigo imposto. E, assim, aplicar um último teste a esse amor que você clama superar os direitos do Céu e da família;

a escolha *dela* será, então, sua redenção ou o selo final do seu castigo. É tudo o que pode ser feito.

Daniel fez uma reverência, assim como seu eu original.

— Não posso obedecer a isso! — exclamou Lúcifer. — Eles nunca devem ficar juntos! *Nunca*!

— Está feito — trovejou a Voz, como se houvesse alcançado o limite da sua misericórdia. — Não tolerarei aqueles que discutirem comigo sobre esse ou qualquer outro assunto. Vão! Todos vocês que escolheram o mal ou não escolheram. Os portões do Céu estão fechados para vocês!

Algo tremulou. A forte luz subitamente *se apagou*.

O Céu se escureceu e tornou-se mortalmente frio.

Os anjos reprimiram um grito e tremeram, aproximando-se um do outro.

Depois, o silêncio.

Ninguém se moveu, ninguém falou.

O que aconteceu foi inimaginável, até mesmo para Daniel, que havia testemunhado tudo aquilo anteriormente.

O céu sob eles tremeu e o lago branco transbordou, criando uma feroz explosão de água branca e vaporosa, que cobriu tudo. O jardim do Conhecimento e o rio da Vida se fundiram. Todo o Céu se sacudiu enquanto eles desapareciam em meio a tremores.

Um raio prateado foi disparado do Trono e atingiu o lado oeste do prado. O chão de nuvens se tornou negro e um poço do mais sombrio desespero se abriu como uma fossa, exatamente embaixo de Lúcifer. Com toda a sua ira impotente, ele e os anjos mais próximos sumiram.

Quanto aos anjos que ainda deveriam escolher, eles também perderam o direito às planícies do Céu e deslizaram pelo abismo. Gabbe foi um deles. Ariane e Cam também, assim como todos os mais amados por Daniel — era um efeito colateral da escolha dele. Até mesmo seu eu original, com os olhos arregalados, foi arrastado em direção àquele buraco negro no Céu e sumiu.

Mais uma vez, Daniel não pôde impedir.

Ele sabia que entre aquele momento e o instante em que os caídos atingiriam a Terra havia uma queda vertiginosa por nove dias. Nove dias que ele não poderia desperdiçar sem procurar por Luce. Ele despencou em direção ao abismo.

Diante do nada, Daniel olhou para baixo e viu um facho de luz em um ponto mais longínquo do que seria imaginável. Não era um anjo, mas um monstro com amplas asas negras, mais escuras que a noite. E voava na direção dele, *subindo*. Como?

Daniel vira Lúcifer no Julgamento. Ele fora o *primeiro* a cair, e deveria estar muito abaixo de Daniel. Ainda assim, não poderia ser outra criatura. A visão de Daniel ganhou foco e suas asas arderam quando ele percebeu o que o monstro carregava sob a asa.

— Lucinda! — gritou ele, mas o monstro já soltara o corpo dela.

O mundo de Daniel parou.

Daniel não viu aonde Lúcifer foi, porque estava mergulhando céu abaixo em direção a Luce. A luminosidade da alma dela era tão forte e tão familiar... Ele disparou para frente, juntando as asas ao corpo de forma que caísse mais rapidamente do que parecia possível, enevoando o mundo ao seu redor. Ele esticou a mão e...

Ela aterrissou nos seus braços.

Imediatamente suas asas se moveram para frente, formando um escudo protetor ao redor dela. Luce pareceu espantada inicialmente, como se acabasse de acordar de um pesadelo terrível, e olhou profundamente nos olhos dele, soltando todo o ar dos pulmões. Ela tocou sua face e correu os dedos pelas pontas duras das suas asas.

— Finalmente. — Ele respirou dentro dela, encontrando seus lábios.

— Você me encontrou — sussurrou ela.

— Sempre.

Abaixo deles, a massa de anjos caídos acendeu o céu, como mil estrelas brilhantes. Todos pareciam imantados por uma força invisível, que os mantinha unidos durante a longa descida desde o Céu. Era trágico e pavoroso. Por um momento, todos pareceram emitir um som grave e acender, com uma linda perfeição. Enquanto Daniel e Luce observavam, um raio escuro correu pelo céu e pareceu circundar a massa brilhante dos anjos caídos.

Então, tudo, com exceção de Luce e Daniel, tornou-se absolutamente escuro. Como se todos os anjos houvessem caído juntos através de um rasgo nos céus.

EPÍLOGO

NADA ALÉM DISSO
Savannah, Geórgia · 27 de novembro de 2009

Luce desejava que aquele Anunciador fosse o último que precisasse atravessar por um longuíssimo tempo. Quando Daniel capturou a sombra formada pelo inexplicável aumento do brilho das estrelas naquele céu estranho, Luce não olhou para trás. Segurou rapidamente a mão dele, completamente aliviada. Estava com Daniel. Aonde quer que fossem, aquele seria seu lar.

— Espere — disse ele, antes que Luce entrasse na sombra.

— O que foi?

Os lábios dele roçaram a linha da clavícula dela. Ela arqueou as costas, segurou o pescoço dele e o puxou para mais perto. Os dentes deles se bateram, a língua dele encontrou a dela e, desde que ela pudesse continuar assim, não precisava respirar.

Eles deixaram o passado juntos, em um beijo — esperado há tanto tempo e tão apaixonado que fez tudo ao redor de Luce girar. Era um beijo com o qual a maioria das pessoas sonha durante a vida inteira. Ali estava a alma que Luce buscava desde que a deixara, no quintal da casa dos seus pais. E eles ainda estavam juntos quando Daniel voou, carregando-a consigo para fora do Anunciador, sob a passagem tranquila de uma nuvem prateada.

— Mais — pediu ela quando, por fim, ele se afastou. Eles estavam em um ponto tão alto que Luce mal conseguia ver o solo. Uma faixa de oceano banhada pelo luar. Minúsculas ondas brancas batendo em uma praia escurecida.

Daniel riu e trouxe-a para perto mais uma vez. Ele parecia não conseguir parar de sorrir. A sensação do seu corpo contra o dela era tão boa, e a pele dele parecia tão espetacular sob a luz das estrelas... Quanto mais eles se beijavam, mais certeza Luce tinha de que nunca o beijaria o suficiente. Havia pouca diferença — e, contudo, toda a diferença — entre as versões de Daniel que ela conhecera em outras existências e o Daniel que a abraçava. Enfim, Luce podia retribuir seu beijo sem duvidar de si e do amor deles. Sentia uma alegria ilimitada. E pensar que quase desistira.

Ela começou a cair em si. Havia falhado na busca por quebrar a maldição. Fora enganada, iludida... Por Satã.

Embora odiasse parar os beijos, Luce segurou o rosto cálido de Daniel e olhou dentro dos seus olhos violeta, tentando extrair forças.

— Desculpe — disse ela. — Por fugir daquela maneira.

— Não peça desculpas — disse ele, devagar e com grande sinceridade. — Você precisava ir. Estava escrito; deveria ser assim. — Ele sorriu novamente. — Fizemos o que era preciso, Lucinda.

Um jato de calor atravessou-a, deixando-a tonta.

— Eu comecei a pensar que nunca mais o veria.

— Quantas vezes eu já lhe disse que sempre te encontrarei? — Então, Daniel virou-a para que as costas dela ficassem contra seu peito. Beijou sua nuca e envolveu o tronco dela com seus braços, na posição de voo, e eles seguiram em frente.

Voar com Daniel era algo de que Luce jamais se cansaria. Suas asas brancas se abriam no ar, batendo contra o céu da meia-noite enquanto eles se movimentavam com uma graça inacreditável. A umidade das nuvens formou gotículas na sua testa e no seu nariz enquanto os braços fortes de Daniel permaneciam ao seu redor, fazendo-a sentir-se mais segura do que em muito tempo.

— Olhe... — disse Daniel, alongando levemente o pescoço. — A lua.

A esfera parecia próxima e grande o bastante para que Luce pudesse tocá-la.

Eles se moviam velozmente pelo ar, mal fazendo barulho. Luce respirou profundamente e arregalou os olhos, surpresa. Ela conhecia aquele ar! Era a brisa particularmente salgada da costa da Geórgia. Ela estava... Em casa. Lágrimas arderam nos seus olhos quando ela pensou na sua mãe, no seu pai e no seu cachorro, Andrew. Há quanto tempo estava longe deles? Como seria quando voltasse?

— Estamos voando para minha casa? — perguntou ela.

— Primeiro, durma — disse Daniel. — Para seus pais, você esteve fora apenas por algumas horas. É quase meia-noite aqui. Nós chegaremos logo pela manhã, depois que você descansar.

Daniel tinha razão: ela deveria descansar agora e ver os pais de manhã. Mas, se ele não iria levá-la para sua casa, para onde estavam indo?

Eles se aproximaram da linha das árvores. Os topos estreitos dos pinheiros balançavam ao vento, e as praias arenosas e vazias cintilavam. Tybee. Ela estivera ali várias vezes, quando criança...

E outra vez, mais recentemente. Um pequeno chalé de madeira, com um belo telhado e fumaça saindo pela chaminé. A porta vermelha com o vitral. A janela que dava para um pequeno patamar aberto. Parecia familiar, mas Luce estava tão cansada e estivera em tantos lugares recentemente que somente quando seus pés tocaram o chão macio e sedimentado ela reconheceu o chalé onde ficara logo após sair da Sword & Cross.

Após Daniel lhe contar, pela primeira vez, sobre suas vidas passadas juntos, após a feia luta no cemitério e após a Srta. Sophia se metamorfosear em algo mau, Penn morrer e todos os anjos dizerem a Luce que sua vida repentinamente estava em perigo, ela havia dormido ali, sozinha, durante três delirantes dias.

— Aqui, poderemos descansar — disse Daniel. — É um refúgio seguro para os anjos caídos. Temos alguns lugares como esse espalhados pelo mundo.

Luce deveria ter ficado animada com a perspectiva de ter uma noite inteira de sono — com Daniel ao seu lado! —, mas algo a incomodava.

— Preciso lhe contar uma coisa. — Ela o encarou. Uma coruja piou em um pinheiro e a água batia na praia, mas, fora isso, a ilha escura estava em completo silêncio.

— Eu sei.

— Você sabe?

— Eu vi. — Os olhos de Daniel se tornaram cinzentos como uma tempestade. — Ele a enganou, não é?

— Sim! — gritou Luce, corando pela vergonha que sentia.

— Por quanto tempo ele ficou com você? — Daniel brincava com as mãos, quase como se tentasse reprimir os ciúmes.

— Por um longo tempo. — Luce estremeceu. — Mas a situação é ainda pior: ele está planejando algo terrível.

— Ele sempre está planejando algo terrível — murmurou Daniel.

— Não, isso é grande. — Ela entrou entre os braços de Daniel e pressionou as mãos contra seu peito. — Ele me contou... Disse que queria limpar a lousa.

Daniel apertou-a ainda mais ao redor da cintura.

— Ele disse *o quê?*

— Não entendi tudo. Ele disse que voltaria até a Queda para abrir um Anunciador e levar todos os anjos com ele e, de lá, seguiria diretamente até o presente. Disse que ia...

— Apagar o tempo entre uma coisa e outra. Apagar nossa existência — disse Daniel com a voz rouca.

— Sim.

— *Não.* — Ele segurou a mão dela e puxou-a em direção ao chalé. — Eles podem estar nos espionando. Sophia. Os Párias. Qualquer um. Entre, aqui é seguro. Você precisa me dizer tudo o que ele lhe contou, Luce, tudo.

Daniel praticamente escancarou a porta vermelha do chalé e trancou-a depois que entraram. Um momento mais tarde, antes que pudessem fazer qualquer coisa, braços envolveram Luce e Daniel em um abraço gigantesco.

— Vocês estão seguros — disse uma voz repleta de alívio.

Cam. Luce virou a cabeça para ver o demônio vestido em roupas pretas, como o "uniforme" que eles usavam na Sword & Cross. Ele colocara suas enormes asas douradas para trás, e elas emitiam fachos de luz que se refletiam nas paredes. Sua pele estava pálida e ele parecia mais magro; os olhos se destacavam como esmeraldas.

— Nós estamos de volta — disse, cautelosamente, Daniel, dando um tapinha no ombro de Cam. — Quanto a estarmos seguros, não tenho certeza.

O olhar de Cam analisou Luce cuidadosamente. Por que ele estava ali? Por que Daniel parecia feliz em vê-lo?

Daniel levou Luce até a velha cadeira de balanço feita de vime perto da lareira que estalava e gesticulou para que se sentasse. Ela desabou ali, e ele sentou-se em um dos braços da cadeira, apoiando a mão nas costas dela.

O chalé era exatamente como ela se lembrava: quente, seco e com cheiro de canela. O estreito colchão de lona onde ela havia dormido estava arrumado. Ali estava a pequena escada de madeira que levava até o pequeno patamar aberto e ao quarto principal. O lustre verde continuava pendurado em uma viga.

— Como sabia que estaríamos aqui? — perguntou Daniel a Cam.

— Roland leu algo nos Anunciadores essa manhã. Ele achou que você poderia estar voltando e que algo poderia acontecer — Cam encarou Daniel, — algo capaz de afetar a todos nós.

— Se o que Luce disse é verdade, não é algo que possamos resolver sozinhos.

Cam inclinou a cabeça em direção à Luce:

— Eu sei. Os outros estão a caminho. Tomei a liberdade de espalhar a notícia.

Nesse momento, uma janela se quebrou no patamar elevado. Daniel e Cam se levantaram imediatamente.

— Somos nós! — cantarolou Ariane. — Temos Nefilim a bordo, por isso viajamos com a graça de um time universitário de hóquei.

Uma grande explosão de luz — dourada e prateada — vinda do alto fez com que as paredes do chalé estremecessem. Luce levantou-se em um pulo a tempo de ver Ariane, Roland, Gabbe, Molly e Annabelle — a garota que Luce descobrira, em Helston, ser um anjo — flutuando devagar a partir das vigas, com as asas abertas. Juntos, formavam uma miríade de cores: preto e dourado, branco e prateado. As cores representavam lados diferentes, mas ali estavam eles. Juntos.

Um momento depois, Shelby e Miles desciam tropeçando pela escada de madeira. Ainda vestiam as mesmas roupas — Shelby com um suéter verde e Miles com calças jeans e um boné de beisebol — que usaram para o jantar do Dia de Ação de Graças, que parecia ter acontecido há uma eternidade.

Luce sentiu como se sonhasse. Era tão maravilhoso ver aqueles rostos familiares — que ela se perguntara, com sinceridade, se voltaria a vê-los algum dia. Os únicos que não estavam ali eram seus pais, obviamente, e Callie, mas ela os veria em breve.

Começando por Ariane, os anjos e os Nefilim rodearam Luce e Daniel em outro enorme abraço. Até mesmo Annabelle, que Luce mal conhecia. Até mesmo Molly.

De repente, todos gritavam...

Annabelle, batendo as pálpebras cor-de-rosa cintilante, dizia: "Quando vocês voltaram? Temos *tanto* para contar!" E Gabbe, beijando a face de Luce, continuava: "Espero que vocês tenham tomado cuidado... E espero que tenham visto o que precisavam ver." Depois, Ariane: "Vocês trouxeram alguma notícia boa?" E Shelby, sem fôlego: "Ficamos procurando você por, tipo, uma eternidade. Não é, Miles?" Então, Roland: "É demais ver que você voltou inteira para casa, menina." Por fim, Daniel, silenciando a todos com a gravidade da sua voz:

— Quem trouxe os Nefilim?

— Eu. — Molly envolveu. com um braço, Shelby e Miles. — Tem algo a dizer a respeito?

Daniel olhou para os amigos de Luce. Antes que ela tivesse a chance de defendê-los, os cantos dos lábios dele se elevaram em um sorriso e ele disse:

— Ótimo. Precisaremos de toda a ajuda que conseguirmos. Sentem-se, todos.

⁂

— Lúcifer não pode estar falando sério — disse Cam, balançando a cabeça, chocado. — É somente um último recurso desesperado. Ele não faria... Provavelmente ele apenas tentava que Luce...

— Ele faria — disse Roland.

Eles estavam espalhados em um círculo perto da lareira, virados para Luce e Daniel, na cadeira de balanço. Gabbe encontrara cachorros-quentes, marshmallows e pacotes de chocolate quente em pó, e montara uma pequena estação gastronômica em frente ao fogo.

— Ele preferiria recomeçar a perder o orgulho próprio — acrescentou Molly. — Além disso, ele não tem nada a perder apagando o passado.

Miles deixou seu cachorro-quente cair e o prato bateu com força no chão de madeira de lei.

— Isso significa que Shelby e eu... Não existiríamos? E quanto a Luce, onde ela estaria?

Ninguém respondeu. Luce sentiu-se constrangedoramente consciente do seu estado não angélico. Um calor se espalhou pela parte superior dos seus ombros.

— Como é possível que ainda estejamos aqui, se o tempo foi reescrito? — perguntou Shelby.

— É possível porque os anjos ainda não acabaram de cair — respondeu Daniel. — Quando isso acontecer, a ação estará concluída e não poderá ser revertida.

— Então, temos... — Ariane falou com a voz baixa. — Nove dias.

— Daniel? — Gabbe olhou para ele. — Diga-nos o que podemos fazer.

— Há apenas uma coisa — disse Daniel. Todas as asas brilhantes se voltaram para ele, em expectativa. — Precisamos atrair todos até o local onde os anjos caíram.

— Que fica...? — perguntou Miles.

Ninguém falou durante um longo tempo.

— É difícil dizer — respondeu, finalmente, Daniel. — Tudo aconteceu há muito tempo e éramos novatos na Terra. Contudo — ele olhou para Cam —, podemos descobrir.

Cam soltou um assobio baixo. Estaria com medo?

— Nove dias não é tempo suficiente para descobrir o local da Queda — disse Gabbe. — Quanto mais para impedir Lúcifer, quando chegarmos até ele.

— Nós precisamos tentar — retrucou Luce, sem pensar, surpresa com a própria certeza.

Daniel olhou para o grupo formado por anjos, pelos chamados demônios e pelos Nefilim. Seu olhar envolveu a todos, sua família.

— Estamos juntos nessa, então? Todos nós? — Finalmente, seus olhos pararam em Luce.

E, embora não conseguisse imaginar o amanhã, Luce deu um passo em direção ao abraço de Daniel e disse:

— Sempre.

Este livro foi composto na tipologia Sabon LT Std,
em corpo 12/17, impresso em papel off-white,
no Sistema Cameron da Divisão Gráfica
da Distribuidora Record.